LILIAN BROWN

VERHEIRATET MIT DINOSAURIERN

LILIAN BROWN

Verheiratet mit Dinosauriern

AUF FOSSILIENJAGD IM INDISCHEN DSCHUNGEL

MIT 32 BILDTAFELN

ULLSTEIN VERLAG WIEN

Titel der amerikanischen Originalausgabe: I MARRIED A DINOSAUR
Erschienen 1950 bei Dodd, Mead & Company, New York
Ins Deutsche übertragen von Helga Treichl

Zweite Auflage

Einband und Schutzumschlag von Norbert Ehrenfreund, Wien
Druck: G. Gistel & Cie., Wien

Für Barnum

VORWORT

Noch nie habe ich ein Vorwort zu einem Buch mit mehr Freude geschrieben. „Pixie“ — Elfe — war der Name, den Barnum Brown seiner Frau gegeben hatte, und nachdem man ihre vorliegende Geschichte gelesen hat, wird man zugeben, daß er richtig gewählt ist. Hier ist wirklicher Humor, echtes schriftstellerisches Können und die Offenbarung dessen, was es heißt, die Frau eines Fossilienjägers zu sein. Jede Seite dieses Buches hat mich zum Lachen gebracht.

Nach der in Indien vollzogenen Trauung war Pixie um die einer jungen Ehefrau zustehenden Flitterwochen gekommen, aber es gelang ihr immer, die Dinge von der humorvollen Seite zu sehen, und sie ertrug alles und jedes wie ein wirklich guter Kamerad. Sie hatte sich mit großen Augen auf ein romantisches Abenteuer gefreut und fand statt dessen einen dauernd umherstreifenden Ehemann, der unentwegt auf der Suche nach einem versteinerten Knochen jenseits des Horizontes war. Sie hoffte, daß das Tal von Kaschmir ihn dazu verlocken würde, einmal ein oder zwei Wochen seßhaft zu bleiben. Nur ein paar Tage wollte sie haben — aber waren sie ihr gegönnt? Nein. Er bekam das luxuriöse Hausboot, das sie gemietet hatte, nicht einmal zu Gesicht. Sie sagt: „Einen weiteren unvergeßlichen Tag verbrachte ich in Schalimar, der Heimat der Liebe, unter Mandelblüten, glitzernden Springbrunnen und herrlichen Blumenteppichen. Ich träumte mir meinen Weg durch marmorne Pavillons, wo einst liebliche Damen spielten und Schah Dschahan seine Sommer vertändelte. Dies war der Garten, von dem das Kaschmiri Lied ‚Weiße Hände liebte ich in Schalimar‘ handelte. Auch meine Hände waren weiß in Schalimar, aber wer war da, um sie zu halten? Inmitten all dieser Schönheit brauchte man Liebe! Aber mein fossilienjagender Ehemann schrieb, um bei mir anzufragen, ob es dort auch Knochen gäbe . . .“

So wurde die arme Pixie weitergehetzt, um bei der Jagd nach einem Baluchitherium, das meine eigene Expedition schließlich in der Wüste Gobi entdeckte, zu helfen.

Natürlich fand Barnum Knochen, wo immer er auch hinging. Das tut er immer. Professor Henry Fairfield Osborn sagte einmal zu mir: „Brown ist der erstaunlichste Sammler, dem ich je begegnet bin. Anscheinend kann seine Spürnase Fossilien riechen. Wenn er irgendwo in der Welt eine Probegrabung macht, so tut er das bestimmt mitten in den reichhaltigsten Knochenfundstellen. Es entgeht ihm nie etwas."

Barnum ist nun schon seit fast vierzig Jahren mein Freund. Als Knochenjäger ist er der typische Einzelgänger. Pixie hat das zu ihrem Leidwesen erfahren. Ich habe es oft erlebt, daß er einfach aus dem Museum heraus verschwunden ist, ganz einfach verschwunden wie irgend ein Geist, und niemand wußte, wo er hingegangen war. Vielleicht nach Indien, oder nach Burma, Griechenland, Patagonien, Kanada oder Wyoming. Aber unweigerlich erfuhr man seinen Aufenthalt durch eine wahre Lawine von Fossilien, die eines Tages waggonweise im Museum auftauchten. Irgendwann pflegte dann auch Barnum nachzukommen, er schlüpfte lautlos und ohne Fanfaren in sein Zimmer und war wieder da. An dem einen Tag war sein Büro noch leer, am nächsten Morgen saß er wieder an seinem Schreibtisch, als ob er niemals fortgewesen wäre.

Er hat viele der wichtigsten und aufsehenerregendsten Exemplare in der ganzen Geschichte der Paläontologie entdeckt. Wenn er einmal aufhören wird, auf dieser Erde nach Knochen zu suchen, dann können sich die himmlischen Fossiliengefilde darauf vorbereiten, von seinen allessehenden Augen gründlich untersucht zu werden. Er wird mit einer Hacke, Schellack und Gips im Jenseits erscheinen, und wenn man ihm das verbietet, so wird er eben dort nicht hingehen. Aber man kann dessen sicher sein, daß er, ob lebend oder tot, unentwegt weitergraben wird.

Aber dies ist nicht Barnums Buch, es ist durch und durch das Buch seiner Frau. Er hätte es nicht schreiben können, kein Mann hätte das gekonnt.

Ich werde es nicht in meine Bibliothek einreihen. Ich werde es auf meinen Nachttisch legen, damit ich es immer bei der Hand habe, und sollte ich einmal deprimiert sein, so werde ich mir die seltene Medizin seines köstlichen Humors zuführen. Mein Kompliment, Pixie! Gib uns noch so ein Buch.

Roy Chapman Andrews

ERSTER TEIL

Indien

Du, Leben, sollst meine Minne sein,
Ich nahm dir die Schleier, und du warst schön —
Und fänd' ich ein Fehl an der Liebsten mein,
Ich will es nicht wissen, ich will es nicht sehn!

Indische Liebeslyrik

DIE BRAUT IN BREECHES

Wenn du dir ein kleines Landhäuschen mit weißen, bauschigen Vorhängen, einem gemütlichen Kaminfeuer und Flieder im Frühjahr erträumst — heirate keinen Paläontologen.

Ich hab's getan. Und über Nacht verwandelte sich mein Traumhaus in ein Traumschiff, das bald darauf zu einer Arche Noah wurde, auf der ich als rothaarige Kinderfrau für versteinerte Ungeheuer fungierte.

Diese Verwandlung nahm eigentlich in einer von Palmen beschatteten Kapelle in Kalkutta, Indien, ihren Anfang, als ich einen gewissen Barnum Brown, Mitglied des amerikanischen Museums für Naturgeschichte, ehelichte.

Nachdem meine Erziehung in einer Klosterschule in New York beendet war, hatte ich mich mit einer Gruppe von Studenten auf eine Weltreise eingelassen. Ich träumte vom Orient und besonders von Indien. Und dieses Land nahm auch einen beträchtlichen Raum in den Träumen eines der Mitreisenden ein, der zu einer Ausgrabungsexpedition in diesen zauberhaften Teil des Globus unterwegs war.

Dr. Brown war damals — ebenso wie heute — groß und gerade gewachsen, umsichtig und gründlich von Charakter, mit zwinkernden blauen Augen, die für einen Kneifer wie geschaffen waren. Er hatte etwas Würdevolles an sich, und sein Äußeres ließ eher auf einen Gelehrten als auf einen Freiluftforscher schließen. Meiner höchstpersönlichen Meinung nach deckte er sich so ziemlich mit den Ansprüchen, die die Öffentlichkeit an das Aussehen eines Gelehrten stellt.

Das war der Mann, der mich vom Altar weg auf prähistorische Flitterwochen in den Dschungel hetzte. Er war ein Großwildjäger — von jener Sorte, die sich mit Großwild beschäftigt, das schon seit einigen Millionen Jahren tot ist. Mit anderen Worten, Barnum verdiente sich sein Brot, indem er nach Knochen grub, und unsere sogenannten Flitterwochen waren hauptsächlich eine

Knochen-Buddel-Angelegenheit, deren Höhepunkte in der triumphalen Ausgrabung mehrerer vorsintflutlicher Ungeheuer bestanden.

Das erste tauchte in den Siwalikbergen auf. Diese grenzen an den Himalaja, sind ein verlassener und verlorener Flecken Erde und berühmt dafür, der am meisten von Dämonen heimgesuchte Teil Indiens zu sein.

„Sie protzen mit mehr Gerippen pro Quadratmeile als irgend ein anderer Teil des Orients", hatte Barnum mir erklärt. „Einst waren dort die Jagdgründe von Säbeltigern, Hyänenbären, ausgestorbenen Riesenschlangen und seltsamen Hunden von der Größe eines Löwen." Nichts konnte seine Gefühle so aufpeitschen wie der Gedanke an Knochen, es sei denn, daß er in Wirklichkeit gerade solch ein ungeheuerliches Überbleibsel ausgrub. Als „Land Gottes" bezeichnete er diesen Flecken Erde.

Mir erschien es eher so, als ob der Teufel hier schon seit langem die Macht übernommen hätte. Die Gegend hatte auch einen ausgesprochen schlechten Ruf in bezug auf Geister und Dämonen. Der lokale Aberglauben hegte die Überzeugung, daß sie unter dem Fluch von Schiwa, dem Hindugott der Zerstörung, stand, und daß die Knochen von urzeitlichen Riesen herstammten, die vor langer Zeit seinen Zorn erregt hatten.

Infolgedessen war es recht mühsam, eine Kamelkarawane für unser Unternehmen zusammenzubekommen. Die Eingeborenen wollten unter keinen Umständen eine Begegnung mit Geistern riskieren, und die Leute, die wir schließlich auftrieben, waren eine Bande Halsabschneider, die weder Lebende noch Tote fürchteten. Aber wir hatten einen guten Mann, der sie bei der Stange hielt. Abdul Azziz war sein Name—ein großer Pandschab-Muselmann aus Rawalpindi, mit dem Körper eines Herkules und dem Gesicht eines Babys. Wir hatten ihn in dem Haus eines lieben englischen Freundes, eines Brigadiers, entdeckt, durch dessen Einfluß Barnums Arbeit in Indien sehr erleichtert wurde. Er führte mit seiner äußerst großzügigen Frau ein Leben im echten Kolonialstil auf seinem Landsitz im Pandschab. Abdul war das Haupt seiner Dienerschaft. „Der Bursche ist nicht mit Gold aufzuwiegen", bemerkte der Brigadier, „er entspricht gut fünfzig

Leuten gewöhnlichen Kalibers Auf meinem ganzen Besitz hat er die Zügel in der Hand."
Und trotzdem — als wir schließlich Abschied nahmen, bestand unser Gastgeber darauf, daß wir ihn mitnähmen. Seine Stelle würde bis zu seiner Rückkehr auf ihn warten. In Britisch-Indien wurde es als der Höhepunkt von Gastfreundschaft angesehen, einen Dienstboten herzuleihen; es war die Geste eines „Pukka Sahib", eines wirklichen Gentleman.
Abdul war alles das, was der Brigadier von ihm gesagt hatte: ein wunderwirkender Geist aus Tausend und einer Nacht. Es gab nichts, was er nicht fertigbrachte, selbst das Unmögliche. „Acha, Sahib" — O.K., Herr — lautete sein Motto. Anscheinend brauchte man sich nur etwas zu wünschen, und schon war Abdul da, eifrig bemüht, jede kleinste Laune in Wirklichkeit umzusetzen. Er kochte, befehligte die Mannschaft, organisierte das Lager und diente uns als Dolmetscher und Verbindungsmann zu den Einwohnern, dem Landvolk von Indien. Aber mehr als alles übrige war er ein Freund.
Abdul war verheiratet, und obwohl das mohammedanische Gesetz vier Frauen genehmigt, brachte er es fertig, sich nur mit dreien durchzuwurschteln — „eine fürs Herz", wie er es formulierte, „und zwei zum Zeitvertreib". Er hoffte, sich eines Tages doch noch eine vierte zulegen zu können.
„Und wofür wäre dann die?" fragte ich.
Ein glückseliges Lächeln verklärte sein Gesicht. „Ah, Memsahib, sie — sie wäre zum Ruhme Allahs!"
Unser Expeditionsmaskottchen war ein Spanielbaby namens Taj, alias Spitzenhöschen. Es war ein Hochzeitsgeschenk meines Mannes und ritt in der linken Satteltasche auf meinem Pferd mit.
Meine Tracht bestand aus hohen Stiefeln, Reithosen, Bluse und einem Tropenhelm. Barnum war gewöhnlich mit Stiefeln und Shorts bekleidet; er trug das Hemd am Hals offen und schützte sich durch dunkle Brillen gegen die Sonne. Auf seinem Kopf thronte ein Tropenhelm, über der einen Schulter hing ein Fernglas, über der anderen eine Kompaßkassette und ein Klinometer (um die Neigung von Felsformationen zu messen); die Kamera hing ihm vorne um den Hals, eine kleine geologische Hacke steckte

im Gürtel, eine Sattlerahle in der rückwärtigen Hosentasche. Das war das Bild, das Barnum für gewöhnlich auf einer Safari bot.
Tag für Tag arbeitete sich unsere kleine Karawane tiefer in die Siwalikberge hinein. Wir folgten Flußbetten und dünnen grünen Streifen von Dschungel, die sich durch die Hügel schlängelten. Wir zogen im Gänsemarsch an glotzenden Dorfbewohnern vorüber und durch Schluchten, deren hohe Wände die Sonne abschirmten. An geschützten Stellen wuchsen Gruppen von Mangobäumen und Palmen, und der heilige Pipal, ein Feigenbaum, und bildeten kühle Oasen, in denen wir haltmachten, um die Mittagshitze zu übertauchen.
Während eines dieser Aufenthalte machten wir unsere erste große Entdeckung. Die freudige Kunde wurde von Taj vermeldet. Dann kam Barnum mit Triumphgeheul herbeigestürmt.
„Ich habe es gefunden! Ich habe es gefunden!"
Bevor ich auch nur fragen konnte, worum es sich bei „es" eigentlich handelte, hatte er mich beim Arm gepackt und zerrte mich durchs Gestrüpp an den Rand eines ausgetrockneten Flußbettes. Dann blieb er stehen und deutete mit einem langen, empfindsamen Finger auf etwas, das wie die Spitze eines riesigen Felsblocks aussah, der aus dem Sand herausragte.
„Was ist das?" fragte ich.
„Elefantengerippe."
Ich war enttäuscht. „Was ist denn daran so ungewöhnlich? Elefanten gibt es doch in ganz Indien."
Barnum blickte mich schweigend an, dann erwiderte er mit Nachdruck: „Pixie, dieser Elefant ist prähistorisch, ausgestorben, Millionen Jahre alt, die Knochen sind versteinert."
Abdul kam mit zweien unserer Leute herbeigeschnauft, um den Grund für all die Aufregung zu erfahren.
„Wir sind auf einen Schatz gestoßen", antwortete mein Mann. „Abdul, laß das Lager direkt hier in der Schlucht aufstellen. Schlag die Zelte unter diesen Mangobäumen auf." Er lächelte auf mich herab. „Was meinst du dazu?"
„Ich weiß nicht recht, was ich zu deinem Dickhäuter sagen soll", antwortete ich und betrachtete die Landschaft, „aber du bist zweifellos ein Meister in der Wahl deiner Lagerplätze."

Barnums erster Fossilienfund in den Siwalik-Hügeln.
Vorsichtig wird er von Gesteinsresten befreit.

Barnum und seine Leute beim Herausheben des tadellos erhaltenen Schädels eines fossilen Elefanten.

Unser Wohnzelt stand unter einem Mangobaum. Wir hatten das Lager ganz nahe an der Fundstelle aufgeschlagen und nannten die ganze Gegend „Gespensterschlucht".

Mein froh erregter Gemahl zog einen Plan aus seiner Brusttasche und faltete ihn auf dem Boden auseinander. Sein Bleistift kreiste einen kleinen Punkt inmitten einer leeren Fläche ein, der mit „Siswan“ bezeichnet war. „Das sind wir“, sagte er. „Das Dorf Siswan ist zirka eine Viertelmeile von hier entfernt. Ergibt eine ideale Basis für die Durchforschung dieses gesamten Sektors. Einverstanden, wenn wir uns hier häuslich niederlassen?“
„Es wird himmlisch sein!“
Plötzlich spürte ich seine Lippen ganz zart auf meinem Nacken.
Wir schlenderten zu dem Platz hinüber, der gerade für die Zelte freigelegt wurde. Die Kamele hatten sich niedergelassen, und alles war festlich gestimmt. Die lange, harte Reise war beendet; jetzt würde das richtige Leben beginnen.
Selbst Taj wurde von der guten Laune angesteckt und raste wie ein Besessener herum, rutschte durch Beine hindurch und neckte sich mit Abdul. Und zwar geschah das, indem der große Mann immer wieder so tat, als ob er sich auf den kleinen Hund stürzen wollte, und wir lachten uns tot dabei. Ein Rhinozeros auf der Jagd nach einem Schmetterling!
Die Kamele Nummer zwei und drei waren die verhätscheltsten Tiere der ganzen Karawane. Sie trugen die „unersetzlichen Schätze“, wie Säcke voll Gips, Flaschen mit Schellack, Kannen voll Alkohol, Reispapier und genug Sackleinwand, um eine ganze Armee von Landstreichern einzukleiden. Ferner gab es kleine Hacken, große Hacken, krumme Ahlen, gerade Ahlen, Schaufeln, Meißel, Schusterhämmer.
Ich sah beim Abladen zu, und dabei stach mir eine geheimnisvolle Holzkiste in die Augen, die mit ganzen Kolonnen von x-en bestempelt war. Ich sah Barnum fragend an.
„Dynamit“, sagte er und entzündete seine Pfeife. „Kann sein, daß wir ein bissel sprengen müssen. Wenn ein Exemplar unter mehreren Tonnen Gestein begraben liegt — und das ist durchaus nicht ungewöhnlich —, reicht der eigene Bizeps nicht aus, um es herauszufischen.“
Dann kamen Koffer, eine Reiseschreibmaschine, kleine Schachteln mit Medikamenten und Kisten mit etwas Klapperndem. Natürlich auch Kameras — sogar drei. Eine Graflex für Standphotos, eine

Bell & Howell zum Filmen und meine alte Brownie für den Fall, daß die anderen versagten.
„Wo geben wir denn das ganze Zeug hin?" fragte ich schließlich, nachdem mir etwas schwach geworden war.
„Mein liebes Kind", sprach mein Mann und befühlte mit dem Daumen die Spitze einer Hacke, „dies ist kein *Zeug*. Dies sind die Werkzeuge des höchst verdienstvollen Berufes der Toten-Ausgräber. *Meines* Berufes, wie du inzwischen erraten haben solltest, mein kleines Weib." Und er fügte hinzu: „Sie werden dort drüben untergebracht", und nickte in die Richtung eines großen Zeltes. „Das wird unser Vorratsdepot und zugleich die Dunkelkammer sein."
Er lächelte über meine Verwirrung. „Die Dunkelkammer ist für dich, Pixie. Wenn die Arbeit erst einmal in Schwung kommt, wird es eine Menge zu photographieren geben — und du wirst das Entwickeln übernehmen."
Nachdem wir die „unersetzlichen Schätze" eingeräumt und die Dunkelkammer wirklich dunkel gemacht hatten, wandten wir uns der Frage zu, wo unsere Wohnzelte — Barnums und meines — aufgestellt werden sollten.
„Wie wäre es unter jenem großen Mangobaum", wagte ich vorzuschlagen, „und zwar aneinander anschließend, so daß wir reichlich Platz haben?"
Abdul und Trabanten stellten sie im Handumdrehen auf, und die Browns trafen Vorbereitungen, um mit Sack und Pack einzuziehen.
Plötzlich war ein Quietscher aus meinem Munde zu vernehmen, als mich ein Paar lange Arme packten und in die Höhe hoben. Zum restlosen Erstaunen Abduls und seiner Leute trug mich mein Seelengefährte wie im Roman über die Türschwelle. Schließlich handelte es sich bei uns ja wirklich um Neuvermählte, und dies waren unsere Flitterwochen!
Das Küchenzelt wurde in der Nähe aufgestellt, plus einem Anbau für Küchengeräte und so weiter; von einem überhängenden Ast baumelte unser Frigidaire herunter — ein großer, irdener Topf, dick eingewickelt in nasse Kokosnußfasern, die jedes kühle Lüfterl auffangen und sorgfältig bewahren.

Die Syce (Pferdewärter) und Kameltreiber, die aus härterem Stoff gebaut waren als wir, hatten es nicht nötig, ein Lager „aufzustellen“. Sie aßen und schliefen im Freien, wo sie sich am Ende des Tages inmitten ihrer Pferde und Kamele zusammenrollten. So einfach war für sie das Leben.
Als die Nacht hereingebrochen war, hätte man denken können, daß wir schon seit Jahren da hausten. Abdul, der „Freitag“ unserer Robinsonade, hatte ein Feuer gemacht und kochte unser Nachtmahl. Wir drei lagen ausgestreckt in unseren Liegestühlen, Taj auf meinem Schoß, und mein Liebster rauchte seine Pfeife und dachte über seinen Fund nach. Über dem Flußbett dämmerte es schon, und von den steilen Wänden der Schlucht lösten sich dunkle Schatten.
Ganz plötzlich überkam mich ein seltsames Gefühl. Mir wurde ausgesprochen ungemütlich zumute und es lief mir kalt über den Rücken.
„Bist du sicher, daß dies ein — ein guter Platz für unser Lager ist?“ fragte ich schließlich mit schwacher Stimme. „Ich meine, bist du sicher, daß dieser Grund nicht irgend jemandem gehört, oder so etwas?“
Mein Mann bedeckte meine Rechte mit seiner Linken. Mit der anderen Hand massierte er sich hinter dem rechten Ohr — eine Barnum-Brown-Geste, die unterdrücktes Lachen bedeutete.
„Sag, glaubst *du* jetzt etwa auch schon an die Geistergeschichten, die sie über diese Hügel erfunden haben?“ sagte er. „Wahrscheinlich sind es nichts als ein paar Eingeborene aus dem Dorf, die wissen wollen, wie wir aussehen.“
Aber das Gefühl hielt an, das Gefühl, daß aus dem Schatten und für uns nicht erkennbar, Augen auf uns starrten. Das schwarze Gestrüpp hinter den Zelten schien von unsichtbaren Wesen zu wimmeln. Die Luft wurde unheimlich still. Es war wie die Ruhe vor einem Sturm.
„Mir ist äußerst gruselig zumute“, erklärte ich, und ich kann mich erinnern, daß ich, gerade als wir beim Einschlafen waren, hinzufügte: „Ich weiß einen wunderbaren Namen für diesen Ort: Gespensterschlucht!“

Der Angriff kam am frühen Morgen und zerstörte meine holden Träume mit gräßlichem Kreischen, Jammern und Geschnatter. Das Zelt erbebte unter einem Regen von Wurfgeschoßen, die gegen das Zelttuch polterten. Mit Todesverachtung wagte ich einen schnellen Blick durch die Zeltklappen.
Ein erstaunlicher Anblick! Rund um uns herum waren Scharen von Affen. Sie hingen von den Bäumen herunter, kletterten über die Felsen, hüpften herum und rauften miteinander. Mürrische alte Patriarchen wetteiferten mit munteren Jünglingen. Verärgerte Mütter hielten ihre Babys unter den Arm gequetscht. Eine Gruppe hüpfte, wie Zuschauer bei einem Fußballmatch, hysterisch auf und nieder.
Dann entdeckte ich den Grund. Sie hatten einen Raubüberfall auf uns organisiert. Fünf behaarte braune Affen flüchteten im Eiltempo mit allem möglichen Krimskrams aus unserem Lager das Flußbett hinab. Einer schleppte sich mit einer Anzahl unserer Aluminiumkochtöpfe ab; ein anderer zog Stiefel und Reithosen im Triumph hinter sich her. Der Rest, mit Suppenkelle, Hacke und Abduls Huka, seiner Wasserpfeife, bewaffnet, erinnerte stark an die „drei Musketiere".
Barnum, das Gesicht noch voller Seifenschaum und nur halb bekleidet, verfolgte den Affen mit den Hosen und schrie: „Komm zurück, du Mistkerl! Komm zurück!" Das letzte, was ich von ihm sah, war ein flatternder Hemdzipfel, der im Gebüsch verschwand. Ein paar Sekunden später eilte Abdul, eine Hand voll Küchenbesteck schwingend, vorüber.
Der Wirbel hatte auch unsere Tiere außer Rand und Band gebracht. Taj bellte Mord und Totschlag. Die Pferde und Kamele waren drauf und dran zu entwischen, und unsere Leute hatten alle Hände voll zu tun, sie daran zu hindern.
Eiligst bedeckte ich meine Blößen und machte mich an die Verfolgung meines Ehegatten. Aber kaum hatte ich meinen Kopf aus dem Zelt gesteckt, als — zisch! — etwas um Haaresbreite an mir vorbeisauste. Scharfschützen, die den Rückzug deckten!

Unerschrocken wagte ich mich eine kurze Strecke ins Freie vor, aber schon wurde mein Unternehmen durch einen Hagel von Kieseln und Stecken zum Stillstand gebracht. Die Biester hatten von einigen in der Nähe stehenden Bäumen her ein Sperrfeuer eröffnet. Ich schoß zurück, aber die Mehrzahl meiner Schüsse verfehlte ihr Ziel. Immer, wenn ich gerade zielte, schwang sich Herr Affe an seinem Schwanz herunter und schien mir, mit dem Kopf nach unten, eine lange Nase zu machen. Auf diese Art bot er ein äußerst armseliges Ziel.

Dann hatte ich eine Eingebung. Wie wäre es, wenn ich mich auf eine psychologische Kriegführung umstellte — etwas täte, was ihnen Schrecken einjagen würde? Die große Blechschüssel im Küchenzelt war gerade das Richtige. Ich stürzte hinüber, riß sie an mich und produzierte mit einem eisernen Löffel den größtmöglichen Lärm. Das Dröhnen erfüllte die Schlucht und rollte weiter, das Echo hallte von Wand zu Wand bis an die fernste Felsspitze. In einem Nu waren unsere Quälgeister verschwunden.

Auch Barnum war gerettet. „Allah sei Dank für dieses Getöse", bemerkte er bei seiner Rückkehr. „Was war es — eine Steinlawine?"

„Nur ich und diese Gipsschüssel", sagte ich.

Mein Herr und Gebieter blickte mich voll Stolz an, dann neigte er sich zu mir herab und küßte mich. „Du hast dir die höchste Dekoration verdient, die im Augenblick greifbar ist", sagte er. „Als das Diebsgesindel den Lärm hörte, ließ es seine Beute fallen und machte sich aus dem Staub."

Das Frühstück war an diesem Morgen eine etwas flüchtige und nicht sehr schmackhafte Angelegenheit. Einer der Affen hatte Abduls Wasserpfeife zerschmettert. Der Kaffee war schlecht, und alles befand sich noch in einem wilden Durcheinander.

Nachdem die Hose unbeschädigt wieder aufgetaucht war, konnte der Jäger es nicht erwarten, auf und davon zu seiner Arbeit zu eilen. Zum Glück befand sich die Elefantengrube praktisch in unserem Vorgarten, so daß ich in der Lage war, die Operationen vom Camp aus zu beobachten. Jedesmal, wenn ich hinüberschaute, war Barnum etwas tiefer in das Loch versunken. Taj übernahm die Aufgabe eines Reporters und gab ein schrilles

Alarmgebell von sich, sobald Barnum ganz und gar hineingerutscht war. Dann stürzte die Hündin, in der Absicht, unser beider Lebenslauf zu verfolgen, zurück, und sah nach, wo ich mich gerade herumtrieb. Nach ihrer zehnten oder zwölften Reise jedoch kroch sie unter meine Lagerstatt und machte sich für den Rest des Tages unsichtbar. Später erfuhr ich dann, daß sie sich auf dem Schädel des Gerippes schlecht benommen hatte — „gerade auf dem Hinterkopf", beschwerte sich der Wissenschaftler.

Es gab noch eine Menge auszupacken, und die Inneneinrichtung war auch noch nicht perfekt. Aber irgendwie konnte ich mich nicht richtig darauf konzentrieren. Es erschien mir wichtiger, Barnum an der Grube, wo ich die Ausgrabung unseres Urwelttitanen besser beobachten konnte, mit heißem Tee zu versorgen. Die Arbeit war langwierig und langweilig. Zentimeter um Zentimeter enthüllte Barnum mit Ahle und weicher Bürste mehr und mehr von dem riesigen Totenschädel. Sobald ein neuer Teil der Knochenoberfläche entblößt war, bürstete er mit zarter Sorgfalt große Mengen von Schellack hinein. Die sirupartige Flüssigkeit wurde aufgesaugt und erwies sich in trockenem Zustand hart wie Stein.

Wenn ich nicht gerade meine bessere Hälfte mit Tee und dummen Fragen versorgte, machte ich einen neuen Versuch, unserem Haushofmeister bei seinen Bemühungen um unseren Haushalt beizustehen. Aber jetzt kam die Ablenkung aus einer anderen Richtung — dem Dschungel, und von Zeit zu Zeit ertappte ich mich dabei, wie ich allein auf kleine Forschungsexpeditionen ging. Bei einer dieser Eskapaden machte *ich* eine Entdeckung. Bisher war jeder von uns so beschäftigt gewesen, daß unsere Umgebung wenig Beachtung gefunden hatte, und so war ich sicher, im alleinigen Besitz meines Geheimnisses zu sein.

Jedoch Geheimnisse drängen an die Öffentlichkeit, und so kam meines beim Nachtmahl zum Vorschein. „Würde es dich interessieren zu wissen, wer unser nächster Nachbar ist?" bemerkte ich versucherisch.

Barnums Augenbrauen beschrieben einen hohen Bogen. „Ich wußte nicht, daß wir einen haben", sagte er und fügte hinzu:

„Doch nicht etwa diese wild gewordenen Affen?“ Die Augenbrauen zogen sich zusammen.
„Nicht mehr als in Wurfweite vom Lager lebt ein Hindugott.“
Die Stirne glättete sich. Der Kopf neigte sich spöttisch. „Welcher Gott? Es gibt Tausende, mußt du wissen.“
„Kein geringerer als Ganescha, der Elefantengott Indiens“, flötete ich triumphierend, „willst du ihn kennenlernen?“
Ich stand auf und ging voran durch das dschungelartige Gebüsch auf eine hohe Felswand zu, die von Schlingpflanzen bedeckt war. Mein Mann folgte mir gut gelaunt, überzeugt, daß es sich um einen tollen Witz handelte. Nachdem wir über die Mauer gelangt waren, trat ich zur Seite und wies mit dramatischer Geste auf den reizenden Hindutempel, den ich am Morgen entdeckt hatte. Moosüberwachsen, fast völlig in der Vegetation versteckt, und jetzt in der Dämmerung noch urzeitlicher wirkend als zuvor, stand dort ein kleines, achteckiges Mauerwerk, das von einer vollen, runden Kuppel gekrönt war. Vor der Säulenhalle am Eingang, auf einer erhöhten Plattform, stand das Steinbild eines Elefanten — das Zeichen, daß dies ein Schrein für den Gott Ganescha war.
„Verflixt nochmal, du hast recht gehabt“, war alles, was Barnum sagte. Aber sein Lächeln war strahlend, denn Ganescha ist der Gott des Glückes.
In dieser Nacht bereiteten wir uns auf einen neuen Affenüberfall vor. Ich stellte die Gipsschüssel mit dem eisernen Löffel neben mein Bett. Barnum die Kameras und Pläne neben seines. Abdul sammelte einen großen Haufen trockenes Gestrüpp und versicherte uns, daß die Dschungelgauner durch nichts so zu beeindrucken wären wie durch ein gutes, kräftiges Feuer. Dann untersuchten wir die Zeltpflöcke, um sicher zu sein, daß sie fest verankert waren, und stopften alles bewegliche Material in schwer entdeckbare Schlupfwinkel. Ferner konstruierten wir eine Falle — einen Draht, in niedriger Höhe über dem Boden mitten durch das Lager gespannt und mit dem einen Ende an einem sorgfältig ausbalancierten Stapel von Töpfen und Pfannen im Küchenzelt befestigt.
„Luken dicht, Kapitän. Klar Schiff zur Aktion!“ lautete mein Rapport, als wir uns zur Ruhe begaben.

Barnum massierte sich hinter dem Ohr, bevor er antwortete: „Alles, was wir jetzt noch brauchen, ist ein Stacheldrahtverhau und ein paar Maschinengewehr-Unterstände."
Am Morgen feierten wir ein Wiedersehen mit den Affen — aber sie kamen als Freunde, nicht als Feinde; und ich machte sehr bald die Erfahrung, daß nichts vor ihren geschäftigen Fingern sicher war — und sie hatten deren zwanzig statt zehn. Ihre besondere Leidenschaft war Seife und Badezimmerzubehör, der Stolz eines jungen Männchens meine Wärmflasche. Er war so glücklich mit seinem neuen Besitz, daß er ihn zu jeder Gelegenheit trug — über die Schulter geschlungen als Tornister, als Dreispitz auf seinem Kopf, oder in den Armen als eine Art Gitarre. Jedesmal, wenn der jugendliche Held mit seiner Wärmflasche vorbeistolzierte, gerieten die jungen Affendamen in Verzückung. Schließlich gelang es einer, ihn zu angeln, und ich beobachtete das Paar, wie es auf einem in der Nähe gelegenen Abhang flirtete. Sie zupften sich gegenseitig zärtlich an den Haaren und fütterten einander mit Beeren. Aber selbst in den wildesten Momenten seiner Leidenschaft klammerte sich der Liebhaber an seine Trophäe. Er war offensichtlich der Meinung, daß ein Flirt, wenn auch sehr unterhaltend, nicht alles war, was ein Mann brauchte.
Während ich die zwei Turteltäubchen belauschte, spielte sich auch hinter meinem Rücken einiges ab. Ein munterer Bursche vollführte mit einer Rolle Klopapier den Tanz der sieben Schleier; zwei andere waren in eine Vorratskiste geklettert und hüpften solange darin herum, bis der Deckel zufiel und sie nicht mehr herauskonnten. Es war eines der komischsten Schauspiele, das ich je gesehen habe — aber Abdul weigerte sich, auch nur zu lächeln.
So sehr er sonst die Tiere liebte, für Affen hatte er nichts übrig. „Kinderräuber" nannte er sie. „Man muß gut auf sie achtgeben, Memsahib. Ich oft gesehen haben, wie Affe am Rand eines Dorfes von Baum herunterspringt und kleines Kind davonträgt, wenn Mutter gerade nicht hinschaut." Das Gesicht des großen Mannes wurde um eine Spur weicher. „Oh, sie behandeln adoptiertes Baby für eine Weile sehr sanft und sind zärtlich und liebevoll wie mit eigenem. Aber später, wenn ihnen gerade so paßt, wird Baby zum

Trocknen in Äste von Baum gesetzt und fällt herunter. In einigen Dörfern es gibt alte Männer, die kennen besondere ‚Affenrufe', und damit sie locken das Baby, bevor es zu spät ist, aus den Armen von Affenmama."

„Vielleicht haben sie vor, mich an Stelle eines Babys zu entführen", lachte ich. „Sie sind freundlich genug."

„Freundlich ist das richtige Wort", schnaubte Barnum. „Es scheint, daß man uns in die Gespensterschlucht-Gesellschaft aufgenommen hat."

Unsere kleine Welt hatte sich völlig verändert. Das Tal war plötzlich zum Leben erwacht, und seine Leere war von den Lauten wilder, furchtloser Wesen erfüllt. Singvögel flatterten durch das biegsame Gesträuch, und die Blätter tanzten zu ihrem Gesang. Eidechsen huschten über glitzerndes Felsgestein. Kleine, freundliche Geräusche ertönten aus dem Unterholz. Über Nacht waren wir zu einem Teil des Lebens in der Gespensterschlucht geworden. Wir gehörten dazu. Und die Wände der Schlucht schienen sich enger um uns zu schließen, sie nahmen das Tal in ihre Arme und machten es zu einem gemütlichen Zuhause.

Jeden Morgen, wie Gesandte eines Märchenreiches tief im Dschungel, kamen Pfauen an unseren Tisch. Mit ihnen kam Schönheit, und Schönheit verlangt ihren Tribut. Für das Wohnrecht in ihrem Tale mußte man einen Preis bezahlen. Aber sie kassierten ihre Miete nicht wie die frechen Affen mit Gewalt ein. Diese sanften Wesen baten nur um die Brosamen, die von unserem Tische fielen.

Zwischen ihren bescheidenen Mahlzeiten ergötzten sie uns mit Vorführungen. Gegen den dunklen Hintergrund der wilden Schlucht, auf die die ersten Strahlen der Morgensonne fielen, wirbelte das Vogelballett um unseren Frühstückstisch herum. Nichts konnte der strahlenden Pracht ihrer leuchtenden Federn gleichkommen. Kein Regisseur hätte ein besseres Bühnenbild schaffen können. Selbst die Pawlowna hätte nicht mit vollendeterer Grazie getanzt. Sie schwebten anmutig durch den Kranz der Sonnenstrahlen, und die prächtigen Männchen, geziert und aufgeputzt mit ihren gesträubten Federn und leuchtenden Fächern, drehten sich langsam und würdevoll, wie Mannequins auf einer Mode-

schau, im Kreise. Um sie herum trippelten die kleinen, aufgeregten Hennen. Und abseits in den Kulissen inszenierte ein Schar von flatternden Wachteln ihr eigenes Schauspiel.
Auch die Musik fehlte nicht. Sie kam aus tausend kleinen Vogelkehlen. Amseln und Spatzen zwitscherten nach Herzenslust. Aus den höchsten Ästen eines Baumes ertönte die Solopartie eines Koel, des indischen Kuckucks; wir hörten die sanften, fröhlichen Klänge eines Bulbul-Chores — einer Drosselart — und das Pfeifen eines Drongo.
Es dauerte nicht lang, und alle Vögel des Tales kamen zu einer täglichen Gesangs- und Tanzvorstellung zu den Browns. Einige blieben zum Mittagessen und zum Nachtmahl, und die wurden so fett und faul, daß sie außer einem gelegentlichen „Piep" keinen einzigen Ton mehr herausbrachten.

CURRY UND KNOCHEN

Die Zeit vergeht schnell, wenn man glücklich ist, und in diesen ersten herrlichen Tagen im Lager raste sie geradezu im Eiltempo dahin. Und es waren sehr geschäftige Tage. Barnum steckte jetzt fast bis zum Hals in seinen Knochen. Er hatte einen tiefen Graben um den Schädel herum ausgehoben, und alles was ich von ihm sehen konnte, waren oberhalb des Flußbettes sein Kopf und seine Schultern. Ein paar Zentimeter seitwärts hatte er die Unterkiefer entdeckt — riesige Dinger mit breiten, ausgekerbten Zähnen. Von dem Gerippe selber war bisher noch nichts ans Tageslicht gekommen, aber er hatte auch so genug Sorgen. Die größten Kopfschmerzen bereitete ihm ein langer Stoßzahn, den er gerade von Erde befreit hatte.
„Weiß nicht, ob ich ihn retten kann", bemerkte er schmerzerfüllt. „Altes Elfenbein mag vielleicht in einem Antiquitätengeschäft am Platze sein; an versteinerten Elefanten ist es völlig überflüssig. Zerbricht, sobald ein Lufthauch es berührt." Er goß noch mehr Schellack darüber und wartete, bis es sich in die kalkige

Oberfläche eingesaugt hatte. Sorgfältig preßte er dünne Blätter Reispapier über die klebrige Masse, bevor sie trocknete. „So bleiben die kleinen Splitter dort, wo sie hingehören — zumindest sollten sie's. Kann durchaus sein, daß er trotzdem weiter zerkrümelt. Bin noch keinem Stoßzahn begegnet, der zusammengehalten hätte — noch nie."

Was meine eigenen Sorgen betraf, so gab es ja Abdul, um sie zu teilen. Ich habe keine Ahnung, was wir ohne unseren dunklen Riesen getan hätten, und von Tag zu Tag wurde er mir lieber und unentbehrlicher.

Zwischen dem großen Muselmann und Taj war eine innige Freundschaft entstanden. Sie hegten eine unbegrenzte Verehrung füreinander, und keiner von beiden war wirklich glücklich, wenn der andere nicht da war. Nur eine Gefahr drohte ihrer Freundschaft, und das war die mangelnde Ehrfurcht, die die kleine Hündin für die mohammedanische Religion bezeugte.

Fünfmal am Tag, wie es sein Glaube vorschrieb, machte Abdul seine Salaams in Richtung Mekka. Die Morgen-, Mittags- und Nachmittagszeremonien gingen gewöhnlich ohne Zwischenfall vorüber, aber die bei Sonnenuntergang und beim Einbruch der Nacht waren immer gefährdet. In der Kühle des Abends war Taj äußerst unternehmungslustig, und wenn ihr riesiger Gefährte seinen Gebetsteppich aufrollte und sich auf seine Hände und Knie niederließ, dachte sie, daß er nun „Hund" spielen wolle. Kopf gesenkt, Schwanz in der Höhe, begann sie an seinen Sohlen zu nagen und raste um ihn herum, um ihn ins Ohr zu zwicken oder an seiner Nase zu schlecken; dann raste sie wieder zurück und mitten durch seine Beine hindurch. All diesen Vorgängen aber schenkte der andächtige Muselmann keine Beachtung.

Indes, Abdul trug riesige, weite Hosen, in denen es Raum genug gab für eine kleine Hündin und ihre Abenteuer. Und während ihr Opfer auf allen vieren lag, war es ein leichtes für Taj, in diese Hosen vorzudringen. Wann immer sie während der Gebete verschwand, nach wenigen Sekunden erschien sie wieder als ein sich windender Klumpen in den Hosen von Abdul.

Der Klumpen bewegte sich das eine Bein hinauf, das andere wieder hinunter und stieß von Zeit zu Zeit kleine, unterdrückte

Japser aus. Manchmal geschah es, daß sich der kleine Kerl beim Übersetzen von einem Bein zum anderen verfing. Dann ergriff ihn Platzangst, und in einer wilden Panik brachte er die Hosen völlig durcheinander. Abdul war kitzlig, und so sehr er sich auch bemühte, keine Miene zu verziehen, seine Gebete endeten unvermeidlich in einem wilden Gelächter.

„Der Teufel schickt mir dieses kleine Luder, um mich zu quälen", sagte er dann.

Aber ich glaube, daß Allah zwischen Spiel und Gebet auch einmal an solch einem herzlichen Gelächter seine Freude hatte.

Ich arbeitete sehr gern mit Abdul. Wenn er einem half, erschien alles leicht. Und während Barnum einen Wirbel machte und sich auf den Kopf stellte, um seine Toten auszugraben, waren Abdul und ich eifrig bemüht, die Wildnis zu verwandeln.

Bei einiger Anstrengung kann das Kampieren in Indien eine äußerst luxuriöse Angelegenheit sein. Man darf nicht denken, daß wir etwa ein hartes, rauhes Leben führten, weil wir in Zelten lebten. Es ist allerdings wahr, daß wir nicht alle Bequemlichkeiten des modernen Lebens genossen, aber wir hatten alles Wesentliche und führten, genau genommen, ein ebenso angenehmes Leben wie zu Hause.

Dienstboten? Für den Preis, den man in Amerika für einen einzigen zahlt, kann man hier ein Dutzend haben. Allerdings braucht man auch ein Dutzend, um die Arbeit zu machen, die in Amerika einer schafft, und so kommt es ungefähr auf das gleiche hinaus. Der Grund dafür ist, daß es in diesem Land keine „Mädchen für alles" gibt. Das verhindern die Gesetze der Kasten, die so streng sind wie die unserer Gewerkschaften.

Jeder dienstbare Geist ist ein Spezialist und wurde für den Besen, den Wasserkübel, den Herd, oder sonst irgend etwas geboren. Es ist streng verboten, irgend eine andere Arbeit auszuführen als die, die man bei der Geburt ererbt hat. Zum Beispiel würde der Bhisti — der Wasserträger — sich sehr dagegen wehren, etwas mit Waschen oder Kochen zu tun zu haben, und Schande über ihn, wenn man ihn je bei etwas anderem als Wassertragen erwischt.

Da das Wassertragen in Indien eine Lebensnotwendigkeit ist, sind die Bhistis über den normalen Durchschnitt der Dienstboten weit erhaben. Ja ihre leidenschaftliche Pflichterfüllung ist sogar schon in die Geschichte eingegangen. Zum Beispiel hat einer einmal das Victoria-Kreuz bekommen, als er für ein abgeschnittenes Regiment Wasser durch die Kampflinie trug. Solch ein Bhisti gab Kipling die Anregung zu seinem „Gunga Din".

Beim Dhobie ist das etwas anderes. Sein Beruf ist Waschen. Wenn er es tut — gewöhnlich muß man ihm erst drohen. Seine Begabungen liegen mehr in der Muße. Aber das hat auch seine Vorteile; denn neben Motten, Silberfischen und Feuer ist der Dhobie, in bezug auf Hauswäsche, der Erzfeind Nummer eins. Die Kunst, mit der er aus den Kleidern den Schmutz herausschlägt und mit einem Hemd einen Stein zertrümmern kann, grenzt an Genialität.

Khansamas sind nicht so arg. Sie sind die Köche. Unser Khansama Fasil war eigentlich eher ein Oberflaschenabwascher und bereitete die Mahlzeiten nur dann, wenn Abdul infolge seiner Pflichten als Haushofmeister anderswo beschäftigt wurde.

Inmitten all dieser anregenden Gestalten gab es nur selten Momente der Langeweile. Man war dauernd bemüht, herauszufinden, wer was nicht tun konnte oder durfte, und warum, und so verging die Zeit.

Sogar Abdul war manchmal ein Problem. Wir hatten unsere Differenzen — nicht oft, aber oft genug, um unsere Beziehungen vor Langeweile zu bewahren. Unser erster Streit entstand durch eine Kombination von Speck und Mohammedanismus — im Orient eine sehr leicht entzündliche Mischung.

Wir verstauten beide einige Nahrungsmittel im Vorratszelt. Wie immer versuchte Taj ein Picknick daraus zu veranstalten, und wie immer hatte sie Erfolg. Plötzlich jedoch begann mein Partner sich mit der Faust gegen die Stirne zu schlagen und murmelte etwas auf urdu, seiner Muttersprache. Betrübt starrte er in einen großen, gerade geöffneten Sack hinein und war offensichtlich sehr unglücklich über das, was er dort erblickte.

„Warum so schmerzerfüllt?" fragte ich fröhlich.

„Der Zucker ist verdorben, Memsahib."

Etwas traf mich mitten in die Magengrube. Zucker war hier am Ende der Welt ein äußerst rarer Artikel. „Was sagst du da, Mann

Gottes? Dieser Zucker ist eigens so verpackt worden, damit er trocken bleibt. Wie konnte der verderben?"
Abdul hob die Hände in einer verzweifelten Geste. „Irgend jemand sehr dumm. Haben Zucker zusammen mit Speck in einem Sack verpackt."
„So-o-o. Und das ist schlecht?"
„Schlecht?" grollte er. „Bismillah! Im Namen Allahs! Speck ist Schwein. Schwein ist unreines Fleisch. Alles, was es berührt, ist verdorben. Zucker ist jetzt wertlos. Guter Mohammedaner würde ihn nicht berühren."
Wir bereinigten diese Angelegenheit, indem wir seinen Zucker gegen unseren Privatvorrat eintauschten, der zusammen mit den Konserven verpackt war. Da wir als Christen unser Seelenheil sowieso verscherzt hatten, machte es nichts aus, was *wir* aßen.
Von da an übernahm Abdul die ganze Ernährungsfrage. Auf etwas anderes ließ er sich nicht ein. Ich war mehr als froh darüber. Denn der Abscheu, den er als Mohammedaner für Schwein in jeglicher Form hegte, die Anti-Rind-Einstellung der Hindu-Kameltreiber und -Pferdeburschen, und was weiß ich was noch an Diätdifferenzen, das alles ergab Schwierigkeiten, denen ich nicht gewachsen war. Ein Menü für eine gemischte Mannschaft von Indern zusammenzustellen, ist eines der vielen orientalischen Rätsel, die ein Mensch aus dem Westen niemals lösen wird.
Aber was das Kochen betraf, war Abdul wirklich ein Hexenmeister. Es gab kaum etwas, was er nicht auf die köstlichste Weise zuzubereiten wußte. Und er brauchte dazu nicht etwa irgend welche magische Utensilien; irgend ein alter Topf oder eine Pfanne genügten vollauf. Ein bißchen Wasser, ein bißchen Reis, ein bißchen Gewürz, Fleisch, ein paar Holzkohlen — eine Rauchwolke — abrakadabra! Nachtmahl! Das war nicht Kochen, das war Alchimie.
Das Kochzelt, eine Höhle Aladins mit epikuräischen Schätzen, wurde mein Lieblingsaufenthalt im Lager; und Tajs auch. Wir verbrachten Stunden damit, herumzustehen und den köstlichen Duft einzuatmen — den Duft heißer, frisch geriebener Gewürze, wie Ingwer, Koriander, Kayennepfeffer, Turmerik — und wurden hungriger und hungriger.
Im Hintergrund des Zeltes waren amerikanische Dosen und briti-

sche Konserven aufgestapelt, zusammen mit Gemüse, eingedostem Fleisch, Speck, Schinken, Butter, Obst, kandierten Früchten und gutem Kaffee. Auch Frischfleisch gab es da: Hammel, Ziege und Rind; und immer hatte Abdul ein paar lebende Hühner um sich versammelt, die er mästete. Natürlich gab es auch eine Menge Sesamöl und Reis, frische Eier und Dahl — Dahl — und wieder Dahl.

Dahl ist die Nahrung-für-alles in Indien; es ist eine einheimische Kornfrucht und gleicht ein wenig unseren getrockneten Erbsen. Es kann auf jede erdenkliche Art zubereitet werden — passiert, gehackt, in Suppe gekocht oder mit Curry zubereitet. Wie es dann nach all diesen verschiedenen Behandlungsweisen schmeckt, soll jeder selber raten.

Milch war ein weiteres Produkt, das uns in Hülle und Fülle zur Verfügung stand, besonders Büffelmilch. Der Dudh-wallah (Milchmann) besaß eine Herde von Büffeln in der Nähe und lieferte uns jeden Morgen fünf Liter frische Milch vor die Türe. In Wirklichkeit war es eher eine Art dicker Rahm, und Abdul benützte ihn für eine Menge Speisen — Suppen, Saucen, Puddings und sonstige Schleckereien. Natürlich kochten wir auch einen Teil der Büffel- und Ziegenmilch zum Trinken ab. Diesen Vorgang überwachte ich persönlich, denn über den Siedepunkt bestehen zwischen Osten und Westen beträchtliche Meinungsverschiedenheiten.

Es war faszinierend, dem großen Mann bei seiner Arbeit zuzuschauen. Da ich den Ehrgeiz hatte, etwas über orientalische Küche zu lernen, ging ich oft zu ihm hinein und half ihm, besonders wenn er Curry bereitete. Anfangs war es ein tiefes Geheimnis für mich, was seinen Curry so besonders köstlich machte.

„Einfach", sagte Abdul in dem Versuch, mir auszuweichen. „Man nimmt eben zwei große Zwiebeln und zerschneidet sie in drei Eßlöffeln Öl. Dann Currypulver, ein bis zwei Teelöffel — natürlich nach Geschmack salzen. Dann kommt das Fleisch hinein — zwei Tassen voll, roh oder gekocht, was gerade da ist. Dann sehr langsam rösten, zu viel Hitze schlecht." Er beugte sich nieder, um den Rauch zu vertreiben. „Und fertig ist der Curry", fügte er mit betonter Endgültigkeit hinzu. Aber ich konnte sehen, daß er lachte.

„Das ist ein gewöhnlicher Curry, Abdul. Aber das Geheimnis will ich wissen — das Geheimnis, Abdul."
„Gut, aber nur für dich, Maharani. Ich werde dir alles sagen." Er tanzte graziös zu der Stellage hinüber, brach eine Kokosnuß auf, goß mit elegantem Schwung eine Tasse voll Saft in den Curry und ließ ihn dann unbedeckt wallen. „Das ist es, Memsahib. Das ist das Geheimnis!"
„Und der göttliche Funke", applaudierte ich. „Gibt es Curry und Reis zum Nachtmahl, Herr Chef?"
Er schüttelte den Kopf. Es gab Curry und Nudeln, ein Geheimnis, das jedermann erriechen konnte. „Das Verhältnis ist zwei Tassen Curry auf vier Tassen gekochte Nudeln", fügte der Koch hinzu und rührte die Mischung liebevoll über einem mäßigen Feuer. Kurz vor dem Anrichten gab er eine zerschnittene, rohe Zwiebel und Dillenkraut dazu und bedeckte das Ganze mit einer dicken Kruste knusperiger, brauner Nudeln. Ich imitierte ein Bellen, und Taj kam herbeigesprungen und schleckte meine Beine ab. „Indische Nudeln" war die Spezialität des Hauses.
Ja, und Chutney natürlich! Noch nie hat irgend jemand Indien besucht, ohne dort jemanden zu treffen, der das beste Chutney der Welt macht. Und so soll es auch sein. Chutney ist eine original-indische Zutat, wiewohl sie im letzten Jahrhundert einen leicht britischen Geschmack angenommen hat. Auf Grund kleiner experimenteller Zusammenstellungen des Major Gray und anderer Epikuräer ist Chutney heute genau so britisch, wie Mango, Ingwer und roter Kayennepfeffer es zulassen. Und in allen anständigen Haushalten in Indien ist es die Standardsauce für Currys, Fleisch und ähnliche Dinge.
Abduls Saucen-Talente konzentrierten sich auch hauptsächlich auf Chutney — und er hatte recht. Sein früherer Dienstgeber war, wie es sich für einen britischen Brigadier gehört, ein hartnäckiger Chutneyesser gewesen, und Abdul hatte dessen kunstvolle Zubereitung wohl oder übel erlernen müssen. Er hatte es erlernt, — und *wie!* Seine Variationen über dieses Thema stellten die aller anderen Bobberjees (Armeeköche) des Regimentes in den Schatten und waren bald der Stolz der Offiziersmesse.
Das Wunderwerk entstand folgendermaßen. Man nehme drei

In der Nähe des Lagers stand ein kleiner Hindutempel.

Taj und ich hielten uns gern in der Nähe des Küchenzeltes auf, um uns an Abduls hervorragenden Kochkünsten schon vor der Mahlzeit zu erfreuen.

Ein roter Feiertagssari, mit Ornamenten aus Stanniolpapier bedeckt, ein Geschenk von Bülbül (dritte von rechts).

Die flaumig geschlagene Baumwolle wird auf einem altmodischen Spinnrad zu Garn gesponnen.

Pfund Mangos (Pfirsiche tun es auch), schneide sie ganz fein, gebe die gleiche Menge Zucker dazu und lasse das Ganze langsam kochen, bis es geliert. Dann hacke man je fünfzehn Gramm Knoblauch und Ingwer und gebe sie dazu, ferner etwa drei Gramm feingemahlenen roten Kayennepfeffer, ein Pfund Rosinen, einen halben Liter Essig, sechs Gramm Salz, und rühre das alles kräftig. Das Ganze wird dick eingekocht und, nachdem es abgekühlt ist, in Flaschen oder Gläser gefüllt, aufbewahrt. Es gibt nichts, was zu gebratenem Lamm, Huhn oder Schwein besser schmeckt! Versuchen Sie es!

Ich brauche wohl kaum zu erwähnen, daß auch der Sahib nicht schwer zu finden war, wenn eine Mahlzeit bevorstand. Es wäre schon ein richtiger Unglücksfall oder etwa ein gebrochener Knochen nötig gewesen, um ihn vom Kommen zurückzuhalten. Meistens lockte ihn der Geruch der Küche schon lange vor der Zeit herbei; dann schnüffelte er herum, guckte unter die Topfdeckel, verdarb sich den Appetit mit zahlreichen Kostproben oder stand wie angewurzelt vor irgend einem dampfenden Topf, dessen üppiges Brodeln ihn zu hypnotisieren schien.

Wenn der Wind in der falschen Richtung blies, fungierte Taj als Gong. „Geh, hol den Papa“, befahl ich der Hündin, und schon eilte sie davon und erfüllte das Tal mit ihrem Gebell.

Das Nachtmahl unter den Mangobäumen hatte etwas sehr Festliches an sich. Immer war es ein besonderes Ereignis, und ich weiß nicht, was größer war, unser Entzücken oder Abduls Befriedigung. Es war unheimlich, wie er am Ende eines langen, heißen Tages plötzlich in makellosen weißen Hosen, Weste und Turban so frisch und sauber wie ein Säugling auftauchte und ein reichhaltiges Mahl von fünf Gängen produzierte, als ob er es vom Himmel heruntergezaubert hätte. Und er beherrschte auch die Kunst, es in grandiosem Stil zu servieren. Das volle Tablett balancierte er hoch oben auf den Fingerspitzen, seine Haltung war würdevoll, seine Bewegungen voll elegantem Schwung.

Nur einmal wurde die zarte Harmonie dieser Szene gestört. Eine Krähe im Sturzflug verwechselte den Curry mit ihrer Flugbasis, und das so lieblos behandelte Nachtmahl ergoß sich über die Vorderfront unseres Butlers. An diesem Abend begnügten sich

die Browns mit einem Diner direkt vom Erdboden und Selbstbedienung. Am nächsten Tag erhielt Taj ihren ersten Unterricht in der Ausrottung von Krähen.
Öfters am Abend nach dem Nachtmahl schlenderten Barnum und ich die Schlucht hinunter zu den Kameltreibern, die um ein kleines Feuer herumhockten und ihre Chupatti-Kuchen, die trokkenen, ungesäuerten „Tortillas“ von Indien, buken. Oder wir saßen bloß gemütlich in unseren Strecksesseln, plauderten miteinander und beobachteten, wie sich der Rauch der Lagerfeuer mit der Dunkelheit vermischte und der Tag langsam hinter der Felswand verschwand. Die Nacht kam, und mit ihr Stille und Kühle.
Unsere Pfauenfreunde sammelten sich zu einer letzten graziösen Drehung, bevor sie sich zur Ruhe begaben. Ein Schwarm kleiner Vögel zwitscherte verschlafen in den Ästen über uns, und von irgendwo in der Nähe des Tempels kam das energische Rascheln von Affen, die ihre Betten in Ordnung brachten. Die Gespensterschlucht machte sich für die Nacht zurecht.
Und in solchen Augenblicken, im Kreis meiner Familie, wußte ich, daß dies die glücklichste Zeit meines Lebens war.

NÄCHTLICHER BESUCH

Eines Abends kletterten Barnum und ich auf einen nahen Hügel, um die purpurne Schönheit des Sonnenuntergangs zu erleben. Die Felsen wirkten wie geschmolzenes Gold, und unter uns im Tal wälzten sich faule Büffel im Schlamm eines Wasserloches. Es war eine seltsam stille Stunde zwischen Tag und Nacht. Plötzlich fiel mir auf, daß das Geschnatter aufgehört hatte, daß die Affen verschwunden waren. Wieder im Lager angelangt, fragte ich Abdul, was der Grund dafür sei.
„Katzen“, erklärte er und warf verstohlene Blicke um sich. „Wenn Katzen kommen, verschwinden Affen immer.“
Ich hatte Visionen von herzigen Hauskätzchen und wollte noch

weiter in ihn dringen, aber meine Aufmerksamkeit wurde abgelenkt, und ich ließ die Angelegenheit fallen.
Es ward Nacht. Der Vollmond tauchte das Flußbett in silbernes Licht und warf gespenstische Schatten auf die Felsen. Endlich war unser Lager in Schlaf versunken. Aber die Schönheit des Dschungels hielt mich wach. Ich lag und lauschte auf seine unheimlichen Geräusche. Geheimnisvolles Heulen und zitternde Schreie erfüllten das Tal. Eine Eule verkündete die Stundenzahl — zwölf — eins. Um zwei Uhr war das einzige Geräusch, das an mein Ohr drang, das Tropfen des Kaffees, den ich mir aus meiner Thermosflasche in eine Tasse goß, bevor ich einschlief.
Dann plötzlich saß ich aufrecht im Bett, meine Nerven waren zum Zerreißen gespannt und meine Ohren versuchten ein flüchtiges Geräusch zu erhaschen. Tödliche Stille. Was es auch gewesen war, es hatte die kleine Hündin aufgeweckt, denn sie kam zitternd und winselnd an mein Kopfende gekrochen. Ich nahm das bebende Bündel in meine Arme und versuchte, Taj zu beruhigen, aber sie zitterte nur noch mehr und ihr Atem kam in kurzen, schnellen Stößen. Irgend etwas war da draußen los!
Langsam und vorsichtig schlich ich mich zum Eingang des Zeltes, zog die Zeltklappe ein wenig zur Seite und schielte hinaus. Der Sand war vom Mond hell erleuchtet. Schwarze Schatten stachen von ihm ab. Ich wartete und schaute und spürte, wie Tajs Herz aufgeregt klopfte — und auch ich begann zu zittern.
Plötzlich begann einer der Schatten sich zu bewegen. Er löste sich von den anderen. Dann trat — ein Leopard ins Licht! Das war also Abduls Katze! Dunkel und drohend hob er sich gegen den Sand ab, seine gelben Augen glühten. Einen Moment lang stand er dort unbeweglich wie eine Statue. Furchterregend und dennoch schön. Dann verschmolz er wieder mit der Nacht. Jetzt konnte ich nur noch das Glitzern seiner Augen sehen, die sich erst in der einen, dann in der anderen Richtung bewegten. Als sie heller und größer zu werden schienen, wußte ich, daß die Bestie vorwärts kroch. Sie bewegte sich lautlos, ihr Körper war nicht zu erkennen — nur diese zwei glühenden Kreise kamen näher und näher.
Ich beobachtete sie genau, diese hypnotisierenden Augen, die mich so in ihrem Banne hielten, daß ich nicht wegschauen konnte.

Ich wollte mich abwenden und Barnum wecken; jedoch meine Glieder waren gelähmt. Ich versuchte zu schreien, aber aus der schrecklichen Trockenheit meiner Kehle kam kein Ton. Nichts existierte als die Augen und die Dunkelheit — und dann nur noch Dunkelheit —

Eine Stimme fragte: „Seit wann pflegst du auf dem Boden zu übernachten?“

Ich öffnete die Augen. Tageslicht! Barnum beugte sich mit einer Flasche Riechsalz in der Hand über mich!

„Ich — ich glaube, ich bin in Ohnmacht gefallen“, war meine demütige Erklärung. „Der Leopard — was ist mit dem Leoparden?“

Mein Ehemann blickte erstaunt, dann lachte er: „Leopard? Wovon redest du da um alles in der Welt? Hier war doch gar kein Leopard, Pixie. Du bist im Schlaf gewandelt und hingefallen. Das hier hast du dabei heruntergerissen. Schau!“ Er hob seine metallene Feldflasche vom Boden und hing sie wieder zurück an ihren Haken. „Das muß ein fescher Alptraum gewesen sein“, beendete er immer noch lächelnd unsere Unterhaltung.

Alptraum! Es verging eine ganze Weile, bevor ich an meine Rehabilitierung denken konnte. Aber mir fiel nichts Entsprechendes ein — bis wir uns zum Frühstück begaben —, und da starrte uns die Antwort dramatisch aus dem Sand entgegen. „Dies ist allerdings der erste Alptraum, der jemals eine Spur hinterließ“, verkündete ich triumphierend und wies auf die frischen Katzenspuren, die um das Zelt herumgingen.

Sie stammten von einem Leoparden, da gab es keinen Zweifel. Barnum gab es auch zu, nachdem er sie untersucht hatte. „Durch eine Feldflasche gerettet“, bemerkte er beruhigend. „Ein Glück, daß du sie heruntergeschmissen hast, als du in Ohnmacht fielst; er ist zweifellos durch das Geräusch verjagt worden.“

„Laute Geräusche scheinen hie und da sehr nützlich zu sein“, sagte ich. „Sie haben deine Hosen vor den Affen und meine Haut vor einem Leoparden gerettet. Das wilde Getier in dieser Gegend scheint offenbar weißes Fleisch zu bevorzugen.“

„Der Leopard war nicht hinter dir her, Memsahib. Er wollte Taj“, warf Abdul ein.

„Taj?“ Mein Herz setzte ein paarmal aus.

„Ja, Memsahib. Das Lieblingsessen des Leoparden ist Hund. Schau, ich zeig' es dir."
Nicht weit vom Lager lag eine große Holzkiste im Gebüsch versteckt. Ihre Konstruktion war furchterregend und wunderbar zugleich. Boden, Wände und Dach bestanden aus dicken Brettern, und an der einen Seite befand sich eine mit Eisenstangen verstärkte Falltür, die sich automatisch schloß, wenn irgend etwas hineingeriet. Laut Abdul war dies die Leopardenfalle der Siswaner Gemeinde, aber da sich niemals auch nur eine Maus darin fing, war sie offensichtlich von einem Hindu erbaut worden.
In einem abgeschlossenen Innenraum der Falle befand sich die Beute. Eine arme, kleine, flohzerbissene Promenadenmischung, die ihre Rolle in keiner Weise genoß. Der kleine Hund sah auch nicht so aus, als ob er eine sehr gute Mahlzeit abgeben würde. Offenbar waren die großen Katzen der Gegend derselben Meinung, denn rund um die Falle war der Boden jeden Morgen mit neuen Spuren bedeckt; aber niemals gab es ein Anzeichen dafür, daß eines der Tiere die schicksalhafte Schwelle überschritten hätte. Diese Leoparden waren einfach viel zu schlau.
Und während wir vergeblich darauf warteten, daß einer einmal mehr Appetit als Verstand haben würde, war ich vollauf damit beschäftigt, die hungrige Beute zu füttern.

IHRO GNADEN, DER BÜRGERMEISTER

Neuigkeiten verbreiteten sich in Siswan sehr schnell. Es dauerte nicht lange, und die Eingeborenen begannen sich über unser Treiben im Flußbett zu wundern, und mit dem Wundern kam das Bedürfnis, die Angelegenheit zu erforschen. Sie begannen damit bei mir.
Ich war eines Nachmittags unter den Mangobäumen eingeschlafen, und als ich aufwachte, fand ich mich im Kreise einer gemischten Delegation der Bevölkerung von Siswan wieder. Im

ersten Augenblick dachte ich, das müßten die Affen sein; aber Affen tragen keine Kleider, und sie haben auch nicht die Gewohnheit, einen mit einer derart unverblümten Neugier anzustarren. Unter den gegebenen Umständen war ich nicht in der Lage, eine angeregte Konversation zu eröffnen, und so setzte ich mich auf und lächelte freundlich.
Das wirkte! Die Menge durchbrach die Reihen und schwärmte lachend und plappernd um mich herum. Frieden und Privatleben flogen zum Fenster hinaus, und mit ihnen entfleuchte jede Hoffnung auf die abgeschiedene Zweisamkeit von Flitterwochen. Von dem Augenblick an wurde das Lager zu einer Art öffentlichem Vergnügungspark für jedermann, Mann, Weib und Kind von nah und fern. Sie kamen in Gruppen und blieben den ganzen Tag mit der ausschließlichen Absicht, den weißen Sahib samt Memsahib zu beobachten. Barnum und ich hatten nur noch selten eine Minute für uns allein.
In dem Wunsche, nichts zu versäumen, erschien das Publikum schon kurz vor der Morgendämmerung und wartete gespannt auf den Augenblick, wo „Clark Gable-Brown“ und seine Primadonna ihre Nasen zum Zelt heraussteckten. Das Parkett war immer ausverkauft, und selbst die Tiere waren durch Ziegen, Hunde und ein oder zwei Mungos vertreten. Der Balkon war von einer bunt gemischten Menge besetzt, die über die Tempelmauer äugte.
Bei unserem Auftreten wurde es still. „Ihre Verehrer, Madame“, pflegte der Held zu flüstern und schob die Zeltklappen beiseite. „Musik, Maestro. Das Schauspiel beginnt!“
Unsere erste Verbeugung zu den Galerien hinauf wurde mit frenetischem Jubel begrüßt. Der Kamm-Bürste-Akt hatte tollen Applaus. Bei der Zahnbürsten-Posse raste das ganze Haus. Jede Bewegung wurde mit hingerissener Aufmerksamkeit verfolgt. Selbst das Zuschnüren meiner Stiefel schien die komische Ader einiger Zuschauer zu kitzeln. Das Schauspiel war ohne Zweifel ein Riesenerfolg, obwohl ich glaube, daß wir, um einen Extra-Lacherfolg zu haben, unsere Rollen etwas überspielten. Lachen ist in Indien ein so rarer Artikel.
Sobald die Gesellschaft einmal wirklich in Fahrt gekommen war, erinnerte uns das Ganze an einen Zirkus. Es fehlte nur noch das

Knallen von Bierflaschen, die Sägespäne und das übliche Gebrüll aus den ersten Reihen: „Schnell, schnell, schaut euch die komischen Leute aus Amerika an! Sie gehen! Sie sprechen! Aber sind es auch wirklich Menschen? Schaut sie an, wie sie essen, wie sie schlafen; schaut die Frau an, die ausschaut wie ein Mann. Schaut euch den todesmutigen Trick mit Messer und Gabel an!"
Dieser Trick, der bei jeder Mahlzeit vorgeführt wurde, rief tiefstes Erstaunen hervor. Er beinhaltete nichts anderes als den normalen Gebrauch des Tischbestecks, verfehlte aber nie, die Leute mit Gebrüll auf die Beine zu bringen. Sie reckten die Hälse bis zum Zerreißen, um einen Blick zu erhaschen auf die Teller und die Dinger, mit denen wir uns offenbar zu zerstückeln versuchten. Besonders die Gabel verblüffte sie. Als Vertreter der Fingermethode konnten sie nicht verstehen, wie wir es fertig brachten, das pausenlose Drauflosstechen in unseren Mund hinein zu überleben.
Mit der Zeit begannen wir unsere Bewunderer liebzugewinnen, und Barnum gab sogar zu, daß das Lager ohne sie nicht das Richtige sein würde. Seltsamerweise waren sie uns nie im Wege, und ich kann mich nicht erinnern, daß sie uns jemals einen unangenehmen Augenblick bereitet hätten. Besonders zwei von ihnen wurden mehr oder weniger Dauermitglieder unseres Lagerlebens.
Eines davon war ein komisch aussehendes Wesen von mittlerem Alter, das Barnum eines Tages am Rande des Dschungels entdeckt hatte. Es war ein kleiner Eingeborener, der steif und aufrecht dastand und darauf wartete, daß wir ihn bemerkten.
Außer einem grellfarbigen Turban trug er europäische Kleidung. Sie war nicht gerade letzter Schrei, aber was macht es auch in einem Flußbett mitten in Indien aus, ob die Sachen von einem guten Schneider sind oder nicht. Das Material war Segeltuch — einst *weißes* Segeltuch —, und obzwar die Hosen sich üppig bauschten, saß der Rock wie eine Wursthaut mit Ärmeln, die auf der halben Höhe des Armes aufhörten. Ein weißer Hemdkragen, der zugeknöpft war, aber der Vorteile einer Krawatte entbehrte, umschloß seinen Hals, grelle, hellgelbe Lederschuhe taten das gleiche für seine Füße. Ein großer schwarzer Regenschirm gab ihm den letzten Schliff.

„Komische Nudel", bemerkte mein Mann. „Schauen wir einmal, was er will."
Als wir in Sprechweite gekommen waren, knickte der Fremdling in den Hüften zusammen und verbeugte sich tief, indem er die Handflächen zusammenpreßte und seine Stirne damit berührte.
„Ram-ram", sagte er.
„Ram-ram", wiederholte Barnum und gab ihm den Gruß zurück.
In Ermangelung eines genialeren Einfalles lächelte ich und fügte auch meinerseits „Ram-ram" hinzu. Wie das „Salaam" bei den Mohammedanern, so ist das „Ram" bei den Hindus der Auftakt zur Begrüßungszeremonie.
Nachdem wir ihm einen Strecksessel angeboten hatten, saß unser Gast lange Zeit in Schweigen vertieft und unterzog unsere Räumlichkeiten einer genauen Prüfung.
Schließlich rammte er die Spitze seines Regenschirmes in den Erdboden und verkündete: „Ich bin Tika Lal — Tehsildar des Dorfes Siswan." Die Worte kamen monoton und ruckweise und dennoch stieß er sie klar und deutlich wie abgehackt aus dem Munde.
„Was ist Tehsildar?" flüsterte ich Barnum zu.
Er machte mir ein Zeichen, still zu sein und zischte mir aus einem Mundwinkel zu: „Bürgermeister!"
Die Beweise unseres Entzückens über seinen Besuch tauten die Zurückhaltung des Mannes etwas auf. Sein breites Grinsen legte betelbefleckte Zähne frei — zwei Stück, die in der Farbe genau aufeinander abgestimmt waren.
Plötzlich redselig geworden, stürzte sich Ihro Gnaden in das traditionelle Wie-geht-es-Ihnen-Gespräch. Wie ginge es unserem Haus? fragte er zuerst, denn das war in Indien die Standarderöffnung einer Konversation. Das Äquivalent für die anderswo übliche Frage nach dem Befinden der Ehefrau. Ein Hindu würde niemals die Frau eines anderen Mannes erwähnen, nicht einmal, um nach ihrer Gesundheit zu fragen! Es könnte der Verdacht auftauchen, daß er womöglich Absichten auf sie hat. Von unserem Haus wurde zu unserer Gesundheit übergegangen, und von da zweigten die Fragen in die verschiedensten Richtungen ab. Wie lange waren wir schon in Indien? Wie lange beabsichtigten wir zu

bleiben? Wie ginge es dem König der Vereinigten Staaten? Wohin würden wir von hier aus gehen? — Auf keine dieser Fragen erwartete er eine Antwort. Es war nur seine Art, um den Brei herumzureden, bevor er das Thema auf sich selber brachte.
Er hätte uns schon früher besucht, erklärte er, wenn seine Geschäfte ihn nicht abgehalten hätten. Seine Position als einer der größten Baumwollfabrikanten Siswans erlaubte ihm zu diesem Zeitpunkt nur selten, seinen Pflichten als Bürgermeister und offizieller „Begrüßer“ nachzukommen. Jetzt hatten sich die Dinge etwas eingespielt und er konnte abkommen. Ja, der Baumwollmarkt war gut — ein Verdienst des Mahatma. Und sein Bruder in Puna lag mit Cholera darnieder.
Während er sprach, „kaute“ der Bürgermeister, und in unvorhergesehenen Augenblicken unterbrach er seinen Monolog und bedeckte den Fußboden mit rotbraunem Betelsaft. Ich bemerkte, daß sich Taj außer Reichweite unter meinen Stuhl in Sicherheit begeben hatte und mit ängstlicher Aufmerksamkeit die Flugbahn jedes dieser Betelgeschosse beobachtete. Der Wind wechselte und brachte ihr eine dieser Spritzsalven gefährlich nah, worauf Taj in meinen Schoß sprang und sich weigerte, ihn wieder zu verlassen.
Sobald der Priem in seinem Munde zur Neige gegangen war, zog der Mann eine mit Ornamenten geschmückte Messingdose aus der Tasche, öffnete sie, hob einen kleinen Einsatz heraus und legte alles auf die Sessellehne. Aus dem unteren Teil der Dose zog er ein Betelblatt hervor und schüttete auf dessen Mitte ein wenig weißen Kalk, den er aus einer anderen Dose, aus einer anderen Tasche genommen hatte. Aus dem Einsatz nahm er eine Betelnuß und einen Messingknacker, knackte die Nuß und verteilte sie sorgfältig, zusammen mit Gewürznelke, Muskatnuß und anderen Gewürzen auf dem Blatt. Dann rollte er es liebevoll zusammen, drehte es bewundernd in der Hand herum und beförderte es mit einer geschickten Bewegung seines Zeigefingers in den Mund. Da Tika Lal ein wohlhabender Mann war, benützte er auch Tabakpaste für sein „Pan“, wie der Priem genannt wird, und zu besonderen Anlässen wahrscheinlich auch eine Spur Opium.
Der Gebrauch von Betel ist in Indien eine Nationalsitte wie bei

uns das Kaugummi-Kauen oder das Zigaretten-Rauchen. Jeder Mann, ob reich oder arm, erlaubt sich diesen Luxus. Infolgedessen ist der Anbau und der Verkauf von Betel ein sehr angesehener Beruf. Die Betelernte ist eine Angelegenheit, der besondere Aufmerksamkeit zugewendet wird und die nur von Leuten getätigt werden darf, die geistig und seelisch entsprechen. Es gibt eine Legende, die besagt, daß, wenn eine unwürdige Person eine der Pflanzen auch nur berührt, sie auf der Stelle verwelkt. Im ganzen Land gibt es überall „Pan"-Verkaufsstellen. Es sind kleine, offene Buden, die mit den feuchten, grünen Betelblättern, die immer naß und im Schatten gehalten werden müssen, vollgestopft sind. Es gibt dort auch Tabakkuchen, Schüsseln voll weißem und farbigem Kalk und sämtliches andere Zubehör, das die Geschmacksnerven der Inder so sehr entzückt und ihnen mehr Zerstreuung bietet als alles andere. Lieber würde ein Inder hungern, als sein „Pan" entbehren.
„Natürlich verdirbt der Kalk die Zähne", gab der Tehsildar zu. „Aber was bedeutet das schon im Vergleich zu den Freuden, die das Kauen bietet! Und es gibt viele, die sagen, es sei gut für den Magen."
Zu guter Letzt stieß die Konversation doch noch bis zu dem wirklichen Zweck seines Besuches vor. Warum lagerten wir hier? Er hätte gehört, dies geschehe, um alte Knochen auszugraben, aber dieses Gerücht hätte er als völlig blödsinnig von der Hand gewiesen. Wer würde schon die ganze Strecke von Amerika nach Indien reisen, nur um ein paar Knochen aus dem Schlamm auszugraben?
„Aber das ist genau der Grund, warum wir hier sind", versicherte ihm Barnum. „Hat dich der Distrikskommissär nicht darüber informiert, daß wir diese Gegend nach Knochenvorkommen untersuchen wollen? Er muß dir doch gesagt haben, daß wir vielleicht hier in der Nähe ein Lager aufschlagen würden."
Dem Mann blieb der Mund offenstehen. „Es ist schon wahr, daß ein Kurier diese Nachricht brachte. Aber ich konnte nicht glauben ..."
„Erzählt man sich nicht unter deinen Leuten, daß einst seltsame Ungeheuer diese Berge bewohnt haben?" fragte ihn mein Mann.

„Das stimmt schon, Sahib. Es gibt viele Geschichten. Aber ich kann nicht verstehen, was irgend jemand mit den Knochen dieser alten Tiere anfangen will — außer vielleicht, eine Medizin daraus machen."

„Sie sind sehr wichtig für uns", erklärte Barnum geduldig. „Mit ihrer Hilfe kann man sich ein Bild davon machen, wie die Welt vor langen Zeiten ausgesehen hat, und sie vermehren auch auf andere Weise unsere Kenntnisse über diese Erde. Wir haben bereits ein Gerippe hier im Flußbett entdeckt, und wir haben die Absicht, so viel andere Exemplare wie möglich zu finden." Er sah den Hindu einen Moment lang abschätzend an, dann fügte er hinzu: „Wir würden uns sehr über Ihre Mitarbeit freuen, Mister Lal."

„Die ist dir gewiß, Sahib", kam die spontane Antwort. „Ich werde alles tun, was ich kann, um dir von Nutzen zu sein. Gibt es augenblicklich irgend etwas, das du benötigst?"

Barnum zögerte, langte herüber und zwickte Taj in seine kalte, rauhe Nase. Er schien sich zu unterhalten. „Ja-a", begann er halb im Scherz. „Wir wären sehr dankbar, wenn du uns von einem Leoparden befreien könntest. Er hat gestern Nacht meine Frau fast zu Tode erschreckt. Eure Falle da oben ist einen Dreck wert."

Zu meinem Erstaunen rüttelte die kleine braune Hand sehr ärgerlich an dem Griff des Regenschirmes. Seine Stimme ertönte klar und herausfordernd: „Das werde ich nicht tun! Töten widerspricht allem, was uns heilig ist. Wir sind Hindus. Daß die Falle nicht funktioniert, geht uns nichts an."

Der Tehsildar dachte nach, bevor er fortfuhr: „Warum tötet der Sahib das Tier nicht selber? Es ist doch nicht gegen *euren* Glauben. Hat der Sahib kein Gewehr?"

Barnum gestand, daß er niemals irgend welche Waffen bei sich trage, und was das Töten anlangte, so wäre er so sehr dagegen wie irgend ein anderer — es sei denn, es handle sich darum, ein besonders schönes Exemplar zu erlegen.

Auf diese Worte hin erhellte sich das düstere Gesicht. Der Bürgermeister schien sehr erfreut zu sein. Er stand auf, wünschte uns guten Erfolg und entschwand mit einem ernsthaften: „Darf ich wiederkommen?"

Wir hatten einen Freund gewonnen.
Tika Lal war so oft da, daß er praktisch mit uns lebte. Das war uns in keiner Weise unangenehm. Er war ein freundlicher Bursche, sprach einigermaßen Englisch und war von großem Vorteil für unsere Verhandlungen mit den Eingeborenen. Wenn er nicht im Lager war, fand man ihn in der Stadt, wo er entweder seinen Bürgermeistertitel verteidigte oder sich mit seiner Baumwollspinnerei beschäftigte. Wenn man seinen Worten Glauben schenken wollte, so war er eine Kanone in seinem Fach, und ich hatte mir schon seit langem das Versprechen gegeben, in die Stadt zu fahren, um zu sehen, was man in Siswan als ein Genie auf dem Gebiete der Baumwolle bezeichnete.
Tika war der einzige unter unseren eingeborenen Gästen, der auch nur einen leisen Schimmer davon hatte, warum uns das große Loch im Flußbett so sehr beschäftigte. Er tat zumindest so — wenn auch nur durch die Dokumentierung äußersten Erstaunens. Die anderen klapperten lediglich in völligem Unverständnis mit den Augen; die Alten saßen stundenlang am Rande der Grube und hielten murmelnde Selbstgespräche; die Jungen starrten ausdruckslos ins Nichts, wie ein paar Steinsäulen.

DAS SINGENDE MILCHMÄDCHEN

Unser anderer besonderer Freund war die Tochter des Dudhwallah, des Milchmannes, ein süßes junges Ding namens Bülbül. Zumindest nannten wir sie so, denn sie sang in einem fort, genau wie die Nachtigallen-Bülbüls. Ihr wirklicher Name war unaussprechbar.
Wenn alle indischen Schafhirtinnen so waren wie Bülbül, kann man leicht verstehen, warum, laut Legende, der große Gott Krischna sie so bezaubernd fand. Wie es Bülbül fertiggebracht hatte, in einem Lande wie Indien so lange unverheiratet zu bleiben, habe ich nie verstanden. Wenn ich sie deswegen neckte, so lachte sie nur und summte vergnügt weiter. Obwohl sie nicht ge-

rade das war, was man bei uns übermütig nennt — denn selbst die jungen Inderinnen besitzen eine für ihr Alter ungewöhnliche Würde und Zurückhaltung —, so war sie doch ein vergnügtes Geschöpfchen und von der tiefen, echten Aufrichtigkeit ihrer Rasse.
Wir hatten zum erstenmal Bekanntschaft geschlossen, als ihr Vater ihr die Aufgabe übertragen hatte, uns täglich unsere Milch zu liefern. Jeden Tag blieb nun das Mädchen länger bei uns im Lager, bis sich ihr Aufenthalt schließlich über den ganzen Tag erstreckte. Sie kramte herum, half bei der Hausarbeit und brachte eine wunderbar fröhliche Stimmung mit. Für sie war das Lager eine erstaunlich neue Welt, ein Ort, in dem man die Zelte durchstöbern und eine endlose Folge von geheimnisvollen Vorrichtungen und seltsamen Zaubermitteln des weißen Mannes ausprobieren konnte, deren Unheimlichste die zusammenlegbaren Feldbetten und Klappsessel waren. Sie war neugierig und lernte schnell, und nach kurzer Zeit hatte sich Bülbül zu meiner persönlichen Ajah ernannt.
Diese neue Würde veranlaßte sie, mich nur sehr selten aus den Augen zu lassen. Wo immer ich hinging, kam sie hinter mir her mit Taj im Gefolge. Auf manchen unserer Wanderungen bemerkte ich, daß sie etwas von einem Wildfang hatte: wie sie dem kleinen Hund nachrannte, auf Bäume kletterte, über Mauern turnte. Das war für eine junge indische Dame alles sehr würdelos.
Aber Bülbül hatte wenig für Würde übrig. Sie war frei, frei wie ein Vogel; eine kleine Heidin, heute noch so natürlich wie am Tage ihrer Geburt. Sie verschwendete niemals irgend einen Gedanken auf etwas anderes als das bloße Leben. Weder Vergangenheit noch Zukunft existierten für sie. Ehe, Kaste, Religion, die das Leben für so viele Hindumädchen zu einer ernsten, fast tragischen Angelegenheit machten, bedeuteten ihr nichts. Den Grund dafür erfuhr ich eines Tages, als ich ihre Familie im Dorf besuchte.
Bülbüls Steckenpferd, wenn man überhaupt von so etwas reden konnte, war das Sammeln von Stanniolpapier. Unter allen unseren Besitztümern war Stanniolpapier dasjenige, was sie am meisten begehrte, und da viele unserer Vorräte damit verpackt waren, war sie immer reichlich versorgt. Was konnte nur ein Milch-

mädchen mit Stanniolpapier anfangen? Eines Abends, als sie gerade mit einer neuen Ladung heimgehen wollte, fragte ich sie danach.
Ihre Augen zwinkerten. „Memsahib wird es sehen“, sagte sie.
Ich sah es. Ein paar Tage darauf erschien sie mit zwei Kameradinnen im Lager, die gemeinsam mit ihr einen langen, roten, handgewebten Sari trugen. Sie brachten ihn geradewegs vor mein Zelt und breiteten ihn vor mir aus.
„Wir für dich gemacht, Memsahib — ein Feiertags-Sari, so wie der, den wir zu den Festen tragen“, zwitscherte Bülbül aufgeregt.
Und da war das Stanniolpapier. Es bedeckte das Gewand mit Mosaiken von leuchtendem Flitter, die mit Harz an dem Stoff befestigt waren und an verschiedenen Stellen verschlungene, glitzernde Muster, Windungen und Kreise bildeten. Die Mädchen waren überglücklich über mein Entzücken. Und das war völlig echt. Ein Kleid von Jacques Fath hätte mich nicht mehr freuen können.
„Schau“, rief ich und stürzte zu Barnum hinüber.
Er blickte über den Rand seines Gerippes, sein Mund öffnete sich vor Erstaunen, dann platzte er heraus: „Wo in aller Welt hast du denn das aufgetrieben?“ Und dann: „Nein, so etwas“, als ich es ihm sagte.
Der Austausch von Geschenken ist in Indien ein ziemliches Problem, besonders wenn die Gegenpartei, so wie Bülbül, der Hindu-Religion angehört. Sie selber wurde gar nicht gefragt. Aber es gab so viele Dinge, die ihre Eltern aus religiösen Gründen abgelehnt hätten, wie zum Beispiel unsere Nahrungsmittel oder irgend welche Dinge, die zum Kochen verwendet würden, denn das war alles streng tabu für sie.
„Wie wäre es mit Geld?“ schlug mein gescheiter Mann vor. „Ich habe noch nie ein Mädchen gekannt, das dagegen eine Aversion gehabt hätte!“
Wozu Abdul, der in unseren indischen Angelegenheiten immer das letzte Wort hatte, seine herzhafte Zustimmung gab. „Ein paar Rupien sind reichlich, Memsahib!“
So wurden es Rupien, sechs glitzernde indische Dollars, die Bülbül in helles Entzücken versetzten. Und als sie mit ihnen nach Hause

rannte, vergaß sie in ihrer Eile beinahe ihre übliche Beute an Stanniolpapier.
Als wir sie das nächste Mal sahen, trug sie eine funkelnde neue Halskette. Sie bestand aus sechs Silberrupien, die auf Hochglanz poliert, mit einem Loch versehen und an einem Band aufgefädelt waren.

WANDERNDES FOSSIL

„Alter Knochen", wie wir unseren Elefanten getauft hatten, benahm sich bei seiner Auferstehung sehr manierlich. Der frisch behandelte Knochen glitzerte in der Sonne, und die großen, gekerbten Zähne hoben sich klar und deutlich von den Felsen ab. Der Schädel war in einem viel besseren Zustand als wir erwartet hatten. Der Unterkiefer war wundervoll erhalten, und selbst die Stoßzähne hatten sich, nach wiederholter Behandlung mit Schellack, entschlossen, zusammenzuhalten.
Aber wo war der Körper? Barnum machte verzweifelte Versuche, es herauszufinden, und grub alles um, was von dem Flußbett noch übrig war. Auch Abdul mußte graben und sogar Tika, der Bürgermeister — der arme, stöhnende Tika, der ein Ende der Schaufel nicht vom anderen unterscheiden konnte. Unterdessen vertrat ich Abdul mit Fasil im Küchenzelt. Ein Kubikmeter Landschaft war bereits ohne Erfolg von seinem Platz gerückt worden. Das bedeutete eine Fortsetzung der wilden Graberei, und von dem Schädel zogen sich tiefe Gräben nach allen Richtungen und dehnten sich von Tag zu Tag mehr aus.
„Man könnte denken, Salomons Schatz liege hier vergraben, wenn man sieht, wie ihr armen Burschen schwitzt", bemerkte ich während einer ihrer Atempausen.
„Was hat schon so ein kleines Ding wie Salomons Schatz für einen Wert", entgegnete mein Gemahl, „wenn er nicht das Skelett von dieser Bestie enthält."
Man mußte den Tatsachen in ihr häßliches Auge schauen: das

Skelett war nicht da — nicht das kleinste Stückchen Hippo. Der müde Jäger mußte es schließlich selber zugeben.
„Aber wie erklärst du dir das?“ wollte ich wissen und wagte einen Scherz: „Schädel sind doch gewöhnlich auch mit einem Skelett ausgestattet? Oder waren die prähistorischen Modelle anders?“
Barnum strich sich gedankenvoll über das Kinn. „Hm, ich nehme an, daß dieser Bursche während seiner Post-mortem-Wanderungen eines beträchtlichen Teiles seiner Anatomie verlustig gegangen ist.“
„Post-mortem-Wanderungen?“ kam mein Echo; ich war überzeugt, daß er einen Witz machte. „Fallen denn Geister auch in dein Bereich? Ich dachte, ihr Jäger von prähistorischen Ungeheuern beschäftigt euch nur mit den konkreten Teilen.“
Keine Antwort. Der Mann hörte mir überhaupt nicht mehr zu. Er saß da und stierte auf den Boden, und seine Gedanken waren Millionen Jahre weit fort. Er schien in einen Trancezustand verfallen zu sein.
Wenn das passiert, gibt es nur eine Methode — lasset träumende Wissenschaftler träumen! Es ist empfehlenswert, eine Strickerei oder ein Buch bei der Hand zu haben. Ich trug für diese Fälle immer eine kleine Schreibmappe mit mir herum und erledigte ein paar Geschäftsbriefe und einen Kondolenzbrief, bevor der Herr Professor wieder zum Leben erwachte.
„Was habe ich gesagt?“ erkundigte er sich geistesabwesend.
Ich legte mein Schreibzeug beiseite. „Wir haben Totenschädel diskutiert, Liebling. Wir sprachen darüber, daß dieser hier sich nach seinem Tode noch herumgetrieben und dabei scheinbar seinen Körper verloren hat. Erinnerst du dich?“
Mein Gelehrter runzelte die Augenbrauen, was ihm ein strenges und wissenschaftliches Aussehen verleiht. „Ach ja. Ich bezog mich auf die lokale Verschiebung und scheinbare Zergliederung unseres Elefanten, die zwischen seinem ersten und zweiten Begräbnis stattgefunden haben muß.“
„Du meinst, das Tier war zweimal begraben?“
„Genau das. Es ist ein typischer Fall von sekundärem Begräbnis.“
Um mir seinen Standpunkt zu illustrieren, hockte er sich auf den

Tikas Weib Nummer zwei, seine Lieblingsfrau, war eine süße Achtzehnjährige, die sich bereits einiger männlicher Nachkommen rühmen konnte.

Ein Hindu-Hochzeitszug zieht durch unser Lager.
Die bräutliche Sänfte ist mit roter Seide drapiert.

Simla, am Abhang eines Berges erbaut, ist mehr britisch als indisch.

Boden und begann dort einen Plan in den Sand zu kritzeln. „Diese Zickzacklinie ist unser Flußbett“, erklärte er. „Und dort drüben“, er wies mit der Ahle auf das untere Ende der Linie, „irgendwo stromaufwärts von hier, entsagte dieses Tier dem Leben und wurde in dem Schlamm des Flußbettes begraben. Soweit in Ordnung. Es hätte ruhig dort bleiben können, um zu versteinern und zu einem vernünftig erhaltenen vollständigen Gerippe zu werden.“

„Aha.“

Barnum seufzte voll tiefem Bedauern. „Jedoch es blieb nicht begraben. Irgendwann, nachdem das Fleisch verwest war, wusch die Strömung seine Ruhestätte fort, und das Wasser trug das Skelett stromabwärts. Die verschiedenen Knochen waren nun nicht mehr durch Gewebe zusammengehalten und gingen jeder seinen eigenen Weg. Der Schädel klemmte sich irgendwo ein und wurde dort wieder begraben, wo wir ihn fanden. Nur Gott allein weiß, was mit dem Rest des Tieres geschehen ist. Ein Teil wurde zweifellos durch die Wassereinwirkung zerstört, und ein anderer planlos den Flußlauf entlang zerstreut und wieder begraben.“

Mein Mann schlug sich auf die Schenkel und stand auf. „Das ist die ganze Geschichte, Pixie, und ich bin der Dumme“, lachte er. „Vollständige Exemplare sind bei diesem Geschäft so selten wie ein Kalb mit zwei Köpfen.“

„Immerhin zählen doch die Knochen, die man findet, und nicht die, die man nicht findet“, bemerkte ich aufmunternd.

„Du hast ganz recht“, war die Antwort. „Bevor wir aber jetzt dieses Baby abtransportieren — wie wäre es mit ein paar guten Photographien? Du weißt, das ist deine Aufgabe.“

Ich wußte — aber wie hätte ich ahnen sollen, was mir bevorstand! Seit meinen Schultagen hatte ich das Photographieren als ein angenehmes Steckenpferd betrieben. Ein- oder zweimal, wenn ich ein wirklich besonders gutes Bild gemacht hatte, kam mir das Photographieren sogar wie ein Art Kunst vor. Jetzt ist es nichts als ein Schmerz im Nacken. Ein Felsen, eine Ruine, ein Baum, all diese Dinge bergen Möglichkeiten in sich, aber ein versteinertes Skelett sieht auf einer Photographie nach absolut gar nichts aus, nicht einmal nach einem Skelett. Nicht nur, daß die meisten von

ihnen nicht gut zu photographieren sind, sie sind überhaupt nicht zu photographieren.
Das gehört eben zu den notwendigen Übeln. Um den Meister zu zitieren: „Eine vollständige Bildfolge der Ausgrabungen ist für unsere Untersuchungen später im Museum von wesentlicher Bedeutung."
So bewaffnete ich mich denn voller Unschuld mit meiner treuen Graflex und meiner noch treueren Brownie und machte mich an die Arbeit, während mein Mann sich angelegentlich hinter dem Ohr massierte. Ich dachte, ich hätte ihn kichern gehört, entschied dann aber, daß es eine Halluzination gewesen sein mußte. Das Ganze würde ein Kinderspiel sein.
Das erste, was man bei dieser Arbeit tun muß, ist, den Knochen aufzuputzen; das heißt, daß man ihn mit Schellack begießt. Dadurch entsteht ein Kontrast, der ihn, während er noch naß ist, von den umgebenden Felsen abhebt. Dann muß man sich bemühen, so viele Bilder wie möglich zu machen, bevor das Zeug wieder trocknet.
Wenn man aber kein eingefleischter Wissenschaftler ist, gelangt man sehr bald zu der Überzeugung, daß man weit mehr als Schellack benötigt, um einen Knochen photogen zu machen. Es gibt verschiedene Geistesrichtungen, dieses Thema betreffend. Die eine vertritt die Ansicht, die einzige Methode, um aus einem Knochenbild etwas herauszuholen, bestehe darin, daß man noch etwas anderes — womöglich Lebendiges — dazu aufnimmt.
Da ich großen Ideen sehr zugänglich bin, versuchte ich Taj für diese Aufgabe zu gewinnen. Sie war jetzt sehr wohlerzogen und wußte, wie man sich in der Gegenwart seltener Antiquitäten benimmt. Auch Abdul wurde als lokaler Farbfleck hinzugezogen, ferner Bülbül, Tika und seine Freunde, plus Kamele für den Hintergrund. Das Resultat zeigte den Fehler Nummer eins: zu viel Rahmen, nicht genug Knochen. So geht das mit dem Experimentieren.
Dann beschließt man, daß Nahaufnahmen *die* Lösung sein müßten. Irgend etwas mit einem Beigeschmack von menschlichem Interesse, zum Beispiel der Schädel in all seiner Pracht, und Barnum, der lässig zur Seite blickt. Oder etwas Romantisches: sagen wir,

er nimmt seine beste Forscherpose ein, den Tropenhelm zurückgeschoben, die Pfeife zwischen den Zähnen, und starrt mit düsterer Miene à la Sherlock Holmes durch sein Vergrößerungsglas.
Auch die strategische Anordnung von einigen Werkzeugen um das Tier herum ist niemals schlecht. Das erinnert das Publikum daran, daß Skelettjäger so wie alle anderen arbeiten müssen, um sich ihr Brot zu verdienen. Ein paar Staubwedel, eine Ahle, eine Hacke, ein paar Meißel, ein Holzhammer, ein Topf mit Schellack und eine verschmierte Gipsschüssel geben der Szene einen feinen Unterton von Aktivität. Diese Art Bilder werden dann eines Tages unter dem Titel „Barnum und seine Werkzeuge“ abgelegt.
Wenn man zu diesem Zeitpunkt noch nicht dem trübsinnigen Einfluß der Dunkelkammer erlegen ist, kehrt man zu seiner ursprünglichen Idee zurück, das Gerippe ohne alle Staffage aufzunehmen. Man läßt nur gerade so viel felsigen Hintergrund, um der Sache ein geologisches Gepräge zu geben.
Das habe ich getan. Ich konzentrierte mich auf den Knochen und knipste wie eine Wilde aus sämtlichen Himmelsrichtungen: von vorne, Nahaufnahmen der Zähne, Trickbilder den Rüssel entlang, ein paar Profile, eine riskante Vertikalaufnahme, von einem überhängenden Zweig aus aufgenommen. — Und all diese Kunstwerke wirkten, als sie entwickelt waren, wie Studien eines Erdloches. Im Mittelpunkt der Bilder sah man allerdings einen riesigen, undefinierbaren Klumpen, von dem wir annahmen, daß dies der Knochen sein müsse. Aber es war nicht sehr hübsch. Versteinerte Schädel sind selten sehr reizvoll. — Ein paar Aufnahmen, die ich mit der Brownie gemacht hatte, waren nicht allzu schlecht.
Nachdem der genaue Bildbericht über unseren Gespensterschlucht-Fund im Entwicklungstank gelandet war, bereitete Barnum alles vor, um das Ungeheuer abzutransportieren. Wir schnitten Sackleinen in lange Streifen, tauchten sie in Gips und wickelten sie sorgfältig um unseren Liebling. Das Zeug bedeckte die Knochen und bildete in trockenem Zustand eine harte, schützende Hülle.
Der große Schädel muß fast eine Tonne gewogen haben. Wir alle, inklusive Kameltreiber, waren notwendig, um das Ding von der Stelle zu rücken. Nachdem es aus dem Loch heraus war, banden

sie es auf einen improvisierten Sandschlitten und zogen es mit Hilfe der Ochsen des Dudh-wallahs ins Lager. Dort blieb es dann mit einem Segeltuch bedeckt in einer Ecke liegen. Es sollte erst zusammen mit den anderen Schätzen, die Barnum noch zu entdecken gedachte, verpackt und zur nächsten Bahnstation geführt werden.
„Ein guter Anfang“, bemerkte Barnum auf seine bescheidene Art. „Hoffen wir, daß wir weiter Glück haben.“
„Warum nicht?“
„Bei diesem Geschäft weiß man das nie, bevor man nicht die Gegend gründlich untersucht hat“, antwortete er. „Sogar dann ist das Ganze zu neunzig Prozent ein Hasardspiel. Wenn wir Glück haben, stoßen wir schon morgen auf die ‚Hauptader‘, es kann aber auch sein, daß Wochen vergehen, bevor wir auch nur einen Splitter von einem Knochen sehen.“
Da dieses Problem nur durch weiteres Graben gelöst werden konnte, kehrte Barnum wieder zu der Arbeit zurück, die er am meisten liebte — der Knochenjagd.
Jeden Morgen bei Sonnenaufgang brach er, die Hacke über der einen Schulter, die Feldflasche über der anderen, zu Fuß auf, um die Umgebung des Lagers durchzukämmen.
Ich wäre gern mit ihm gegangen, denn ich erwartete mir davon eine Art Flitterwochenersatz — aber er war dagegen. „Das ist eine Männerarbeit“, sagte er. „Und eine besonders harte noch dazu. Laß mich die Biester erst entdecken, und dann können wir sie zusammen bearbeiten.“
Ich hatte ohnedies sehr viel im Lager zu tun. Und ich tröstete mich damit, daß ich mir sagte: das ist es, wo eine Frau hingehört, und es würde sich gar nicht schicken, in der Gegend herumzustrawanzen, um nach etwas zu suchen, was vielleicht gar nicht da ist.

ZWEI DRITTEL VON SISWAN

Aber es war nicht leicht, daheim zu bleiben. Es gab zu viele Orte, die ich unbedingt aufsuchen mußte, darunter das Dorf Siswan. Nachdem Barnum auf seine tägliche Jagdtournee gegangen war und ich die mir von Abdul „auferlegten" Pflichten zu seiner Zufriedenheit erledigt hatte, kam es häufig vor, daß ich eine Kleinigkeit aß und mich stadtwärts begab.

Siswan war in Wirklichkeit ein Dorf, das aus dreien bestand. Das größte setzte sich aus Hindu-Kaufleuten und Webern zusammen, ein anderes aus verstreuten Hütten von Bauern; ein drittes aus Bergnestern, die von einer Gruppe von Radschputen bewohnt wurden. Jede dieser Gemeinden war in ihrer eigenen Kastenwelt völlig isoliert. Diese Leute hätten genau so gut an entgegengesetzten Polen der Erde leben können!

An Sehenswertem bot die Stadt nicht sehr viel. Sie war alt, und die Jahre hatten sie schwer mitgenommen. Entlang der alten Hauptstraße lehnten die Ruinen von Gebäuden, die aus den in Jahrhunderten angehäuften Trümmern herausragten. Ihr Inneres bot sich bloß und barhäuptig dem offenen Himmel dar oder war im besten Fall von eingesunkenen Balken und schäbigen Resten Dach bedeckt, das mit Gras und Unkraut bewachsen war. Das herabbröckelnde Gemäuer, die zertrümmerten Säulen, die Fragmente von alten Bogengängen — alles war da. Und alles hatte etwas Großes und Tragisches an sich, denn trotz der Zerstörungen war da ein Adel, eine Feinheit der Linien, die Alter und Zerfall überdauert hatten. Und während ich die schweigenden Straßen hinabging, schien es, als ob wahrhaftig Geister über den Ruinen schwebten.

Was für Geschichten hätten sie nicht erzählen können! Geschichten über das alte Siswan und über sein Leben in den sagenhaften Tagen der Großmogulen. Geschichten über den Marktplatz und die Straßen, über die zahllose Händler und Krieger gezogen waren. Über das fürstliche Gefolge eines Edelmanns, dessen Elefanten schweren Schrittes die Straßen entlangschlurften, mit reichgeschmückten Satteldecken bedeckt, auf denen riesige, mit einem Baldachin gekrönte Howdahs schwankten, an endlosen Zügen staubiger Kamelkarawanen vorüber. So war es in den alten Tagen! Damals trug Siswan seinen Kopf sehr hoch. Es war eine stolze Stadt, die im ganzen Land bekannt war, ein großes Handelszentrum und ein wichtiges Glied in der langen Kette von Festungen, die sich quer durch den Pandschab zog. Aber all das war schon dreihundert Jahre her. Jetzt ist Siswan ein Landstädtchen, das zufrieden durch die Jahre döst, die ihm noch geblieben sind, und von seiner glücklichen Jugend träumt.

Wenn ich die Stadt besuchte, schaute ich gewöhnlich zu unserem Freund Tika Lal hinein. Er lebte mit seiner Familie in einem der riesigen eingestürzten Häuser, einem düsteren Gebilde, in das man durch schwere, geschnitzte Türen aus Sisuholz mit schmiedeeisernen Verzierungen gelangte. Vor langer Zeit mußte es einmal ein Prachtgebäude gewesen sein. Drinnen waren die Wände, die die hallenartigen Räume abschlossen, mit Fresken aus dem Pinsel irgend welcher uralter Meister bedeckt: fein gezeichnete Pfauen, die heiligen Vögel Indiens, stachen von einem dschungelartigen Hintergrund aus Bäumen und Blumen ab; kräftige Tiger umschlichen ein rundes Ebenbild des elefantenköpfigen Ganescha, des Patrons von Siswan, während Hexen aus hohlen Bäumen auf die vorüberziehende Karawane von Gauklern, Zauberern, Prinzen und juwelengeschmückten Damen stierten. Vieles davon war schon vom Alter verdunkelt und in dem trüben Licht nur noch schwer zu erkennen. Darüber hohe holzverschalte Plafonds, in die viereckige Glasplatten eingelegt waren.

Damit war man aber auch am Ende aller Anzeichen von einstiger Größe. Ein Teil der Räume, in denen einst irgend ein orientalischer Geck in seidenen Prachtgewändern gesessen haben mochte, wurde nun für die Aufbewahrung von Baumwolle verwendet. In anderen standen jetzt zwischen großen Haufen von Wollfaser niedrige Hocker und alte Spinnräder. Bewohnt waren nur die Hinterräume und das auch gewöhnlich nur bei Nacht. Die Familie verbrachte die meiste Zeit in dem sonnigen, von einer Ziegelmauer umgebenen Hof an der Rückseite des Hauses.

Sie kannten mich schon recht gut, die Lals — Weiber, Kinder und auch der alte Hund, der mich jedesmal wieder von neuem damit überraschte, daß er noch unter den Lebenden weilte. Er war elf Jahre alt, was soviel hieß, als daß zumindest zwei Drittel seines Lebens ein reines Geschenk darstellten, denn es hat Seltenheitswert, sein Hundeleben in einer Stadt, die eine derart aktive Leopardenbevölkerung hat wie Siswan, derart lange auszudehnen. Ich mußte immer an meinen kleinen Taj denken und an Abduls Bemerkung: „Ja, Memsahib, Hund ist das Lieblingsessen des Leoparden."

Ich kann mich noch genau an jedes Detail meines ersten Besuches erinnern. Tika und ich kamen gerade vom Lager. Als wir in den Hof traten, hörte man plötzlich Angstschreie von Kindern, denn die kleinen Schlingel hatten mich entdeckt und flüchteten in alle Richtungen. Eines der Kinder schrie etwas, das wie eine Hinduversion von „Komm schnell, Mama! Schau, was der Papa nach Hause gebracht hat!" klang.

Mama kam gar nicht schnell. Ich dachte, sie würde überhaupt nicht kommen. Sie war genau wie die Kinder durch die unerwartete Ankunft einer weißen Frau in ihrem Heim völlig aus dem Häuschen gebracht. Mein Gastgeber mußte wiederholt in die Hände klatschen, bevor die Mitglieder seiner Familie genügend Mut aufgebracht hatten, um sich zu präsentieren. Sie taten es dann schließlich, indem sie der Reihe nach einzeln aus düsteren Türöffnungen herausschlichen, was so aussah, als befänden sie sich auf dem Wege zu ihrer eigenen Hinrichtung.

Die Führung hatte Großmama, den Kopf tief in ihrem Sari verborgen; dann erschienen die jüngeren Frauen, die sich verzweifelt an ihre Babys klammerten, und der Rest der Brut wurde fast völlig von ihren weiten Pumphosen verdeckt. Die letzten, die sich dem schweigsamen Kreis um mich herum anschlossen, waren ein paar junge Mädchen und Buben. Eine typische indische „Ein-Mann-Familie"! Ohne es zu ahnen, war ich in die beste Zenana (Frauenquartier) der Stadt hineingeraten.

Tika genoß den Besitz dreier Frauen. Als Hindu hätte er sieben haben können. Weib Nummer eins war ungefähr dreißig Jahre alt und Mutter von drei kräftigen Söhnen — und einigen Töchtern, aber die erwähnt man kaum, denn kleine Mädchen sind in Indien nicht sehr populär. Sie kosten zu viel! Wegen der Mitgift

nämlich, denn jedes Mädchen muß ihren Ehemann kaufen. Und nach zwei solchen Hochzeiten plus Mitgift ist ein durchschnittlicher Vater gewöhnlich bankrott.
Weib Nummer zwei, zumeist der Liebling, war eine süße Achtzehnjährige, die sich bereits einiger männlicher Nachkommen rühmen konnte. Mit dunkelblauen, handgewebten Pumphosen, gestickter Weste und Tunika angetan, einen kurzen Sari über die Schultern geschlungen, war sie ein gutes Beispiel dafür, wie sich ein elegantes Landmädchen zu kleiden hat. Besonders schick wirkte der perlengeschmückte Nasenring, und ihre langen, schwarzen Zöpfe waren mit silbernen Glocken durchflochten.
Die halbe Portion, Nummer drei, war erst zwölf Jahre alt — zu jung noch, um irgend etwas anderes als Hoffnungen zu besitzen. Ihre Pflichten bestanden hauptsächlich darin, den anderen zwei Frauen bei der Hausarbeit zu helfen; gleichzeitig erhielt sie gratis eine Erziehung in der Kunst, einen Ehegatten glücklich zu machen.
Die Dorf- oder Landfrau in Indien hat es viel besser als ihre Schwester in der Großstadt. Sie besitzt viel mehr Freiheit. Die Abgeschlossenheit der Frauenquartiere ist weniger streng, und der liebe Ehemann ist auch nicht gleich beleidigt, wenn sie einmal ohne Schleier ausgeht. In vielen Fällen hilft sie sogar ihrem Mann bei der Arbeit. Außerdem sind die ländlichen Zenanas, wenn auch weniger prächtig geschmückt, viel angenehmer, denn sie sind reichlich mit Luft und Sonne versorgt. Einige haben herrliche Gärten, in denen die Vögel singen und der Duft der Blumen und das graziöse Gezweig der Bäume das Herz erfreuen.
Auf dem Land und in den kleinen Städten lächeln die Frauen. Sie sind nicht nur einfach Geburtsmaschinen, wie in den überfüllten Großstädten, wo ein Wort des Ehegatten Gesetz ist und das tägliche Leben von einer Unzahl von „Tu's" und „Tu's nicht", von veralteten Gebräuchen, überlebten Ansichten und mittelalterlichem Aberglauben eingeschränkt ist. Außerhalb der Stadtmauer läßt diese Tyrannei beträchtlich nach, und die Frau nimmt wieder ein wenig von der Würde an, die ihr zusteht.
Nichts spiegelt diese verhältnismäßige Freiheit ländlicher Frauen so deutlich wider, wie die populärste aller weiblichen

Einrichtungen: der Dorfbach. Dort, wo kein Bach ist, wird er durch den Gemeindebrunnen ersetzt. Und ob Bach oder Brunnen, er dient als gesellschaftlicher Klub, als Nähkränzchen, als Forum und Brennpunkt aller weiblichen Interessen, gleichviel, ob offiziell oder privat.

Siswan war mit einem breiten, klaren Bach gesegnet, wo jeden Morgen das schöne Geschlecht zusammentraf. Man konnte die Frauen von Siswan beobachten, wie sie sich in ihren langen, weißen, bis zum Boden hängenden Saris durch die Bäume bis an den Rand des Wassers schlängelten. Angeblich kamen sie, um die tägliche Wäsche zu waschen, aber nur wenn man sehr naiv war, hielt man dies für den einzigen Grund. Gewöhnlich war es der geschäftigste Ort der Stadt, denn es gab immer etwas, oder noch besser jemanden, über den man sprechen konnte. Natürlich wurde auch ein wenig gewaschen, aber hauptsächlich, um das Gesicht zu wahren.

Die Technik ist recht interessant. Nachdem sie sich mitten im Bach auf einen Stein gesetzt hat, ergreift die indische Hausfrau das ahnungslose Kleidungsstück mit der rechten Hand, taucht es ein paarmal energisch ins Wasser, hängt es dann über den Stein und prügelt es mit dem Schlegel windelweich. Zum Zwecke des Auswringens wird der Fuß dann auf das eine Ende des Opfers gestellt, und was nach dem energischen Auswinden noch von ihm übrig bleibt, wird um den Kopf geschlungen und das nächste Stück in Angriff genommen. Wenn der Stapel auf dem Kopf soweit angewachsen ist, daß er die Aktionsfähigkeit der Arme behindert, zieht sich die Dame an das Ufer zurück und breitet die Wäsche sorgfältig auf dem Schlamm zum Trocknen aus.

Ist die Wäsche beendet, macht die Wäscherin Anstalten, selber zu baden, indem sie sich, die Knie an das Kinn gedrückt und die Beine fest zusammengepreßt, in das seichte Wasser hockt. Herunter mit dem Sari, der auf einen in nächster Nähe liegenden Stein gelegt wird, damit er im Falle von Herzschwäche oder Feuer leicht erreichbar ist. Ist der Ehemann wohlhabend, so benützt sie Seife; wenn nicht, pures Wasser. Dann wäscht sie den Sari und zieht ihn, naß wie er ist, wieder an. Während der ganzen Dauer dieser Zeremonie hat die Dame ihre Stellung kein einziges Mal

verändert, womit sie überzeugend dartut, wie weit orientalisches Frauentum geht, um seine Keuschheit zu bewahren.
Ein weiterer Pluspunkt des Landlebens ist das Hausmobiliar, von dem ein ländliches Heim erfreulich wenig besitzt. Bei den Lals zum Beispiel lagen alle Geheimnisse des Haushaltes frei und bloß vor meinen Augen. An der Wand aufgereiht standen irdene Behälter mit dem Wasservorrat. Der Herd in der Freiluftküche war groß und aus Lehm gebaut. Um ihn herum lagen verschiedene Töpfe und Pfannen aus Messing verstreut, das einzige Metall, aus dem rechtgläubige Hindus zu essen gewillt sind. In einer Ecke befanden sich verschiedene Stapel von etwas, das man leicht für Chupatti, die indischen Flachkuchen, halten konnte. Sie stellten den Familienvorrat an Heizmaterial dar und waren nichts anderes als getrocknete Klumpen Kuhmist. Ich konnte kaum der Versuchung widerstehen, ein paar davon unter der Bezeichnung „versteinerte Pfannkuchen" für Barnum nach Hause mitzunehmen. Bisher ist es noch keinem indischen Geschäftsgenie eingefallen, diesen Markt auszunützen. Um das Herdfeuer in Brand zu halten, muß eine Frau praktisch nichts anderes tun, als einer Kuhherde folgen.
Gründlichmachen? Keine Rede davon! Gemeinsam mit der Zwillings-Babywiege wird das Familienbett zur Lüftung an die Hausmauer gelehnt, ein Bett, das aus einem Holzrahmen und vier Beinen besteht und eine Matratze aus geknüpftem Seil hat. Wenn man lange genug in Indien lebt, wird man ein Experte im „Knoten-Ausweichen", wenigstens etwas, wenn man es schon nicht bis zum wirklichen indischen Seiltrick bringt.
Zum Glück ist die allmächtige Sonne in den ländlichen Bezirken ein sehr wirksamer Keimtöter, und sie erspart den Leuten die Bezahlung eines „Wanzen-Beschwörers". Das ist ein äußerst nützliches Individuum, das durch die Straßen der größeren Städte wandert, mit einem großen Stock auf das Pflaster klopft und seine Ware mit singender Stimme ausruft. Sein Handelsartikel besteht aus seiner eigenen Person. Für ein paar Pice (Groschen) erklärt er sich bereit, im betreffenden Bett zu schlafen, so lange, bis das recht unbeliebte Viehzeug ihn satt hat. Man sagt, das Geheimnis seines Berufes bestehe in einem Kraut, das der Zauberer zu sich

nimmt, um die Wanzen zu vergiften. Man kann wohl nicht leugnen, daß es in Indien seltsame Berufe gibt!
Während und kurz nach der Baumwollernte summte es in Tikas Haus vor Geschäftigkeit wie in einem Bienenhaus. Die stillen Räume füllten sich mit dem surrenden Geräusch der Spinnräder. Die Lals stellten eine Art Handelsgesellschaft dar. Jedes Familienmitglied war Geschäftspartner, und jedes leistete seinen Anteil an der Arbeit. Öfters am Tag brachten Tika und seine Söhne große Körbe voll Baumwolle vom Feld nach Hause, die das Weibervolk dann, nachdem die Samen herausgenommen waren, mit langen Streifen von Büffelhaut flaumig schlug. Danach gaben sie die Wolle an andere Frauen und Mädchen weiter, die sie auf altmodischen Spinnrädern, die unseren alten kolonialen Modellen ähneln, zu einem Faden spannen. Wenn die Wolle gesponnen war, wanden sie den Faden um Spulen, die auf den Dorfwebstuhl paßten und brachten sie zum Färber, dessen kleiner Laden aus Reihen von großen Fässern bestand, die rote, blaue und grüne Pflanzenfarben enthielten. Schließlich kam der gefärbte Faden zum Weber, wo er zu dem rauhen Khaddar-Tuch gewoben wurde, das man im Basar zu kaufen bekommt.
An manchen Tagen, wenn die Arbeit sich häufte und das summende Geräusch der Spinnräder den Hof erfüllte, wurde ich zu einem der zahllosen Mitglieder der Familie Lal; nicht als Ehefrau, sondern als „Babysitter", indem ich, während die Mütter arbeiteten, ihre kleinen Sprößlinge überwachte. Und oft stellte ich Überlegungen darüber an, wie sehr diese Leute uns doch im Grunde ähnlich waren. Familienleben ist eben in der ganzen Welt ein und dasselbe.
Nach meinem Besuch bei den Lals pflegte ich, wenn meine Zeit es erlaubte, über den bäuerlichen Teil der kleinen Stadt zum Lager zurückzukehren und schaute dabei auf einen Augenblick zu den Gudyars, dem Dudh-wallah, hinein. Ich genoß meinen Besuch bei ihnen immer sehr, sie waren viel lustiger als die Lals — vielleicht weil sie das Leben nicht so furchtbar ernst nahmen.
Außerdem ging ich auch aus diplomatischen Gründen zu ihnen. Die Bewohner von Siswan waren recht empfindliche Leute, die man leicht vor den Kopf stoßen konnte, und zwischen den Lals

und den Gudyars bestand eine beträchtliche Rivalität. Da Bülbül mein gesellschaftliches Leben genau beobachtete, war ich überzeugt, daß sie genau wußte, wann ich meinen Fuß über die Schwelle des Lalschen Hauses setzte. Nur die einen und nicht die anderen zu besuchen, wäre in der Tat ein großer Fauxpas gewesen. Irgend jemanden hätte ich damit bestimmt verletzt, ganz zu schweigen von der Gefahr, unsere Milchversorgung zu gefährden. Um also Siswan den Frieden und dem Lager die Milch zu erhalten, vermied ich es sorgfältig, irgend eine Günstlingswirtschaft zu betreiben.
Die Gudyars lebten in einem weiten, üppigen Tal voller Weiden und Kornfelder. Ihr Heim bestand aus einem Haufen von grasbedeckten Lehmhütten, völlig fensterlos und mit gestampfter Lehmerde an Stelle der Fußböden, aber sie standen inmitten einer strahlenden Welt von Sonnenlicht und reichem Wachstum. Es lag eine Atmosphäre von sorgloser Unbekümmertheit über diesem Ort, als wären alle viel zu sehr mit dem bloßen Leben beschäftigt, um sich auch noch um Ordnung kümmern zu können. Man verstand das sehr leicht, wenn man einmal gesehen hatte, daß ein ganzer Auslauf voller Haustiere zur Familie gehörte. Unter diesen Tieren befand sich ein riesiger, mit einem Buckel versehener Bulle, der wie ein Satan aussah, aber das Temperament eines kleinen Kätzchens hatte. Ferner war da ein Wasserbüffel mit Zwillingskälbern, die, sanft und lockig, durch nichts verrieten, was für mächtige Geschöpfe einmal aus ihnen werden würden; ferner eine grauweiße Färse mit zweifelhaftem Stammbaum und mehrere andere Rinder verschiedener Art. Den übrigen Raum nahmen die Hühner ein. Seine Büffelmilchkühe hatte Papa Gudyar in nicht ganz so beengten Quartieren untergebracht.
Dieses Zusammenleben von Mensch und Tier hatte etwas Wunderbares an sich. Sie waren zusammen geboren, sie aßen, schliefen, unterhielten sich miteinander und wurden zusammen krank. Die Tiere wuchsen ein bißchen als Menschen auf, die Menschen ein bißchen als Tiere — für beide Teile eine ideale Einrichtung, besonders aber für die jüngsten Buben, die einen Großteil ihrer Zeit damit verbrachten, auf den Rindern herumzuturnen, mit einem Kalb zu ringen oder die Büffel-Mama zu ärgern.

Hier erfuhr ich auch, von wem Bülbül ihre Gesangstunden erhielt — von niemand Geringerem als den Vögeln persönlich. Die Nim-Bäume, die den von einer Ziegelmauer eingeschlossenen Hof umsäumten, waren voll von Vögeln. Es waren besonders freundliche Vögel, die von den Bäumen herabflatterten und sich auf dem Rücken der Rinder niederließen oder sich freundschaftlich unter die Hühner mischten.

Für unsere Begriffe besaßen die Gudyars recht wenig. Jedoch was sie hatten, war lebenswichtig — genug zu essen, ein Feuer für die kühlen Abende, Wesen, die sie liebten, genug Wasserpfeifen, um bei Mann und Weib die Runde zu machen, Kleidung, vier Wände und ein Dach zum Schutz vor der Witterung. Es ist schon wahr, daß sie ihr Korn mit einem Holzschlegel droschen und ihr Mehl mit einer flachen Handmühle aus Stein mahlten. Was Rupien anlangte, waren sie arm, aber sie hatten auch gar keine Verwendung für Geld. Alles, was sie zum Leben brauchten, war da, innerhalb der Grenzen ihres Bauernhofes. In gewissem Sinne waren sie reich, denn sie besaßen jene seltene und unbezahlbare Gabe, mit den einfachen Dingen des Lebens glücklich zu sein.

„Ach, diese armen Bauern... Sie gehören zu einer niederen Kaste", pflegten ihre Nachbarn aus den höheren Regionen mit großer Verachtung zu sagen. Sie ahnten nicht, daß es ein Segen sein kann, einer niederen Kaste anzugehören, und daß der Bauer, in dem Bewußtsein, daß er nichts zu verlieren hat, frei ist, sein Leben nach seinem Willen zu gestalten.

DAS ANDERE DRITTEL

Von den Leuten, die in den Bergen wohnten, sahen wir gar nichts. Sie kamen nie ins Lager, und ich wagte mich nicht in die Nähe ihres Dorfes.

Wenn ich Abdul nach ihnen fragte, sagte er einfach: „Es sind Radschputen" — als ob damit alles erklärt wäre. Und wenn ich dann weiter in ihn drang, murmelte er nur irgend etwas über Radschputen, die einer sehr hohen Kaste angehörten, und schloß seinen Mund wie eine Klappmuschel. Selbst Tikas Strom von Beredsamkeit versiegte zu einem Getröpfel von unenträtselbarem Gebrumm, sobald *sie* erwähnt wurden.

Es war alles sehr geheimnisvoll, und ich hatte gerade beschlossen, die Angelegenheit ruhen zu lassen, als ich eines Tages, kurz nachdem Barnum fortgegangen war, eine völlig unvorhergesehene Einladung von „Oben" erhielt. Würde ich die Güte haben, *sie* zu besuchen?

Abdul trat sofort in Opposition. Er war ganz aufgeregt. „Memsahib, es wäre sehr unklug, allein dort hinauf zu gehen. Warte und geh ein anderes Mal mit dem Sahib. Radschputen sind seltsame Leute. Sie haben komische Ideen und Gebräuche."

„Was denn, Abdul?" lachte ich. „Man könnte denken, du hättest Angst vor ihnen! Jetzt, nachdem ich die beiden anderen Dörfer besucht habe, ihre Einladung abzulehnen, würde ausgesprochen unliebenswürdig ausschauen. Nein, ich bin fest entschlossen: Ich gehe jetzt und besuche die Radschputen. Mag kommen, was will."

Als er sah, daß es mir wirklich ernst war, bestand er darauf, mich zu begleiten — zu meiner großen Erleichterung. Es war äußerst beruhigend, den Riesen Abdul an der Seite zu haben für den Fall, daß diese „seltsamen" Radschputen mich zufällig nicht mochten.

Mit meinem äußerst widerwilligen Begleiter, der seine Seele aufs dringendste Allahs Schutz anbefahl, begann ich die Klettertour zu Siswans unheimlichen Bergnestern.

Kaum hatten wir das Dorf betreten, als ein Schwarm von nicht ganz wohlriechenden Amazonen hinter irgend welchen Mauern hervorströmte und uns umzingelte. Abdul stieß einen kurzen Schrei aus und löste sich in Luft auf. Einen Augenblick später tauchte er jedoch wieder in den Kulissen auf, blieb dort stehen und beobachtete mich mit ängstlichen Blicken. Er konnte ohnedies nicht viel sehen, denn ich war im Augenblick völlig umringt von einer plappernden Menge weiblicher Wesen, die alle zugleich versuchten, mich zu begrüßen. Es war das Radschput-Empfangskomitee. Natürlich freute ich mich riesig, sie kennenzulernen!

Nach ein paar Sätzen aus der Begrüßungssymphonie geleiteten sie mich an einen Ort, der allem Anschein nach der Dorfplatz war, bloß daß mitten im Zentrum — ein Bett stand. Ausgerechnet! Um den Ernst der Lage noch zu verschärfen, schien das Bett offensichtlich für mich bestimmt zu sein, und im nächsten Augenblick war ich auch schon darauf installiert. Wenn ich es nur gewußt hätte, ich wäre tief geehrt gewesen: diese Thronbesteigung des Gemeindebettes war nämlich eine der höchsten Ehrenbezeigungen, die einem Fremden erwiesen werden konnte. Es war eine Gnade, die gewöhnlich nur zu Gaste weilenden Zauberern zuteil wurde.

Statt dessen war mir reichlich lächerlich zumute, als ich dort wie ein Ausstellungsobjekt auf dem Bett saß, während die Dorfbewohner aus den Häusern kamen, um mich mit tellergroßen Augen anzustarren. Die Männer taten dies mit kühler Würde, die Kinder weinten, und die Frauen drückten sich nah an mich heran, um mir Kleider, Haut und Haare zu betasten. Alle starrten und starrten. Es bedeutete natürlich nichts anderes, als daß sie sich für mich interessierten. Selbstverständlich waren sie sehr neugierig, eine weiße Frau zu sehen. Es war durchaus möglich, daß sie noch nie eine gesehen hatten.

Aber die Neugier war durchaus gegenseitig. Ich hatte noch nie einen Radschput gesehen. Zu meinem Erstaunen bemerkte ich, daß es durchaus nicht unangenehm war, sie anzublicken, obwohl sie völlig zerlumpt waren. Durch ihr ärmliches Äußeres leuchtete Würde und Charakter, und ihre Augen waren schön und lebendig und hatten etwas Eindringliches und Aufrichtiges. Die Männer waren groß und schlank, und ihre Haltung war königlich; die Frauen besaßen die sichere Grazie einer Königin.

Und warum auch nicht? Waren sie nicht Radschputen — ein Volk „könglichen Geblüts"? Gehörten sie nicht zu der stolzen Rasse, der Indien ihre größte Monarchen, Krieger und Helden verdankte?

Aber ihrem Dorf war von dieser noblen Abstammung nichts anzumerken. Es glich mehr ihrer Kleidung und bestand aus einer wirren Gruppe von Hütten, die wie Erdhaufen aussahen und nicht wie Wohnstätten. Man bemerkte auch nichts davon, daß hier

gearbeitet würde, wie in den anderen Teilen von Siswan. Radschputen beschäftigten sich weder mit Säen, noch mit Ernten oder Spinnen.

Nicht, daß sie faul waren; es war bloß ihr Stolz, der sie daran hinderte. Die mühseligen, niedrigen Arbeiten in Haus und Hof waren nichts für sie! Sie waren für höhere und erhabenere Dinge geboren; für das Schwert und nicht für den Pflug. Sollte etwa ein Radschput, in dessen Herz das Feuer eines Kriegers brannte, in den Furchen der Felder nach seinem Lebensunterhalt graben? Er, der geboren war, um zu führen, ein Kämpfer mit biegsamen Giedern, kräftigen Armen und kühnem Geist — sollte er etwa auf dem Marktplatz sitzen und Baumwolle zerpflücken? Seit wann beschäftigten sich Männer mit der Arbeit von Frauen?

Diese Radschputen waren wirklich Männer. Da gab es keinen Zweifel. Unter Schmutz und Lumpen war ihr Mannestum verborgen, sie hatten den Blick eines Löwen, und sie hatten auch das Herz.

Der Höhepunkt des Nachmittags kam, als mir eine meiner vielen Gastgeberinnen einen Trunk gräßlich süßer Ziegenmilch anbot, der in einer irdenen Schale serviert wurde, in der sie mit dem Finger herumrührte. Ich versuchte über den Rand der Schale Abduls Augen zu begegnen, in der Hoffnung, er könnte irgend etwas anstellen, um die allgemeine Aufmerksamkeit für einen Moment von mir abzulenken. Vergebens! Der große Idiot stand stur wie ein Block da und kapierte nicht. Ich beschloß im stillen, ihn hinauszuwerfen, sobald wie wieder im Lager wären, schloß meine Augen und goß das Zeug mit allem Schwung, den ich aufbringen konnte, hinunter! Es war unten! Aber würde es dort bleiben?

Eine Sekunde später spielte dieses Detail keine Rolle mehr. Kaum hatte die Schale meine Lippen verlassen, als sie mir auch schon aus den Händen gerissen und zu Boden geschleudert wurde. Ich sprang auf die Füße. Was hatte ich nur angestellt?

Dann fiel es mir ein. Das war auch bloß einer dieser „seltsamen“ Radschputgebräuche. Radschputen gehören einer sehr hohen Kaste an und kommen an zweiter Stelle nach den Brahmanen. Ihre Nahrung und ihr Geschirr ist heilig und wird durch die Berüh-

Im Eingeborenenviertel von Simla.

Fast der gesamte Lastentransport geht in Simla auf dem menschlichen Rücken vor sich.

Auch die Frauen haben ein hartes Leben; um geringen Lohn werden hier Steine für die nahegelegene Zementfabrik mühsam zerkleinert.

rung eines Fremden besudelt. Da ich ihrer Kaste nicht angehörte, war die Schale mit der Milch in dem Augenblick, da ich sie ergriffen hatte, „unrein" geworden, und keine noch so gründliche Reinigung konnte sie von ihrem Makel befreien. Und so zerstörten sie die Schale, um sich vor dem Makel zu bewahren. Diese Geste hatte durchaus nichts Beleidigendes an sich, sie war ausschließlich ein Gebot ihrer Religion. Wenn nur der Schatten irgend eines Wesens niedrigerer Kaste oder, noch ärger, gar keiner Kaste auf ihre Nahrung gefallen war, wurde sie als verunreinigt betrachtet und mußte weggeworfen werden.

Als ob er mich meiner Verlegenheit entreißen wollte, tauchte jetzt ein struppiger alter Mann mit langem, fließendem Bart auf. Ein paar jüngere Männer begleiteten ihn, und die Menge wich bei ihrer Ankunft zurück. Mit ernstem Gesicht machte er vor meinem Bette halt und betrachtete mich nachdenklich. Dann nickte er seien Begleitern zu und bat mich, ihm zu folgen.

Ich fügte mich ohne zu zögern. Es wurde schon spät, und ich wollte nicht für noch mehr zerbrochenes Geschirr als Entschuldigung dienen.

Wir waren eine kurze Strecke über einen gewundenen Weg gegangen, als ich das Geräusch eiliger Schritte hinter mir hörte. Keuchend holte mich Abdul ein.

„Was glaubst du, bedeutet das?" fragte ich ihn. „Wo führt uns der alte Mann hin?"

„Es ist Chand, der weise Mann des Ortes und ihr Geschichtenerzähler. Man hat uns aufgefordert, an der Geschichtenerzählung heute abend teilzunehmen, Memsahib."

Auf einem kleinen freien Raum auf der anderen Seite einer alten Mauer blieb die Gesellschaft stehen und gesellte sich zu einem Kreis von Eingeborenen, die wartend um ein offenes Feuer herumstanden. Schnell und ohne weitere Zeremonie nahm der alte Mann in ihrer Mitte Platz und forderte uns auf, dasselbe zu tun.

Eine ganze Weile saßen alle schweigend da und blickten unverwandt auf den alten Mann. Die Sonne ging unter. Der Wind wirbelte den Staub von den Dächern. Die Nacht schlich vom Osten herauf. Chand beeilte sich nicht sehr mit dem Sprechen. Auch er schien zu warten. Er stocherte mit einem langen Stock im Feuer

herum, und seine Gedanken schienen sich in den Flammen zu verlieren. Und dann, als ob er seine Ideen aus dem schöpfte, was er dort sah, begann er.
Seine Worte kamen zögernd und langsam, und mit einer müden, alten Stimme. Aber als das Holz Feuer fing und die roten Flammen um sich griffen, kamen seine Worte schneller und geschmeidiger, und schließlich strömten sie leicht und flüssig von seinen Lippen. Abdul beugte sich vor und übersetzte.
Regungslos hörten die Leute zu, als Chand von ihren ersten Anfängen sprach. Wie sie, die Kschatrija, die Krieger Indiens, einst aus dem Feuer geboren wurden. Er sprach von der dem Radschput-Clan eigenen Demokratie, in der keiner besser war als der andere und selbst der Niedrigste ein Verwandter von Königen. Er sprach über längst vergangene Zeiten, als man die Radschputen immer dort fand, wo gekämpft und gestorben werden mußte. Wer war zur Stelle mit fliegenden Bannern und entblößten Schwertern, bereit, dem gepanzerten Feind zu begegnen, wenn wieder und wieder der Schrei: „Der Türke! Der Türke!“ ertönte? Immer waren es die Radschputen! Immer waren sie da, als Hüter an Indiens Toren, zum Schutze seiner Freiheit. Manchmal siegten sie, manchmal unterlagen sie, aber immer kämpften sie wie Helden bis zuletzt.
Er erzählte von Männern, die furchtlos im Kampf und zart in der Liebe waren; von Prithiwi Radsch, Prinz Rawal und dem mutigen Radscha Sanga — Namen, die tief in das Gedächtnis jedes Radschputen eingegraben waren. Denn es waren alte Sagen, die zu allererst von den berühmten Radschputdichtern, den Troubadours und Minnesängern Indiens, erzählt worden waren, und meine Gedanken flogen zurück in eine Zeit, wo noch Ritterlichkeit und Romantik herrschten.
Ich sah im Geiste die alten Radschputen vorüberreiten, die Ritter Indiens in ihren glänzenden Rüstungen, einen Roland, einen Cid, einen Karl den Großen, einen König Arthur und Richard Löwenherz des Ostens, und ich fragte mich, wie oft wohl der alte Erzähler so wie heute vor seinen Leuten gesessen haben mochte, um ihnen wieder und wieder ihre Legenden zu erzählen. Und wieviele alte Männer vor ihm die gleichen Geschichten immer

von neuem erzählt und dadurch jahrhundertelang den wilden Rassenstolz in der Seele der Radschputen am Leben erhalten hatten.

Es war jetzt finster. Die Welt um uns herum war kaum mehr sichtbar, die alten Mauern des Ortes waren im Dunkel versunken und nichts blieb übrig als die Sterne, das Feuer und der Kreis gespannter Gesichter. Die Flammen züngelten hoch und stießen in die Nacht vor, als ob sie die immer dichter werdende Dunkelheit zurückwerfen wollten.

Bei dem flackernden Licht des Feuers war eine leichte Veränderung mit den Zuhörern vor sich gegangen. Die Augen des alten Mannes schienen wieder jung geworden, und die zerlumpten Rücken richteten sich straff auf. Die Gesichter der jungen Männer erblühten, als sie durch die Nacht in das geliebte kühne Land ihrer Träume blickten. Sie sehnten sich nach dem Leben eines Kriegers, nach den mitternächtlichen Überfällen, den ungestümen Angriffen, der plötzlichen Attacke aus dem Hinterhalt, dem Marsch und Gegenmarsch. Sie verzehrten sich nach der wilden Selbstaufgabe eines kämpfenden Kriegers, die sie irgendwie vermißt hatten — sie, die auf allen Schlachtfeldern der Welt nicht ihresgleichen hatten.

Und auch die Frauen spürten den Zauber dieser Nacht; sie sahen, wie ihre Träume Gestalt annahmen, sahen mächtige Befestigungen vor sich, kämpfende Armeen und ihre Männer als die tapfersten der Tapferen. Sie sahen sich selber. Und sie saßen mit stiller Würde und dachten an alte Zeiten. Auch sie hatten den Radschputen zum Ruhme gereicht.

Dies war kein armes, gebrochenes Volk. Es waren Krieger, wilde, stolze, freiheitsliebende Krieger. Plötzlich wurde mir klar, warum sie so lebten: Weil ihr Leben ein Warten war, ihr Dorf ein Feldlager, ein Biwak in einer Jahrhunderte währenden Wartezeit zwischen Kriegen. Aber eines herrlichen Morgens würden sie bestimmt diesen Hügel verlassen und ausrücken, um dem Feind zu begegnen. Darauf warteten sie. Dafür ertrugen sie Armut, Schmutz und Krankheit. Morgen würden sie marschieren, wie es einem Radschputen geziemte.

Dann erzählte der Alte von Chitor, ein Name, der das Radschput-

herz schneller schlagen ließ, ein geweihter Name. Denn der Ruhm von Chitor ist der Ruhm der Radschputen — der stolzeste Augenblick ihrer Geschichte. Chitor, die Bergfestung, das heilige Bollwerk, wo sie kämpften und kämpften, und starben und starben, und wieder und wieder der Übermacht der mohammedanischen Armeen weichen mußten.
Bei der Erwähnung von Chitor ging ein Beben durch den Kreis um das Feuer. Die Flammen schienen aufzuflackern. Die Spannung wuchs und die Pulse flogen.
Chand war ein Zauberer, und die Macht seiner Worte ließ vor unseren Augen die Geschichte seines Volkes vor dem Hintergrund der schwarzen Nacht aufleben. Mir schien, als verwandelten sich die zerbröckelten Lehmmauern vor meinen Augen in die Bastionen einer Festung. Das mohammedanische Heer Akbars des Großen stand vor den Toren. Ich sah, wie die Radschputen mit List und Tapferkeit gegen die Übermacht des Islams kämpften; ich sah den kühnen Durchbruch von zweitausend Radschputkriegern, die als Akbars Wachen verkleidet furchtlos durch die feindlichen Linien in die Freiheit marschierten und ihre eigenen Familien, an Händen und Füßen gefesselt, um ihnen den Anschein von Gefangenen zu geben, mit sich schleppten.
Mit zärtlicher Stimme hörte ich ihn über die Sage von Padmani, der Prinzessin von Chitor und dem Ideal Radschputschen Frauentums, berichten. Sie war jenes kriegerische Weib, das die List des trojanischen Pferdes für Indien erfand und den mohammedanischen General Allah-ed-Din an der Nase herumführte.
Der Erzähler begann mit der Schönheit Padmanis. Schon lange wurde das Lob ihrer Lieblichkeit im ganzen Land besungen und viele waren befriedigt, nur davon zu hören. Keiner wagte zu hoffen, diese Schönheit je zu *sehen,* keiner außer Allah-ed-Din, vor dem ganz Indien zitterte. Solch unbeschreiblicher Liebreiz gebührte nur ihm allein, und er konnte haben, was er wollte.
Er sammelte seine Legionen, marschierte auf Chitor, machte vor den Toren halt und überreichte sein Ulitamatum: ein Blick auf Padmani, wenn es auch nur ihr Spiegelbild war— oder sofortiger Angriff. Padmanis Mann stimmte zu. Aber dieser eine Blick erfüllte den Führer der Mohammedaner mit einer solchen Leiden-

schaft, daß er unter allen Umständen die Prinzessin besitzen wollte.

Kurz entschlossen machte er den Ehemann zu seinem Gefangenen und drohte ihm mit dem Tod. Der Preis für sein Leben war — Padmani!

Von der Festung kamen siebenhundert verhängte Sänften herab, die parfümierten Tragsessel der Prinzessin und ihrer Hofdamen. Sie passierten die Wachen und gelangten in das Lager der Mohammedaner. Auf ein Signal hin rauschten die Vorhänge, und statt der Schönheiten von Chitor sprangen seine Krieger aus den Sänften; nicht Mädchen, sondern Männer, die, bis zu den Zähnen bewaffnet, sich den Sänftenträgern anschlossen, die ihre Verkleidung abgelegt und ihre versteckten Waffen gezogen hatten.

Die Mohammedaner waren derart überrascht, daß ihre Wachsamkeit für einen Augenblick versagte, und in diesem Augenblick wurde der Herr von Chitor befreit und zurück zur Festung, in die Arme seiner geliebten Frau, gebracht.

Der Erzähler machte eine Pause, um seinen Worten noch mehr Wirkung zu verschaffen. Wir saßen schweigend und warteten....

Als Chand wieder fortfuhr, kehrten seine Gedanken von neuem zu Chitor zurück — zu Chitor in den Stunden der Verzweiflung, als das Kriegsglück sich gewendet hatte und der Feind in großen Mengen durchbrach, um die Zitadelle zu stürmen. Er erzählte von der verlorenen Hoffnung und den verzweifelten Vorbereitungen von Dschohar und von dem großen Kriegsopfer der Radschputen.

Dschohar! Dschohar! Welch furchtbare Bedeutung lag in diesem Wort! Bei den Worten des alten Mannes erstand vor meinen Augen die Festung, in ihrer Mitte der riesige Scheiterhaufen, der eine Feuerpyramide bildete. Ich sah die Frauen in ihren Hochzeitsgewändern mit tränennassen Gesichtern und irren, ängstlichen Augen davor kauern und zum letzten Male auf Mann und Leben blicken; dann machten sie einen wilden Sprung vorwärts und die Flammen erstickten ihre Schreie. Auch die Kinder — diese unschuldigen Wesen, die ihr Leben gerade begonnen hatten — fanden zusammen mit ihren Müttern in dem feurigen Bett den Tod. Und das Vieh und die Pferde, die Teppiche von den Wänden, die fürstlichen Gewänder, die Kunstschätze, der Reichtum von

Jahrhunderten — alles verschwand in dem lohenden Scheiterhaufen. Fast konnte ich das brennende Fleisch und das Blut der Brandopfer riechen. Fast hörte ich das Jammern der Lebenden, das Stöhnen der Sterbenden, das Klappern der Rüstungen und den Lärm der Waffen. Ihre Niederlagen waren großartig wie ihre Siege. Sie kehrten zu den Flammen zurück, aus denen sie gekommen waren, die Feuergeborenen.
Niemals ergaben sie sich, immer wenn der Kampf verloren war und das Ende nahte, gab es ein Dschohar. Als ihre Welt hinter ihnen in Flammen aufging, gruppierten sich die Überreste der Festungsbesatzung zu einem letzten Widerstand. Weit öffneten sie die Tore und stürmten vor in den sicheren Tod.
Und als der Sieger einzog, was hatte er schon gewonnen? Nur schwarze Ruinen, rauchende Trümmerhaufen, Asche — die einzige Kriegsbeute, die jemals in Chitor gemacht wurde.
Als Chand an das Ende seiner Geschichte kam, wurde seine Stimme wie am Anfang wieder dünn und schwach. Das Leben wich wieder aus seinem Gesicht, und es gefror zu der Maske eines alten Mannes. Er machte ein Zeichen, daß er geendet hatte, nickte seinem Publikum zu und verschwand. Langsam und schweigend folgten ihm die Radschputen. Zuletzt blieben nur Abdul und ich zurück.
Als wir uns zum Gehen wandten, bemerkte ich, daß das Feuer fast gänzlich niedergebrannt war. Nur ein wenig glühende Asche war übriggeblieben.
Rund um uns herum war Dunkelheit. Wie in der Seele der Radschputen, die nur noch schwach glimmend von der Macht und Stärke der Vergangenheit lebte und darauf wartete, wieder aufzulodern, wenn Indien sie brauchte.
Immer wenn ich von einem Konflikt in Indien höre, denke ich an diese Nacht in Siswan zurück und sehe die Radschputen vor mir, wie sie sich auf ihre Pferde schwingen und höre, wie das ganze Land von ihrem Mut und ihren Heldentaten widerhallt. Neue Geschichten werden eines Tages an neuen Lagerfeuern in einem anderen Indien erzählt werden.

„MÖGE DEIN MANN DICH ÜBERLEBEN!“

Trommeln. Trommeln, die in der Ferne tönen wie dumpfer Donner. Dann werden sie lauter, kommen näher, und die Wände der Schlucht fangen ihr Dröhnen auf und senden es laut und schallend bis zu uns.

Mit dem Trommeln kam das Blasen von Hörnern.

War heute etwa ein Feiertag? Oder hatten die Radschputen das Kriegsbeil ausgegraben? Abdul mußte es wissen. Ich entdeckte aber, daß Abdul bereits zum Rande der Schlucht hinaufgeklettert war und den Horizont mit Barnums Fernglas absuchte.

„Ahoi da oben! Siehst du etwas?“ rief ich.

Er nahm das Glas einen Augenblick von den Augen, schaute herunter und brüllte etwas. Ich versuchte seine Worte zu erhaschen, aber sie wurden von einem plötzlichen Geräusch in meinem Rücken übertönt. Ich drehte mich rasch um und sah die halbe Einwohnerschaft von Siswan in heller Aufregung in das Lager strömen. Sie hatten augenscheinlich die Trommeln gehört. Einer von ihnen quetschte sich durch die Menge in meine Richtung und warf die Arme hoch, um meine Aufmerksamkeit auf sich zu lenken. Es war Tika. Ich winkte zurück und rannte ihm entgegen.

Dann entdeckte ich auf der einen Seite einen Tropenhelm, der gerade über den Spitzen des Gebüsches daherschaukelte. Der Helm kam näher, das Gebüsch erzitterte, öffnete sich, und ein leicht verwahrloster und äußerst besorgter Ehemann brach vor mir aus dem Gesträuch.

„He!“ rief er, „was zum Teufel geht denn hier vor? Hab' das Geräusch gehört und dachte, daß du einen neuerlichen Affenangriff abwehrst. Als die Hörner anfingen zu blasen, wußte ich nicht, was ich denken sollte. Wo ist Abdul?“

„Ich weiß so wenig wie du“, antwortete ich. „Es klingt, als ob irgendwo die Hölle los wäre. Und der Mann, der Bescheid weiß, steht augenblicklich oben am Rand der Schlucht und unterhält sich großartig mit deinem Fernglas.“ Ich wies mit dem Daumen auf unseren dienstbaren Geist, der gerade dabei war, auf seinen

an der Spitze hochgebogenen türkischen Pantoffeln in bestem olympischem Stil den Hügel hinabzurutschen.
Seine Augen glitzerten, als er vor uns zum Stehen kam. „Kleine Prozession mit großem Lärm kommt in unserer Richtung. Wird bald durch das Lager ziehen. Die Trommeln sagen, daß es eine Hinduhochzeitsgesellschaft ist.“
„Eine Hochzeit!“ riefen die Browns im Chor.
Scheinwerfer! An die Kameras! Wir bezogen unsere Stellungen. Mir schoß durch den Kopf, daß zumindest andere Leute Flitterwochen hatten, wenn schon nicht ich selber. Ich hatte meine Brownie auf den Weg, der von der Schlucht heraufführte, eingestellt, als der erste Teil der Gesellschaft auftauchte. Es war eine fünf Mann starke Kapelle, zwei pausbäckige Blasengel und ein Dreigespann, das die Tom-Toms bearbeitete. Wenn das, was sie spielten, einen Hochzeitsmarsch darstellen sollte, so war es ein schlechter Anfang für ein *harmonisches* Eheleben!
Im Kielwasser dieses wirren Lärms holperte die bräutliche Kutsche, eine geschlossene Sänfte, die, großartig mit roter Seide drapiert und mit langen goldenen Quasten geschmückt, auf den Schultern von vier braunen Athleten schwankte. Zweifellos enthielt sie die Braut. In der offenen Sänfte, die ihr folgte, lehnte ein hübscher, junger, mit Blumen geschmückter Mann — der Bräutigam.
Wenn ich nur Kodachrom hätte, dachte ich, während ich meinen Sucher auf die Prozession einstellte. Ich schaute hinüber, um zu sehen, was Barnum tat.
Es ging ihm scheinbar nicht sehr gut. Er war dabei, die Bell & Howell-Filmkamera aufzustellen, und das Stativ litt wie gewöhnlich an Nervenzusammenbrüchen. Ich knipste rechts von ihm und links von ihm, aber das beste Motiv von allen war Barnum selber. Mit einem Paar sehr kurzer Hosen bekleidet, machte er tapfere Versuche, die Beine des Stativs, die hoffnungslos in seine eigenen verwickelt waren, wieder herauszulösen.
Er begann mit einem langsamen Walzer und ging dann rasch zu einer altmodischen Polka über, wobei er Bell eng an seine männliche Brust preßte und sich Howell über die Schulter schlang. Sie kamen ganz gut voran, bis Bell plötzlich, ohne vorherige War-

nung, einen Spagat vollführte, mit einem Ruck wieder hochkam und den Tropenhelm des Forschers von seinem rechtmäßigen Platz stieß. Barnum beugte sich nieder, um ihn aufzuheben, und das gab seinen kurzen Höschen den Rest. Sie platzten völlig unvorschriftsmäßig auseinander.
Nachdem vorn und hinten alles schiefgegangen war, wurde Barnum wütend und der Staub begann zu fliegen. Mann und Maschine kämpften es nun im Flußbett aus. Der Champion teilte einen linken Kinnhaken aus, das Stativ erwiderte mit einem rechten. Der Champion ging in die Knie! Dann raffte er sich wieder auf. Sie verwickelten sich ineinander. Der Champion umklammerte seinen Gegner mit einem Doppelnelson und schien erfolgreich zu sein, als Taj sich entschloß, ihrem Herrn zu Hilfe zu kommen, in das falsche Bein hineinbiß — und nun lagen alle drei auf dem Boden.
Zu diesem Zeitpunkt hatte bereits jeder auf die Hochzeitsgesellschaft vergessen, und ich verbrauchte zwei Filmrollen, um dieses historische Duell zwischen Mann und Ding zu verewigen. Gerade als ich mich niederhockte, um den Knock-out im Bilde festzuhalten, kam der wilde Brown auf die Füße und blickte wütend auf mich herab. „Was tust du denn da um alles in der Welt? Um Gottes willen, Mädchen, halte doch die Prozession auf! Ich muß noch ein paar Aufnahmen machen, bevor . . .“
Aber die Prozession hatte schon haltgemacht. Anscheinend war das von Barnum gebotene Schauspiel doch zu schön, um es zu versäumen. Der junge Bräutigam war von seinem Thron herabgestiegen und betrachtete nun das Durcheinander mit offensichtlichem Interesse, obwohl er, als echter Inder, die Lippen nicht zu dem leisesten Lächeln verzog. Aus der Sänfte der Braut war ein Kichern zu hören, und ich bemerkte, daß die Vorhänge sich leicht bewegten. Auch die Dorfbewohner hatten sich versammelt. Selbst Tika war unter ihnen. Ich rief ihm zu:
„Tika, würdest du, bitte, die Jungvermählten für uns begrüßen? Sag' ihnen, daß es eine Ehre für uns wäre, wenn sie sich hier ausruhen und die Gastfreundschaft des Lagers annehmen würden.“
Der Bräutigam lächelte, als ihm die Botschaft überbracht wurde. Er schritt auf mich zu, verbeugte sich und brachte in perfektem

Englisch seinen Dank zum Ausdruck. „Aber sagen Sie mir“, fügte er hinzu und nickte in Barnums Richtung, „was tut denn der Sahib da?“

Ich erklärte ihm, daß mein Mann nur versuchte, ein paar Photographien von der Brautgesellschaft zu machen. Da ihm dies bisher nicht ganz gelungen sei, wäre es sehr freundlich von ihm, uns zu erlauben, noch ein paar Aufnahmen zu machen, bevor sie weitergingen.

Der Bursche machte einen Schritt zurück und betrachtete die Kodaks mit furchtsamen Blicken. Schließlich gab er mit einem sorglosen Achselzucken seine Zustimmung und erstarrte zu einer Salzsäule. Die Sonne glitzerte auf den Goldfäden seines blaßgrünen Turbans und seiner Brokatweste, die mit Girlanden von Jasmin behängt war, mit denen irgend ein hübsches Tanzmädchen ihn auf dem Hochzeitsfest umwunden hatte. Ein verzierter Gürtel umschloß seine schlanke Taille, und unter den Falten seiner Dhoti schauten seine nackten, bronzenen Glieder hervor.

Er wäre gar kein schlechtes Double für den Filmhelden Sabu, dachte ich bei mir, während ich ihn vor einen passenden Hintergrund manövrierte und an die Arbeit ging. Ungefähr nach der sechsten Aufnahme verlor mein Opfer etwas von seiner Steifheit, denn er hatte entdeckt, daß die schwarze Kiste im Grunde ganz harmlos war.

„Wie ist das?“ fragte er, indem er eine neue Position ausprobierte. Seine Lieblingsrolle war der „wilde Mann“, und zweifellos hegte er die Hoffnung, daß er in dieser eindrucksvollen Pose in die Geschichte eingehen würde: Brust heraus, die Arme in die Seite gestemmt und mit einer derart düsteren Miene, daß Kali, der schrecklichen Göttin des Blutvergießens, bei diesem Anblick das Herz in die Hosen gefallen wäre. Die zweitbeste Nummer war der Asket — eine Maske, die er aufsetzte, wenn er sich vorgaukelte, ein Sadhu, ein heiliger Mann, zu sein.

Wir hätten bis in alle Ewigkeit so weitermachen können, aber mein Filmvorrat war beschränkt. Außerdem hatte ich vor, noch andere Motive zu knipsen, besonders die kleine Dame hinter dem leuchtendroten Vorhang. Als ich ihn fragte, ob ich sie auch photographieren dürfte, strahlte der Bräutigam. Seine Augen wander-

ten hinüber zur Sänfte, und ich fing den Blick des Liebenden auf: glühend, zärtlich und sinnlich. So würde ich ihn in Erinnerung behalten.
Barnum, der bisher seltsam still gewesen war, erwachte plötzlich zum Leben. Er zog einen Belichtungsmesser heraus. „Das ist was für mich", gurrte er. „Ich werde mich dort gegenüber der Sänfte aufstellen. Wenn sie herauskommt, knipse ich sie von vorne. Du tu dasselbe von hinten." Er stürzte in der Richtung der Sänfte davon.
Plötzlich wurde das Gesicht des Bräutigams finster und drohend. Ein lautes, energisches „*Nein*" durchschnitt die Luft. „Nein, Sahib! Nein!" Er stellte sich Barnum in den Weg. „Es tut mir leid, aber Sie können kein Bild von meiner Frau machen. Verheiratete Hindufrauen sind purdah; kein Mann außer Ehemann darf Gesicht sehen. Nur die Memsahib kann Bild machen." Dann, mit milderer Stimme: „Es tut mir leid, Sahib. Es ist der Brauch."
Ich gab einen neuen Film in den Apparat und eilte in die Nähe der Sänfte. Als ich vor ihrem Eingang zögernd stehenblieb, kam eine zierliche Hand zum Vorschein, die den Vorhang beiseite schob, und ich sah ein kleines Kind im Inneren sitzen. Wirklich, es war ein Kind, das kaum älter als acht Jahre sein konnte, und ihr kleines, ängstliches Gesicht starrte mir besorgt aus den Kissen entgegen. Als ich näher hinblickte, sah ich, daß zwei Mädchen drinnen saßen, und die andere war um ein beträchtliches älter.
Ich blickte auf den Bräutigam.
Er lächelte. „Nein, es ist nicht, wie Sie denken", sagte er. „Nur die ältere ist meine. Es sind Schwestern, es war eine Doppelhochzeit. Mann von der Kleinen wird gleich hier sein. Hatte Schwierigkeiten, mit uns Schritt zu halten." Durch den Vorhang rief der junge Mann seiner Frau etwas auf Hindostanisch zu. „Krana, komm heraus. Die amerikanische Memsahib möchte ein Bild von dir machen."
Langsam, mit unsicheren Bewegungen, trat die zarte, kleine Krana aus dem dunklen Inneren der Sänfte an das Sonnenlicht. Sie war von oben bis unten mit Gold und Silber behängt, und alles, was man darunter von ihr selber sehen konnte, waren ein paar sanfte Augen und ein liebreizendes Lächeln.

Sie war das reinste Metalldepot. Auf ihrem Kopf thronte der letzte Schrei an „Silberhut“, bei dem die Modistin anscheinend von einem Cocktailshaker inspiriert worden war. Silberne Glöckchen umkränzten ihre Stirne. Ihre kleinen Ohren waren mit silbernen Blumen behängt. Sinnlich zitterten Ketten und Bänder aus Gold und Silber auf ihrer Brust. Arm- und Fußreifen beschwerten die kleinen Hände und Knöchel. An jedem Finger prangte ein Ring und auf dem Daumen ein riesiges silbernes Ornament mit einem eingeschnittenen Spiegel!
All das entsprach dem alten indischen Brauch, seinen gesamten Besitz auf sich herumzutragen. Alle Frauen tun das. Da es im ländlichen Indien keine Banken gibt, wird das Vermögen in Form von Schmuck auf den Frauen aufbewahrt. Wenn der liebe Ehemann für schlechtere Zeiten etwas zurücklegen will, kauft er seiner Frau ein Schmuckstück, einen Armreif, oder er schlingt ganz einfach ein paar Rupien um ihren Hals. Krana trug genügend solide Währung auf sich, um ihren Mann auf Jahre hinaus zu erhalten.
Natürlich trug die Braut auch Kleider: blauseidene Hosen, im Jodhpurstil — sie waren, im Hinblick auf die Zukunft, um die Taille ein paar Nummern zu groß —, eine weißseidene Tunika, einen hauchdünnen, rosafarbenen Kopfschleier und silberbestickte Pantöffelchen. Zwischen Juwelen und Kleidern war von der Braut selber nur sehr wenig zu sehen.
Gerade als ich die kleine Dame in die richtige Position gebracht hatte, erschienen zwei seltsame Gestalten am Horizont. Sie entpuppten sich als ein sehr alter Mann auf einem sehr alten Pferd. Das Tier hatte einen derartigen Senkrücken, daß der Reiter mit den Füßen fast den Boden berührte. Er war dünn und schmutzig und sah wie ein orientalischer Don Quichote aus, der gerade den Kampf mit einer Windmühle hinter sich hat. Abgesehen davon, machte er ein Gesicht, als hätte man ihn gerade mit sauren Gurken gefüttert.
Nun ritt er mit einem recht unfreundlichen Blick an uns vorüber, direkt auf den jungen Bräutigam zu, und begann ihm einen Riesenkrach zu schlagen. Ich vergaß für eine Weile das Photographieren und eilte zu Barnum hinüber, um mich an diesem

Schauspiel zu ergötzen. „Wer ist das? Der Vater des Jünglings?“ fragte ich.
„Tika sagt, daß es der andere Bräutigam ist — der von der Achtjährigen. Er plärrt den anderen an, weil er hier haltgemacht hat.“
„Was hat er denn dagegen?“
„Der alte Lüstling kann es nicht erwarten, nach Hause zu gelangen. Die Reise scheint ihm recht schwer gefallen zu sein, und er will nicht ganz erschöpft ankommen.“ Der ungeduldige Alte redete sich schnell in einen wilden Zorn hinein. Nur wenn er gerade an seinem Betel-Prim herumlutschte, hielten Mund und Arme einen Moment still. Ein letzter, gräßlicher Schrei, dann hieb er auf sein Pferd ein und ritt die Schlucht hinunter. Der junge Mann sagte etwas zu den Sänftenträgern, bestieg seine „Kutsche“ und rief uns auf Wiedersehen zu.
Schnell drückte ich ein paar Blumen in die Hand der kleinen Braut. „Mögest du viele Söhne zeugen und möge dein Mann dich überleben“, flüsterte ich. Das sind in Indien die Dinge, um die eine Frau mehr betet als um alles andere.
Die kleine Hand umklammerte immer noch mein Bukett, als die Gesellschaft auf der Straße davonzog. Dann sah ich, wie der alte Mann eiligst heranritt und sich tief über die Sänfte beugte. Man sah die Vorhänge flattern, die Blumen fielen zu Boden und die Hand verschwand.
Dort, hinter den Vorhängen würde das kleine Mädchen nun den Rest ihres Lebens in der verschleierten Welt der Purdah-Frauen verbringen.
Nachdem sie fort waren, unterhielten wir uns angeregt.
„Ein reiches junges Paar“, bemerkte Abdul.
„Auf wieviel schätzt du sie?“ fragte ich.
„Das muß wenigstens eine Mitgift von fünfhundert Rupien gewesen sein. Sie waren hohe Kaste. Hast du die reichen Kleider bemerkt? Sicher war das Hochzeitsmahl sehr üppig. Mit Feuerwerk und so weiter. Und wie kostbar die Sänften geschmückt waren! Auf einer armen Hochzeit, zum Beispiel einer zu fünfzig Rupien, geht der Bräutigam zu Fuß und die Braut reitet auf den Schultern irgend eines kräftigen Freundes.“

„Na, Krana und ihre Schwestern werden auf jeden Fall froh sein, wenn die Reise vorüber ist und sie sich in ihrem eigenen Heim ausruhen können“, bemerkte ich voller Optimismus.
Abdul zerdrückte ein kümmerliches Lächeln.
„Aber sie werden sich gar nicht in ihrem eigenen Heim niederlassen. Du mußt wissen, wenn ein Hindumädchen heiratet, gehört ihr Leben ihrem Ehemann. Das Heim, das sie betritt, gehört ihm, und das Zepter führt die Schwiegermutter.“
„Es schaut aus, als ob im Fall der Kleinen der Ehemannn das Zepter führen würde. Vielleicht sind in ein paar Jahren ihre Sorgen vorüber —“
Abdul schüttelte den Kopf. „Da irrst du dich, Memsahib. Wenn er stirbt, fangen die Sorgen erst an. Einer Hinduwitwe hat das Leben gar nichts mehr zu bieten. Sie muß den Rest ihres Lebens in Trauer verbringen. Sie kann nie mehr wieder heiraten.“
Tika sagte schnell und gereizt: „Dieser gute Mohammedaner gibt dir ein sehr einseitiges Bild von meinem Volk. Die Dinge haben sich sehr geändert. Und wir behandeln unsere Witwen durchaus nicht überall schlecht, und was Kinderehen anlangt, so ist das ein Mißbrauch einer sehr alten Sitte, die vor langer Zeit entstanden ist, um unsere kleinen Mädchen zu schützen. Sie wurden manchmal bei der Geburt und oft sogar schon vorher unwiderruflich verlobt, aber niemand dachte je daran, daß die Ehe konsumiert werden sollte, bevor die kleinen Mädchen herangereift waren.“
„Aber ich finde auch, daß es ein Jammer ist“, klagte ich, „daß diese süßen jungen Geschöpfe an dem größten Tag ihres Lebens derartig vermummt herumgehen müssen.“
Ein seltsames Licht flackerte in Tikas Augen auf. „Weißt du, wer für das Purdah in Indien verantwortlich ist?“ Er blickte Abdul an. „Die Mohammedaner! Bevor sie kamen, waren unsere Frauen frei. Wir mußten den Schleier aus Selbstverteidigung einführen. Die einziehenden Mohammedaner begehrten unser Land und noch mehr unsere Frauen.“
Abdul kicherte. „Das ist schon wahr ... Aber warum diskutieren wir darüber?“ Er wandte sich mit einer hilflosen Geste Barnum und mir zu. „Das ist der Jammer mit dem Indien von heute. Die

Hindus machen den Mohammedanern und die Mohammedaner den Hindus Vorwürfe. Ob wir jemals diese alten Mißstimmigkeiten vergessen werden, die uns trennen? Wann werden wir uns einmal ganz einfach als *Inder* betrachten?“

KÖNIGSKOBRA IM KÜCHENZELT

Mein Gemahl ist das, was man in wissenschaftlichen Kreisen als einen „geborenen Sammler“ bezeichnet, und damit will man auf sehr liebenswürdige Art zum Ausdruck bringen, daß er ein besonders hochqualifizierter Kleptomane ist. Obwohl seine Talente hauptsächlich auf dem Gebiet des Gräberraubes liegen, erweckt alles, was zur Naturgeschichte gehört, unfehlbar seinen, wie er es nennt, Hamsterinstinkt. Ob tot oder lebendig, wenn es nicht angenagelt oder ausdrücklich als „privat“ bezeichnet ist, stellt es für Barnum ein potentielles Museumsstück und damit erlaubte Beute dar.

Aber der psychologische Wert dieser allesfressenden Einstellung ist nicht zu leugnen. Barnum kommt nie mit leeren Händen nach Hause, er ist niemals entmutigt. Wenn der Knochenmarkt gerade nicht gut geht, sammelt er irgend etwas anderes.

„Die besten Fische werden auf der Hirschjagd gefangen“, ist sein ständiges Zitat.

Unter den vielen Dingen, die er damals sammelte, war ein riesiges Ungeheuer von einer Eidechse. Eines Tages schlenderte er mit dem Ding über der Schulter ins Lager herein. Es war zirka sechzig Zentimeter lang, lebendig und äußerst beweglich.

„Und was sollen wir damit anfangen?“ fragte ich. „Ich nehme an, das soll ein Spielgenosse für Taj werden.“

„Konserviere sie“, war die strenge Antwort.

Aber worin? Wir stöberten vergeblich in unserer Ausrüstung nach einem Krug herum, der groß genug war, um das Tier zu fassen. Das liebe Ding endete schließlich, fachmännisch eingepökelt, in der „Kommode“.

Auch Schlangen fanden in der alten Sammlertasche Zuflucht. Eine von ihnen bewirkte, daß eine Maus nach Barnum benannt wurde. Es war ein Zwei-Fliegen-auf-einen-Schlag-Manöver. Die Schlange lag in voller Größe über den Weg gebreitet und hatte eine sehr verdächtige Beule in der Mitte, als Barnum sie entdeckte. Neugierig wie er war, öffnete er sein Taschenmesser und vollführte einen perfekten Kaiserschnitt an dem Tier, um die Beule zu entfernen. Siehe da, eine Maus kam zum Vorschein — eine sehr außergewöhnliche Maus, wie sich herausstellte. Kurz nachdem er sie an das Museum geschickt hatte, kam ein Gratulationstelegramm. Die Maus war eine neue Art!

Wir hatten eine Auseinandersetzung mit einer weiteren Schlange, gewannen ein wunderbares wissenschaftliches Exemplar und verloren eines unserer Lieblingstiere. Das Tierchen war Mimi, eine kleine Henne, die Abdul mit der Absicht, sie für einen Sonntagsbraten zu mästen, aus der Stadt gebracht hatte. Aber je dicker sie wurde, um so mehr wuchs sie uns ans Herz. Der Erfolg war, daß unser Hühnerbraten von Mal zu Mal verschoben wurde. Mimi hätte sicherlich bis in alle Ewigkeit weiter Eier gelegt, wenn nicht eines Morgens um zwei Uhr früh eine hungrige Königskobra unser Lager besucht hätte.

Lautes Gackern im Küchenzelt weckte uns auf. Dann hörten wir draußen das Geräusch von Schritten und Abduls Stimme: „Schnell, Sahib! Große Schlange!"

Barnum und ich waren in einem Nu aus dem Bett und vor der Tür — und eine geisterhafte Prozession begab sich in die finstere Nacht hinaus: ein Fackelträger, ein Sahib in gestreiftem Pyjama, mit Taschenlampe und Fackel bewaffnet, und eine furchtsame, in Leintücher gehüllte Memsahib. Wir schlichen uns vorsichtig heran. Keiner wagte auch nur zu flüstern. Achtung! Heraus mit der Taschenlampe! Ein Lichtstrahl... Eine riesige, schwarze Kobra lag totenstill auf dem Boden des Küchenzeltes. Die Taschenlampe wanderte den fetten, gewundenen Körper bis zu dem ausgebeulten Kopf hinauf und dort, aus dem offenen Kiefer, guckten Beine und Hinterteil von Mimi heraus.

Barnum stürzte vor, hieb mit der flachen Seite des Axtgriffes auf eine Stelle gerade hinter dem häßlichen Kopf und drückte mit

Unsere Karawane auf dem Weg über den Dildschubba-Paß in die zerklüftete Gegend von Hasnot.

Während wir durch den Pandschab reisten und in Dak-Bungalows übernachteten, war Abdul seiner Kochpflicht enthoben und diente Barnum als Assistent.

Auf dem Weg von Rawalpindi nach Srinagar. Dämmerung senkte sich über die Reisfelder, als wir durch Baramula zu den üppigen Ausläufern des Kaschmiertales kamen.

seinem ganzen Gewicht darauf. Sofort kam das Huhn zur Gänze zum Vorschein. Mit dem Kopf an den Boden genagelt, wand sich die Schlange hin und her und schlug wie eine große Peitsche gegen die Zeltwände. Töpfe, Pfannen, Flaschen und Krüge flogen umher, Barnum drückte fester und der Schweiß trat ihm auf die Stirne. Wir warteten atemlos auf das Ende des Todeskampfes. Allmählich wurde das Peitschen schwächer. Nach Stunden, wie uns schien — wahrscheinlich waren es nur fünf Minuten —, lag die Kobra mäuschenstill.

Schnell schloß Barnum die Finger um den gebrochenen Hals. „Alkohol!“ keuchte er. Ich reichte ihm einen großen Emailkrug hinüber. Die noch immer zitternde Schlange wurde hochgehoben und mit einem Schwups in den Alkohol versenkt. Die großen Muskeln zogen sich in einem letzten wilden Krampf zusammen, dann entspannten sie sich, und „der Sahib mit dem von Zauberkräften behüteten Leben“ wurde für Wochen der Gesprächsstoff der Siwalikberge.

In den kommenden Tagen vermehrte er unsere Sammlung um Mineralien, Säugetiere, Käfer und Vögel und um unzählige Exemplare aus der Pflanzenwelt. Nach kurzer Zeit hatten wir genug von der Flora und Fauna dieser Gegend gesammelt, um ein eigenes Museum einrichten zu können. Aber von Knochen keine Spur.

In all den Jahren seiner Sammlertätigkeit hatte er noch niemals eine derartige Sterilität erlebt, gab Barnum zu. Er begann sich langsam zu wundern, ob unser Elefantenschädel nicht einfach nur ein „Schlag ins Wasser“ gewesen war.

„Ich muß meine Taktik ändern“, verkündete er. „Muß meine Forschungen auf ein größeres Gebiet ausdehnen.“

Das bedeutete die Berge und lange drei- bis viertägige Wanderungen. Wiederum versuchte ich anzudeuten, daß ich als Reisegenosse zur Verfügung stände. Und wiederum machte er mich darauf aufmerksam, daß Knochenjagd eine Männerarbeit sei.

Jenny, der Rotschimmel, wurde angeschirrt. Barnum vertiefte sich in seine Pläne. Dann machten sich die zwei auf den Weg. Auf den Sattel wurde ein Schlafsack und Proviant für ein paar Tage geschnallt.

„Viel Glück, Liebling“, rief ich ihm nach. „Hoffentlich klappt es!“

Ich mußte nicht lange hoffen und warten. Er kam am selben Nachmittag zurück und stürzte wie ein wildgewordener Stier ins Lager herein. Kaum war er vom Pferd herunter, als er mich auch schon beim Arm packte und mir einen knallenden Kuß versetzte.
„Du lieber Himmel!“ rief ich aus. „Du mußt aber Glück gehabt haben, daß du dich zu so einem Kuß aufraffst!“
„Hab' ich auch!“ schrie er aufgeregt. „Ungefähr vor zwei Stunden bin ich draufgestoßen. Das schönste Bein, das du je gesehen hast, stach aus einem Berghang heraus und schien nur darauf zu warten, daß ich mich seiner annehme. Wenn uns das nicht zu einem der besten Funde führt, die je eine Expedition gemacht hat — dann bin ich kein Prophet, Pixie. Hübscher konnte es gar nicht daliegen, und soweit ich sehen konnte, ist es auch in gutem Zustand.“ Mit diesen Worten stürzte er hinüber zum Vorratszelt und verschwand mit dem Kopf in der Werkzeugkiste.
„Was für eine Art Bestie ist es denn?“ wagte ich aus sicherer Entfernung zu forschen.
„Weiß ich noch nicht“, kam es aus der Tiefe. „Aber es ist so groß wie ein Haus. Hat einen Knochen wie ein Rhinozeros, aber es ist ein Reptil.“
„Vielleicht ist es ein Dinosaurus“, zwitscherte ich hoffnungsvoll.
Mein Gemahl kam in einem äußerst zerrupften Zustand wieder aus dem Zelt heraus. „Dinosaurus?“ Er lachte. „Die Dinosaurier waren alle schon mausetot, bevor diese Siwalikfelsen entstanden sind.“
„Was dann?“ fuhr ich fort, in der Hoffnung, mehr zu erfahren.
Kein Erfolg. So sind die Wissenschaftler. Sie sind verschlossen und schweigsam, bevor sie nicht endgültige Resultate haben — endgültige, knochige Resultate. Mein Gelehrter riskierte nicht einmal ein Rätselraten. Er hatte noch nicht genug von dem Knochen gesehen. „Aber ich habe das Gefühl, daß wir noch eine Überraschung erleben werden. Aus den Siwaliks sind schon ein paar recht erstaunliche Dinge herausgekommen.“
„Wann werde ich denn das kleine Tierchen sehen können?“ fragte ich.
„Auf der Stelle. Sattle deinen Gaul und wir brechen auf. Es wird

langsam Zeit, daß meine Frau etwas über die Arbeit ihres Mannes erfährt."

„Ich bin bereit, Herr Chef", rief ich und drückte Taj schnell an meine Brust.

Eine halbe Stunde später ritten wir mit Hallo und Gelächter in einer dichten Staubwolke die Schlucht hinunter. Wir überquerten den Bach, kletterten die Schluchtwand hinauf und wandten uns landeinwärts.

Barnum wies über die karge Landschaft hinweg auf eine ferne Hügelreihe. „Dort ist es", sagte er, „auf dem entferntesten Abhang dieser Hügelkette, gerade unterhalb des Einschnittes, den man dort sieht."

Unsere Rosse setzten sich in leichten Trab, und bevor ich mir noch klar darüber wurde, bogen wir um eine Felsecke: Wir waren da.

DAS SCHÖNE BEIN

Das schöne Bein entpuppte sich als ein vorderer linker Unterschenkelknochen. Er war zirka 48 Zentimeter lang, dick, untersetzt und nicht sehr formvollendet, aber mein Ehemann hätte nicht aufgeregter sein können, wenn es sich um eines von Marlene Dietrichs Beinen gehandelt hätte.

„Ich wette, daß es am anderen Ende von diesem Ding ein besonders schönes Exemplar gibt", sagte er aufgeregt, „wir werden es schon finden."

„Wir?" Ich traute meinen Ohren nicht.

„Niemand anderer, Partner. Wir beide, du und ich, werden uns für eine Weile von der Welt zurückziehen." Er zeigte auf mehrere andere Stellen des Abhanges, wo man kleine Stückchen Knochen sehen konnte. „Hier ist genug Material, um uns für längere Zeit zu beschäftigen. Wir werden hier, wo wir stehen, den Laden eröffnen; kein besonders luxuriöses Lager, nur eine Unterkunft für die Nacht. Abdul und Taj können sich um das Hauptquartier kümmern. Machst du mit, Pixie?"

„Und wie!“ gab ich zur Antwort. Aber meine Gedanken gingen in eine andere Richtung als seine. Sie beschäftigten sich mehr mit der Vorstellung von Flitterwochen. Wie herrlich würde es sein, Barnum zur Abwechslung einmal ganz für mich allein zu haben.
O die Hoffnung, die totgeborene Hoffnung, die im Busen einer jungen Braut aufflackert! Eine Hoffnung, die in meinem Fall durch ein unnachsichtiges Gerippe zum Scheitern verurteilt wurde! Natürlich hätte ich inzwischen schon wissen müssen, daß das Biest da im Sand bevorzugte Ansprüche auf meinen Ehemann hatte; daß eine bloße Ehefrau nur die zweite Geige spielt — wenn sie überhaupt eine spielt. Ich hatte *auch* ein Bein. Aber unglücklicherweise war es nicht versteinert. Und weil man mindestens eine Million Jahre in Flüssen, Seen oder im Meer begraben sein muß, und manchmal sogar vulkanische Asche notwendig ist, um ein normales, gesundes Bein zu versteinern, vergaß ich meinen Kummer und opferte mich für das liebe, alte, amerikanische Museum.
Wie jeder wahrheitsliebende Leichenfresser einem sagen wird, ist das Ausbuddeln von Leichen durchaus keine Kinderspiel. Wenn man einen vielversprechenden Kadaver entdeckt hat, taucht sofort und als erstes die Frage auf, wie man das Grab erbrechen kann, ohne seinen Inhalt zu zerstören. Trotz ihres die Jahrhunderte überdauernden Alters sind solche Skelette ungeheuer zerbrechlich. Ihre Ausgrabung erfordert eine leichte Hand und ein verständnisvolles Herz.
Aus diesem Grunde durfte ich in den ersten Tagen unserer Ausgraberei ausschließlich als Zuschauerin fungieren, und mir ward nicht erlaubt, etwas anderes zu tun, als zu stehen und zu schauen, während mir mein Ehemann mit Hacke und Schaufel vorprotzte. Er nannte das „Oberschicht-Wegräumen“ — damit meinte er das Gestein, das über den Knochen lag.
Dann kehrte er zu dem Bein zurück und begann dessen „Lauf“ zu verfolgen, indem er sich langsam mit der Spitze der Ahle vorfühlte und den Lehm mit Holzhammer und Meißel abbröckelte.
„Schau genau zu“, sagte er mir wieder und wieder. Aber alles, was ich sehen konnte, war jener Teil seiner Hosen, auf dem er sonst saß, und zwei wildgestikulierende Ellenbogen. Manchmal

war vor lauter Staub nicht einmal das zu sehen. Kopf und Hals waren meinen Blicken völlig entzogen.
Dies ist die traditionelle Pose eines selbstbewußten Knochengräbers, und obwohl sie eine flüchtige Ähnlichkeit mit der gespreizten Stellung eines Fußballmittelstürmers hat, im Moment, da er den Ball erwischt, rührt sie ursprünglich wahrscheinlich vom Vogel Strauß her. Natürlich wurden und werden Skelette immer noch ausgegraben, indem man sich sitzend, knieend oder hockend nach vorne neigt, aber die Strauß-Stellung ist bei weitem die wirkungsvollste. In dieser Positur ist ein Knochenjäger für die Welt gestorben. Es mag kommen, was will, Erdbeben, Feuer, Überschwemmung — oder Eheweib... er gräbt weiter; und vergißt seine Umwelt. Und wenn schließlich die Nacht hereinbricht, schaut er überrascht auf und glaubt, daß sich ein Gewitter zusammenzieht.
Als ich unser Fossil wieder einmal für einen flüchtigen Moment zu sehen bekam, hatte Barnum das Bein bereits bis zum Pektorale — auf deutsch Schulterblatt — freigelegt.
„Was ist denn mit dem Fuß passiert?"
Er schenkte mir einen flüchtigen Blick. „Von der Erosion zerfressen, meine Liebe. Erosion ist zugleich Fluch und Glück des Knochenjägers. In geringem Ausmaß legt sie gerade genug von dem Exemplar frei, daß es entdeckt werden kann; zu viel Erosion — und der Schatz ist für immer verloren. Deshalb findet man auch selten ein vollständiges Skelett."
Am siebenten Tag ruhten wir aus. Wir legten uns unter die Plane, die wir über die Grube gespannt hatten, und plauderten.
„Ich bin stolz auf dich, Pixie", verkündete er aus heiterem Himmel.
„Warum denn um alles in der Welt?" sprach ich, nachdem ich wieder zu mir gekommen war. Alles, was ich in dieser letzten Woche getan hatte, war herumstehen und zuschauen. Und das sagte ich ihm auch.
„Darum bin ich ja stolz auf dich", sagte er. „Die meisten Frauen hätten es nicht erwarten können, da hineinzukriechen und das Biest herauszubuddeln. Das Wichtigste bei diesem Geschäft ist Geduld — und für eine Frau bist du erstaunlich geduldig", fügte

er schelmisch hinzu. „Ich werde noch einen Knochengräber aus dir machen!“
„Wann?“
„Morgen“, lächelte er nachsichtig. „Morgen lasse ich dich — Sackleinwand zerschneiden.“
„Gott, wird das aber herrlich sein!“ jubelte ich, unfähig, meine Begeisterung zurückzuhalten. „Wie willst du deine Sackleinwand: gerade oder schräg geschnitten, oder etwa mit ausgezackten Rändern?“
Mein Gatte lächelte, dann wurde er ernst. „Wir werden eine Menge Streifen brauchen, wenn es Zeit zum Eingipsen ist“, sagte er.
Die Zeit lag noch in weiter Ferne. Inzwischen war ich vom Säcke-Zerschneiden zum Werkzeug-Halten avanciert. Selbstverständlich hatte ich noch nicht den Zustand der Gnade erreicht, der für den tatsächlichen Umgang mit Knochen notwendig ist. Aber Barnum schloß ein Kompromiß, und wir erfanden ein System, das es uns ermöglichte, zusammen zu arbeiten. Unsere Bewegungen harmonisierten wie bei einer gutgeölten Maschine. Er legte mit Hacke, Ahle und Besen das Skelett frei, ich arbeitete mit Schellack und Bürste, bis die entblößten Knochen wie Seide glänzten.
Wir schufteten Seite an Seite und öffneten langsam und sorgfältig das uralte Grab. Und hier, unter der brennenden Sonne Indiens, entstand die Arbeitsgemeinschaft von Brown & Frau, die sich in allen weiteren Jahren so gut bewährte.
Wir kamen herrlich weiter, als plötzlich ein Schrei des Meisters mich auf die Füße brachte. Ich schielte über seine Schulter und sah ein rundes Stück Knochen, das, nachdem es noch mehr freigelegt worden war, die Gestalt eines schimmerndes Randes von einem riesigen Helm annahm.
Barnum glitt nachdenklich mit den Fingern über diesen freigelegten Teil: „Weißt du, was ich denke?“ sagte er schließlich, und sein Gesicht hellte sich auf. „Dies ist die untere Partie eines ungeheuren Schildkrötenschildes. Es scheint, daß wir auf eine Colossochelys gestoßen sind, eine Colossochelys atlas, so wahr ich hier stehe!“

„Ja?“ sagte ich behutsam, da ich keine Ahnung hatte, ob ich jubeln oder weinen sollte.
Sein explosives „Mein Gott, Weib, wo ist deine Begeisterung?!“ bewies mir, daß ich hätte jubeln sollen. „Dieses Baby ist eine der größten Landschildkröten, die es gibt“, fuhr er fort. „Darum heißt sie Colossochelys — eine kolossale Schildkröte — die Urahnin aller Schildkröten.“
„Und was bedeutet atlas?“
„Das kommt wahrscheinlich von einer alten Legende. Die alten Hindus glaubten, daß die Welt auf dem Rücken einer riesigen Schildkröte ruht, einer Art Atlas, und bei der Namensgebung des ersten Exemplars der neuen Gattung spielte dieser Mythos zweifellos eine Rolle.“
Die Schildkröte, die die Welt trug! Das klang äußerst amerikanisch! „Und seit wann glaubt man das?“
„Von Anfang an, wahrscheinlich ist es die Genesis der Hindus.“
„Aber unser Tier hier ist doch sicherlich nicht *so* alt!“ rief ich aus.
Barnum lachte. „Nein, aus der Zeit gibt es keine Skelette mehr. Diese Schildkröte lebte nur vor ungefähr einer Million Jahren — während der Pleistozän-Periode der Erdgeschichte.“
„Ziemlich alt!“ bemerkte ich.
„Nicht für eine Schildkröte“, sagte er. „Sie gehören zu den ältesten Familien des Tierreiches. Ihr Stammbaum reicht fast zweihundert Millionen Jahre bis in die Trias-Periode zurück ... Und das war sogar noch vor der Zeit der Dinosaurier.“ Mein Mann setzte sich zurück und betrachtete nachdenklich seine Pfeife. „Erstaunliche Wesen — Schildkröten“, fuhr er fort. „Sie sind älter als die meisten anderen Wirbeltiere und haben sich, seitdem die Natur sie erfunden hat, sehr wenig verändert. Anscheinend war an dem ursprünglichen Modell nichts mehr zu verbessern.“
Noch mehr Graberei auf der einen Seite des Schildes. Die Lehmschicht wich den schnellen, sicheren Schlägen der Hacke. Mehr und mehr war von der Beute zu sehen. Dann kam die Kleinarbeit mit Ahle und Bürste. Danach gruben wir weiter und entdeckten neue Schätze. Eine Handvoll kleiner Knochenstückchen — der

rechte Vorderfuß. Einen dicken, zweiteiligen Schaft, ein Gelenk; ein massives Knochenrundstück — das rechte Vorderbein. Dann kam eine Stelle, wo nichts war als Lehm. Das gab uns Zeit für ein kurzes Gliederstrecken und Luftschnappen am Rande des Abhangs. Zurück zur Arbeit. Wieder Knochen! Schlanke, zierliche, spulenartige Gebilde, die miteinander verbunden waren. „Die Halswirbel", bemerkte Barnum.

Wir hatten gerade ein Drittel von den Dingen freigelegt, als eine unbeschreibliche Katastrophe über uns hereinbrach. Die Bergung des Gerippes war aufs äußerste gefährdet: der Schellack war uns ausgegangen. Was wir für den Reservevorrat gehalten hatten, entpuppte sich als Paradeissaft.

Ein furchtbares Schweigen senkte sich auf uns nieder. Ein Schweigen, das anzudeuten schien, daß es an mir lag, die Situation zu retten. Irgendwo in dieser Welt mußte es noch mehr von dieser für Knochengräber so wertvollen Substanz geben. Aber wo?

Ich ergriff ein Zaumzeug, bestieg Jenny und ritt wie der Teufel zum Lager zurück. Kein Schellack! Sprach Abdul: „Du nahmst das letzte mit dir, Memsahib."

Ich riß den Gaul herum in Richtung Siswan und meine Gedanken flogen zu dem dritten Halswirbel zurück, der schutzlos dort draußen im Lehm lag und ohne Schellack Wind und Wetter preisgegeben war. Es eilte. Ich konnte Barnum sehen, wie er sich die Haare raufte und schrie: „Schellack, Schellack! Um Gottes willen Schellack!" Ich bohrte meine Fersen in den Pferdebauch. Wir flogen dahin, die Hufe hämmerten gegen die ausgetrocknete Erde. Schell-lack — Schell-lack — Schell-lack sagten sie. Sie donnerten die Hauptstraße hinunter, auf Tikas Haus zu.

„Schellack", keuchte ich. Unser treuer Freund nahm den Schrei auf und gab ihn weiter, als wir von Geschäft zu Geschäft eilten. Von einem zum anderen, straßauf, straßab, durch schmale und breite Gäßchen erklang unser Ruf, und immer wieder schallte das schreckliche Echo zurück: „Kein Schellack. Kein Schellack."

„Was jetzt?" fragte ich, einem Nervenzusammenbruch nahe.

Die Antwort der Kaufleute kam wie aus einem Munde: „Fischleim!"

Ich kaufte sie leer, belud mich mit vier vollen Töpfen und galoppierte zurück zu Barnum. Der dritte Halswirbel war gerettet!
Unsere schwerste Arbeit war das Rückenschild. Zur Freilegung dieses Monstrums benötigte man geradezu übermenschliche Kräfte und meilenlange Arme. Aber am Schluß hatten wir wirklich das Gefühl, eine große Tat vollbracht zu haben. Dann, nachdem das ungeheure, zertrümmerte Schild aus der Mitte der Grube herausragte, umgeben von den kleineren Knochen des Skeletts und unzusammenhängenden Knochenstücken, war das ganze Exemplar freigelegt. Hier vor uns lagen über zwei Meter einer prähistorischen Schildkröte, die zu ihren Lebzeiten mehr als tausend Kilo gewogen hatte — die größte Landschildkröte, die die Wissenschaft damals kannte.
Der Augenblick kam, wo die mächtige Tote so weit gediehen war, daß sie in Gips gelegt werden mußte. So bewaffneten wir uns denn mit Wasser, Gips und Sackleinwand und zogen die große Schüssel den Abhang hinauf. Zu unserer Ausrüstung gehörten auch Gummihandschuhe, Schutzbrillen, alte Kleider, und Hüte, die man bis über die Ohren zog, denn das Gipsen ist eine äußerst schmierige Angelegenheit. Wenn man das Zeug einmal gemischt hat, muß man schnell arbeiten, damit es nicht wieder hart wird. Der Erfolg davon ist, daß man nach Beendigung der Arbeit selber auch ganz vergipst ist.
Aber Brown & Frau machten sich mit viel Schwung an die Arbeit und ließen das Zeug spritzen, wohin es wollte. Ich mischte, tauchte die Streifen ein, drückte sie aus und reichte sie nacheinander meinem Herrn und Meister. Er wickelte die gipsdurchtränkte Sackleinwand über die dünne Schicht von Reispapierblättern, die zwecks Isolierung auf den nackten Knochen gelegt worden war, paßte sie den Formen an und drückte sie mit den Fingern sanft in die Löcher und Spalten der Knochen. An den Gliederknochen und den größeren Teilen des Rückenschildes verstärkte er die Bandagen mittels Schienen, die er aus Zweigen gemacht hatte.
Nachdem der Gips hart geworden war, wurde das Skelett in möglichst gleich große Blöcke zerteilt und mit dem unteren Teil nach oben gedreht. Es folgte die Arbeit mit dem Meißel. Aber nur sehr

behutsam, denn auf der Unterseite der Knochen mußte ein wenig von der Steinschicht belassen werden, um bei der Verschickung als Halt zu dienen. Noch ein paar Streifen Sackleinwand, ein oder zwei Riemen, und unsere Colossochelys atlas war völlig verpackt und bereit, erster Klasse nach Amerika zu reisen.
„So, das wäre geschafft", sagte der Chef.
Wir brachen beide zusammen. Als wir wieder zu uns kamen, blickte ich Barnum an. Barnum schaute mich an. Wir blickten beide auf das Skelett in seiner kalkweißen Hülle.
„Ich fühle mich großartig", rief er aus. „Was ist mit dir?"
„Ich habe mich noch nie besser gefühlt, Mr. Knochen", erwiderte ich und hoffte, daß er meine Gefühlsäußerung für uneingeschränkte Begeisterung halten würde. Aber wenn Barnum zufällig hinzugefügt hätte: „Zum Teufel mit diesen Skeletten!" hätte er mir das Wort aus dem Munde genommen.

Keine hüpfende, quietschende Taj begrüßte uns nach unserer triumphalen Rückkehr ins Lager. Taj war tot — ein Leopard hatte die Hündin vor ein paar Nächten gefressen.

AFFENTHEATER IN SIMLA

Knochenjäger besitzen ein starkes Gefühl der Zusammengehörigkeit. Wenn zwei dieser Sorte sich auf eine Entfernung von fünfhundert Meilen nahekommen, werden sie so unwiderstehlich voneinander angezogen wie Turteltauben im Frühjahr.
Als Barnum erfuhr, daß der berühmteste Geologe Indiens, Guy Pilgrim, das Land nördlich von uns bearbeitete, hing die ganze Zukunft unserer eigenen Expedition plötzlich von einem Zusammentreffen mit ihm ab. Es spielte gar keine Rolle, daß der genaue Aufenthaltsort des Mannes unbekannt war, und daß es auf jeden Fall eine lange und mühselige Reise erfordern würde, um ihn zu erreichen.
„Kein Weg ist zu weit, wenn am anderen Ende ein Forscher-

kamerad auf dich wartet“, bemerkte mein Mann. „Besonders wenn Pilgrim dieser Forscher ist. Er kennt die Berge Nordindiens besser als irgend ein anderer lebender Mensch. Ein halbstündiges Gespräch mit ihm würde von unschätzbarem Werte sein.“

„Und wie willst du es fertigbringen, ihn zu finden?“

„Genau so wie ich ein Skelett finde“, erklärte Barnum mit einem wissenschaftlichen Leuchten in den Augen. „Nach den letzten Berichten war er irgendwo in Bilaspur. In dieser Richtung werde ich suchen, mich dann zur nächsten knochenhaltigen Felsformation begeben und ihr solange folgen, bis ich ihn finde. Ich nehme an, daß acht bis zehn Tage genügen werden.“

Flüchtige Visionen von Flitterwochen stiegen vor mir auf — endlich würden sie wahr werden, mit Mondlicht und Romantik und allem, was dazugehört. „Wäre nicht eventuell noch Platz für eine einzelne Frau?“ versuchte ich es schüchtern. „Sie ist nur etwa 1,60 groß!“

Er blickte mich unter hochgezogenen Brauen an. „Kann sein. Aber nur bis Simla“, fügte er rasch hinzu. „Da hört die Bahn auf. Und von da an geht es etwa hundert Kilometer auf einem rauhen Gebirgsweg in den Himalaja hinein. Ein paar Tage in einem gemütlichen Simlahotel könntest du gut vertragen. Die Ruhe wird dir wohltun. Abdul kann sich hier um alles kümmern, während wir fort sind.“

Die Visionen eventueller Flitterwochen mit Mondschein und Romantik entschwanden.

Und das war wahrscheinlich gar nicht das Schlechteste, denn Simla, die Sommerhauptstadt Indiens, war im Winter nicht gerade ein Ort, der sich besonders zum Turteln eignete. Es bot einen ähnlich verlassenen und verlorenen Anblick wie Coney Island im Januar. Mit Ausnahme von ein paar Eingeborenen und einigen Kaufleuten hatte die Bevölkerung, die hauptsächlich aus britischen Beamten und Regierungsangestellten bestand, die Stadt schon längst verlassen, um in den Süden nach Neu-Delhi zu gehen.

Auch mein Hotel machte einen überaus tristen Eindruck. Es sah aus wie eine riesige Scheune mit baufälligen Stiegenhäusern, quietschenden Fußböden und langen, dunklen, zugigen Gängen.

Das Ganze thronte auf einem zerklüfteten, bräunlichen Berg. Hinter dem Pult saß ein äußerst kurzsichtiges Wesen mit großen Hornbrillen, das wie ein gigantischer Frosch aussah und auch über eine entsprechend tiefe, quakende Stimme verfügte. Er war kein Eingeborener und auch kein Engländer, kein Deutscher und kein Polynesier. Vielleicht war er vom Mars heruntergefallen. Irgendwann in seiner Vergangenheit mußten Ost und West zusammengetroffen sein und sich miteinander vermischt haben, und bei dieser Vermischung hatten beide ihre eigene Wesensart eingebüßt.

Als Barnum und ich das Hotel betraten, sprang er aus seinem Mauseloch heraus und begann wie wild mit Verbeugungen, Kratzfüßen und breitem Grinsen herumzuhüpfen.

„Ihr wünscht Zimmer — Ihr wünscht?“ wiederholte er in einemfort. Es war mehr eine dringende Bitte als eine Frage. Wir konnten nicht nein sagen.

„So glücklich — so glücklich“, gluckste er entzückt, turnte wieder hinter sein Pult und öffnete ein verstaubtes Register.

Nachdem Barnum mich in einem bequemen Zimmer mit Heizung installiert und sich dessen versichert hatte, daß während seiner Abwesenheit jeder meiner Wünsche erfüllt werden würde, begab er sich schnurstracks zu den Stallungen und machte sich, mit warmen Wollsachen versehen und zwei schweren Decken in der Satteltasche, auf den Weg in die Regionen des Schnees.

„Kopf hoch“, sagt er und küßte mich zum Abschied. „Ich werde dich vermissen.“

Ich sah ihm nach, bis er in einem Kiefernhain verschwunden war, und dann wußte ich plötzlich, was es für ein Gefühl sein mußte, Witwe zu werden.

Ich entdeckte, daß der Name des Hotelsekretärs Aloysius war. Er war als Waise unbekannter Eltern in einer christlichen Mission aufgewachsen und in den letzten paar Jahren während der Nachsaison als Manager in diesem Hotel beschäftigt worden. Im Sommer diente er als Bote.

„Man muß Simla im Sommer besuchen, Madame, nicht jetzt“, bemerkte er. „Jetzt schläft es wie die Bären in den Höhlen oben im Gebirge — und wer ist schon hübsch, wenn er schläft?“ Sein

Gesicht verzog sich zu einer traurigen Grimasse. „In den heißen Monaten, wenn das übrige Indien vor Hitze dampft, ist es hier in den Bergen kühl und angenehm. Jeder, der kann, kommt dann nach Simla. Im März kommen die ersten mit Koffern, Möbeln und Kindern. Es ist sogar schwer, im Zug einen Platz zu bekommen, und viele kommen per Auto oder Lastwagen. Nirgendwo ist dann so viel Leben, Madame. Es wird Tennis gespielt und geritten und in privaten Schwimmbassins geschwommen. Die Männer gehen auf die Jagd oder fischen in den Bächen. Es ist eine gute Zeit.“ Seine Augen traten hervor, er sah aus wie ein hungriger Mann, der vom Essen spricht.

„Wissen Sie auch, daß wir eine Rennbahn haben?“ fuhr er fort. „Und ein Cricket-Feld? Oh, es gibt viel Sport. Im Sommer, müssen Sie wissen, lebt der Vizekönig hier. Er hat oben auf dem Observatoriums-Hügel ein Haus, und immerzu kommen und gehen Beamte und Militärpersonen. Es gibt so viele Leute — riesige Mengen — und von jeder Sorte.“

Der Bursche machte eine Pause und sah mich forschend an. „Ich hab' gerne Leute, Sie auch?“ fragte er mit einem fast tragischen Ernst.

Ich nickte.

Er fuhr fort: „Darum ist es so schwer, hier im Winter zu leben, keine Leute! Die Eingeborenen kommen selten aus ihrem Stadtteil heraus, und man kann mit niemandem reden als mit sich selber — oder den Affen.“

„Affen!“ wiederholte ich.

„O ja. Wenn sie hier sind — sie kommen nur während des Tages — besetzen sie den Westflügel, wo ich mein Zimmer habe. Sie sind eine sehr angenehme Gesellschaft, Madame. Sie werden bestimmt auch Ihnen einen Besuch machen, sobald sie entdeckt haben, daß Nummer 14 besetzt ist.“

Die große Entdeckung erfolgte in der kühlen Morgendämmerung des zweiten Tages. Ich wachte davon auf, daß etwas an meinem Fensterrouleau herumzupfte. Ich schielte unter meiner Decke hervor und sah auf dem äußeren Fensterbrett eine schattenhafte Figur, die sich gegen das graue Morgenlicht abhob. Mein erster Gedanke war: ein Schakal, denn eine Horde dieser Tiere hatte

vor ein paar Stunden unten in der Schlucht laut heulend eine Versammlung abgehalten. Aber die unverkennbare Neigung der Schultern und die langen, haarigen Arme sahen nach einem Affen aus. Das Biest versuchte, das Fensterrouleau zu öffnen.
„He, du! Laß das sein! Scher dich weg!“ schrie ich in meiner strengsten und wildesten Tonart und tauchte wieder unter meine Decken zurück. Als ich wieder hinschaute, war er weg.
Aber nicht für lange. Ich schwebte gerade wieder an der Schwelle eines köstlichen Schlummers, als ein neues Geräusch mich aufschreckte. Diesmal kam es von der Tür, und ich drehte mich gerade noch rechtzeitig um, um einen der vorher erwähnten langen, behaarten Arme durch die offene Oberlichte langen zu sehen. Die Bettdecken flogen zurück und ich sprang auf die Füße — aber zu spät! Der Herr Affe war bereits durch die Oberlichte geschlüpft und blinzelte auf mich herunter. Ein Augenblick verging, und er sprang leicht und beschwingt zu Boden.
Zu Salzsäulen erstarrt standen wir da und beäugten einander. Er war durchaus kein unangenehm aussehender Bursche. Er erinnerte mich ein wenig an unsere Siswaner Genossen, nur war er etwas größer und hatte ein räudiges, rötlich-braunes Fell, das dringend danach verlangte, mit ein wenig Henna behandelt zu werden. Und da kam mir auch mit Macht zum Bewußtsein, worum es sich bei den rassischen Hintergründen des Hotelsekretärs handeln müsse. Irgendwo mußte sich ein Affe in seinen Stammbaum eingeschlichen haben. Aber das war ja angeblich bei jedem von uns der Fall. Zumindest behauptet das die Wissenschaft. Und in Indien ist es nicht schwer, das zu glauben.
Derartige Gedanken brachten mir aber wenig Trost in meiner augenblicklichen Notlage. Das Biest schien mir jetzt Grimassen zu schneiden. Es machte einen Schritt auf mich zu. Verzweifelt suchte ich nach einer Fluchtmöglichkeit. Der Affe blockierte meinen Weg zur Tür, und nur eine furchtlose Sabinerin hätte das Fenster benützt, um auf die darunter befindlichen Felsen zu hüpfen.
Dann fiel mir etwas ein, was ich als Kind gelernt hatte. Dieses „Etwas“ beinhaltete, daß, wenn man je mit einem wilden Tier zusammentraf, man keine Furcht zeigen dürfe. Schau dem Biest

gerade in die Augen und starre es in Grund und Boden! Gesagt, getan. Aber der Affe tat desgleichen. Er schien offenbar nicht sehr viel von dieser Idee zu halten, denn nachdem er sich einmal gründlich gekratzt hatte, schlenderte er direkt auf meinen Toilettetisch zu, den er scheinbar schon lange im Auge gehabt hatte. Er beschäftigte sich ruhig und methodisch mit den verschiedenen Gegenständen, die darauf standen, dann machte er sich an den Inhalt der Laden.
Während er diesen Operationen seine volle Aufmerksamkeit widmete, erwischte ich ein Leintuch und schlüpfte hinaus. Na, der Manager würde jetzt etwas zu hören bekommen! Am Ende der Halle warf ich einen Blick über meine Schulter, gerade noch zurecht, um den Taugenichts mit meinem Handspiegel aus dem Zimmer heraustreten zu sehen.
Das war zuviel! Ich stieß ein Kriegsgebrüll aus und machte mich an seine Verfolgung. Jetzt sah ich rot und hatte plötzlich alle Furcht verloren. Er sah mich kommen, verschärfte sein Tempo und schlitterte um eine Ecke herum. Ich bewältigte die Kurve ohne Zwischenfall, aber er hüpfte vor meinen Augen in eine Wäsche-Rutschbahn und verschwand. Verärgert kehrte ich in mein Zimmer zurück, zog mich an und attackierte den Hotelsekretär wie eine Dame — mit Mord im Herzen.
Meine erschütternden Erfahrungen machten überhaupt keinen Eindruck auf Aloysius. Er hob nur hilflos die Schultern und sagte: „Das passiert jeden Winter. In den heißen Monaten bleiben die Affen gewöhnlich in den Hügeln des Mount Jakko, ein paar Meilen von hier, wo sie in einem verlassenen Tempel mit einem Hinduheiligen hausen, der sie betreut. Da lebt eine ganze Kolonie von ihnen. Aber sobald die Leute im Herbst die Stadt verlassen, fangen sie mit ihren Besuchen an. Während der Kältezeit gibt es in den Bergen nicht viel zu essen, und sie wissen, daß es in den Hotels immer warme Zimmer und genügend Abfälle gibt.“
„Wollen Sie damit sagen, daß Sie während des ganzen Winters diesen Tieren in Ihrem Hotel Obdach gewähren?“ fragte ich erstaunt.
„Es ist so Sitte, Madame. Sie tun niemandem etwas, es besteht gar kein Grund, sie zu fürchten. Sie sind gewöhnlich nicht größer als

neunzig Zentimeter. Die älteren erreichen vielleicht einen Meter. Hie und da ist ihnen jemand besonders unsympathisch und sie bewerfen ihn mit Steinen, aber das kommt nur selten vor. Die meisten Leute haben sie gern. Auch die Eingeborenen halten sehr viel von ihnen. Besonders die Hindus, die, wie Sie wahrscheinlich wissen, einen Affengott namens Hanuman haben. Unten in Benares gibt es einen Tempel für ihn."

Ich kam langsam zu der Überzeugung, daß die menschliche Rasse mindestens eine Entwicklungsstufe hinter den Menschenaffen zurück war, und ging nachdenklich auf mein Zimmer hinauf. Ich wurde erwartet. Mein Romeo aus den frühen Morgenstunden war mit seiner Familie zurückgekehrt: Mama und zwei Kinder. Das Zimmer sah aus, als ob die amerikanische Legion dort eine Versammlung abgehalten hätte. Die Familie hatte überall herumgekramt und war nun mit dem Versuch beschäftigt, das allgemeine Tohuwabohu zu vergrößern.

Völlig resigniert sank ich in einen Sessel und sah zu. Glücklicherweise hatte ich nur wenig Kleider auf diese Reise mitgenommen, denn diese wenigen sahen nun so aus, als ob man mit ihnen Fußball gespielt hätte. Wie es Papa fertiggebracht hatte, das Gummiband aus meinen Unterhöschen herauszuziehen, werde ich nie erfahren. Aber da war es: das eine Ende wurde in dem Mund eines seiner Sprößlinge zerbissen, und am anderen Ende spielte der kleine Bruder Seilziehen.

Papa machte athletische Übungen und schwang sich vom Luster mit einem Knall auf das Bett. Mama, eine ruhige kleine Seele, saß auf dem Fußboden und zupfte langsam und nachdenklich an sich herum.

Es gelang mir schließlich, sie mit ein paar Äpfeln in die Halle zu locken; danach schloß ich mich in mein Zimmer ein und wartete auf das Stubenmädchen und Ordnung.

Auf dem Boden, wo Mama gesessen war, lag eine leere Dose verzuckerter Abfuhrpillen. Welchen Weg diese Pillen gegangen waren, erfuhr ich am nächsten Morgen. Da ich die Oberlichte jetzt nachts geschlossen hielt, erwartete mich Papa Affe in der Halle. Er trug einen vorwurfsvollen Gesichtsausdruck zur Schau. Weib und Kinder waren nirgends zu sehen. Die Abführpillen!

Stoßzahn eines fossilen Elefanten, zirka zweieinhalb Meter lang.

Unterricht in der Kunst, ein prähistorisches Ungetüm aus dem Gestein zu lösen.

Um die Schädel der fossilen Elefanten abzutransportieren, von denen jeder fast eine Tonne wog, brauchten wir fremde Hilfe.

Mit der Zeit gelangte die Nachricht von meinem Aufenthalt in Zimmer Nummer 14 zu den Ohren sämtlicher Simlaaffen, und ich nehme an, daß man diejenigen, die ich während meines Séjours nicht bewirtete, an den Fingern einer Hand abzählen konnte. Um mein privates Quartier machten sie aber meistens einen großen Bogen. Es wurde als das ausschließliche Jagdrevier von Papa Affe angesehen. Ein paar Freunde der Familie und ein mürrischer alter Affenherr, der scheinbar die ganze Kolonie tyrannisierte, waren die einzigen, denen er Zutritt gewährte.

Jeden Tag gegen Abend, bevor sie sich auf ihre Bergeshöhen zurückzogen, stellte ich zwei große Teller Dahl für sie in die Halle. Gewöhnlich versuchte der alte Bursche, beide Teller für sich zu ergattern, indem er den einen festhielt, während er von dem anderen aß und die kleineren Burschen davonjagte, wenn sie ihm zuvorkamen. Dahl war eine sehr willkommene Vervollständigung ihrer Diät. Im Sommer waren ihre Hauptnahrungsmittel, Obst, Samen und Insekten, in Hülle und Fülle vorhanden, aber zu dieser Jahreszeit waren die Affen zum großen Teil auf „milde Gaben“ oder gelegentliche Plünderung einer Speisekammer angewiesen.

Es war überraschend leicht, sie liebzugewinnen. Oft, wenn ich durch die Halle in mein Zimmer ging, schlüpfte ganz unerwartet eine kleine, feuchte Hand in meine, und wir gingen zusammen weiter. Manchmal, wenn ich lesend auf der Veranda saß, hockte sich Papa Affe auf meine Sessellehne, spielte mit den Buchseiten, plapperte derweil über alles mögliche und wußte natürlich genau, daß ich ihm nicht antworten konnte. Das störte mich absolut nicht, aber eines Tages begann er in meinem Haar herumzusuchen, genau so wie er es bei sich selber zu machen pflegte. Danach wurden sie alle hinausgeworfen. Und an diesem Abend bekamen sie nicht einmal Wasser und Brot.

Als ich dann aber die Nachricht bekam, daß Barnum auf dem Wege zu mir war, wurden sie dafür reichlich entschädigt. Ich feierte das freudige Ereignis, indem ich eine Party für sie veranstaltete. Die Erfrischungen bestanden aus in Bier getauchtem Brot. Sie waren ganz verrückt danach, und ich mußte mich sehr anstrengen, um sie laufend zu versorgen. Die Folgen des Alkohols

machten sich sehr rasch bemerkbar, und sie wurden in ihrer Komik fast menschlich. Sie stolperten beschwipst herum, fuchtelten mit den Armen und schlugen sich gegenseitig auf die Schulter.
Der einzige, der keineswegs beschwingt wurde, war Papa. Er zog sich ganz allein oben auf den Schreibtisch zurück. Dort saß er dann, den Rücken der Menge zugewandt, und versuchte mit seinem Spiegelbild anzubandeln. Er streckte den Arm aus, um das Bild zu befühlen, dann zog er die Hand langsam wieder zurück und untersuchte sie nachdenklich.
In dem Bestreben, herauszufinden, was Papa faszinierte, schwang sich Mama zu ihm hinauf und warf einen Blick in den Spiegel. Was sie dort sah, war ihr eigenes Spiegelbild, sie aber hielt es für ein anderes Weib, mit dem ihr Mann flirtete, schrie vor Eifersucht auf und zerrte wütend mit Händen und Füßen an dem Spiegel. Das war das Ende der Feierlichkeiten: Papa Affe war in Ungnade gefallen und zog sich schmollend auf den Mount Jakko zurück.

WASSER-BABYS

Natürlich hatte das Leben in Simla auch eine menschlichere Seite. Aloysius versuchte schon seit Tagen, mich zu einem Besuch der Stadt zu überreden. Schließlich hatte er auch Erfolg.
Eine Rikscha ist dort das beste Fortbewegungsmittel, denn die Stadt ist auf einer senkrechten Ebene gebaut, und ihre engen, krummen Straßen winden sich nach allen Richtungen hinauf und hinunter, wie es die scharfen Umrisse des „Bergsattels“ — so heißt der Berg, an dem Simla hängt — verlangen.
Simla ist britisch, nicht indisch. Es ist britisch seit Ende des Gurkha-Krieges 1816. Wahrscheinlich wird es seinen britischen Charakter noch für lange Zeit, ungeachtet des Wechsels in der Politik und des Anwachsens der Macht der Eingeborenen, behalten. Auch die Namen der Hütten und Villen spiegeln die britische

Atmosphäre des Ortes wider: „Battsley", las ich, „Waverly", „Snowdon", „Rothney Castle", „Squire Hall", „The Manor". Halb und halb erwartete ich, einen heimatlichen Bobby aus einer der blühenden Alleen treten zu sehen, auf denen wir dahinschwankten. Dann kam „Glengarry" und „Erin Villa", und plötzlich setzte mein Herz aus, als wir an einem Schild vorbeikamen, auf dem „Brooklyn" stand.

Aber da alle diese Häuser verschlossen, die Jalousien heruntergelassen und die Besitzer weit fort in Neu-Delhi waren, dirigierten wir unsere Läufer in den Eingeborenen-Stadtteil, wo, wie Aloysius behauptete, ein paar echte, wirklich lebendige Menschen lebten.

Die Eingeborenen dieser Gegend sind sehr verschieden von denen in Siswan oder irgend einem anderen Teil Indiens. Es sind Gebirgsleute — ein zähes, glückliches Völkchen, mit einer Vitalität, die man in den heißen Ebenen oder im Dschungel nicht kennt. Einige sind klein und stämmig, mit langen, schwarzen Haaren und runden vergnügten Gesichtern. Andere haben einen leicht mongolischen Einschlag. Die Leute behaupten, daß es Tibetaner seien. Wieder andere sind groß und von wildem Aussehen, mit derbem, schwarzgelocktem Haar, das im Nacken kurz geschnitten ist, und goldenen Ringen in den Ohren.

Viele kommen aus abgelegenen Teilen des Himalaja und ziehen auf der alten Straße, die aus dem Inneren Asiens nach Hindostan führt, bis nach Simla. Schon in vorgeschichtlichen Zeiten sind Menschen diese Straße entlanggezogen, um aus den kalten Regionen in das mildere Klima des Südens zu wandern.

Es ist fast unglaublich, was diese Männer an Arbeit vollbringen. Sie schleppen sich tief gebeugt die Wege entlang, unter Lasten, die ein Pferd erdrücken würden. Ein schwerer Balken von viereinhalb Meter Länge und dreißig Zentimeter Dicke auf dem Rücken eines einzigen Mannes ist ein durchaus normaler Anblick, und es ist sehr wahrscheinlich, daß er ihn schon tagelang über Berge und durch Schnee und rauschende Bäche getragen hat. An dem einen Ende baumeln seine Besitztümer: eine grobe Decke, um ihn vor der Kälte zu schützen, ein Kochtopf aus Messing, ein kleiner Schlauch voll Wasser und ein Sack Reis.

Fast der gesamte Lastenverkehr geht auf dem menschlichen Rücken vor sich. Kurz nachdem ein Zug angekommen ist, kann man die Träger aus dem Bahnhof herausstolpern sehen, und ein einziger von ihnen trägt manchmal einen Schrankkoffer, Handkoffer, Körbe, Hutschachteln und was weiß ich noch — und das alles auf einmal. Andere schwanken aus der Stadt heraus in die Berge mit großen Säcken Getreide oder Kohle oder mit Wassertanks auf dem Buckel. Oder es schnallen sich beispielsweise sechs Männer einen eisernen Träger auf den Rücken und schleppen die schwere Last meilenweit in die Berge, und wo die Wege zu eng werden, da gehen sie eben stundenlang seitwärts.

Auch das Leben der Frauen ist hart. Einmal, als mich Aloysius in seiner Rikscha begleitete, stießen wir auf eine Gruppe von Frauen, die am Straßenrand mit kleinen Hämmern das Felsgestein für Zement zerhackten. Jede füllte ihren Kübel mit den zerbrochenen Steinen und trug ihn den Berg hinauf bis zur Zementfabrik: ein menschliches Förderband von der Straße unten bis hinauf zur Bergesspitze. Aber da ihr Lohn für einen Achtstundentag nur acht Annas — etwa zweieinhalb Schilling — beträgt, wäre ein mechanisches Förderband teurer gewesen.

„Warum sind sie gezwungen, so schwer zu arbeiten?“ fragte ich Aloysius. „Haben sie denn keine Männer, die für sie sorgen?“

„Oh, sie sind sogar sehr gründlich verheiratet“, grinste er. „Die Frauen dieses Stammes dürfen jede fünf Männer haben, denn dort, wo sie herkommen, gibt es deren viel zuviele. Ihre Männer sind die Leute, die man die schweren Lasten ins Gebirge und zurück tragen sieht. Während sie fort sind, übernehmen diese Frauen jede Arbeit, die sich ihnen bietet, auf dem Feld oder auf den Straßen. Den Rest der Zeit widmen sie ihren Kindern.“

Plötzlich gab Aloysius den Rikscha-Boys ein Zeichen, in einen gewundenen Weg einzubiegen, der zu einer Schlucht hinunterführte.

„Ich muß Ihnen etwas zeigen, Madame“, vertraute er mir an. „Die Wasser-Babys.“

Einen Augenblick später begriff ich, was er meinte. Dort auf dem Boden der Schlucht lagen Seite an Seite in einer Reihe vielleicht ein Dutzend Babys im Schatten einer riesigen Deodar-Zeder. Sie

schliefen fest, aber nirgends war jemand zu sehen, der auf sie achtgab.
Ich sah meinen Führer fragend an.
Er beugte sich zu mir herunter und flüsterte: „Sie gehören den Frauen, die wir an der Straße arbeiten sahen. Die Kleinen werden jeden Tag hergebracht.“
Sie lagen sehr nah an dem steilen Ufer, auf Binsen gebettet, über das dicke Sackleinwand und Decken gebreitet waren.
„Und sie lassen sie den ganzen Tag hier liegen?“ fragte ich.
„Ja, Madame.“
„Wer gibt denn auf sie acht, während die Mütter arbeiten?“
„Niemand, Madame. Sie werden völlig allein gelassen.“
„Willst du damit sagen, daß sie den ganzen Tag friedlich schlafend da liegen — so wie jetzt? Was passiert, wenn eines von ihnen aufwacht und beschließt, davonzukriechen?“
„Das passiert nie.“ Der Mann winkte mich näher heran und wies auf das nächstliegende Baby.
Es lag da, ein Bild der Zufriedenheit, den kleinen Kopf in einen Kranz von Schilfrohr gebettet. Aber dann bemerkte ich, daß der Kopf naß war, und daß ein kleines Wassergerinnsel von oben auf die Stirn des Kindes heruntertropfte. Es war eiskalt. Ein gebogenes Stück Blech war in das Gestein gesteckt worden, um das durchsickernde Wasser einer Quelle aufzufangen und es langsam auf die Babystirn tropfen zu lassen. Jeder der kleinen Schläfer lag unter seiner eigenen Blechrinne, und jedes Köpfchen war mit glänzenden Wassertropfen benetzt.
„Das ständige Tropfen schläfert sie ein“, erklärte Aloysius. „Aber das allein wäre nicht genug. Schau!“ Er lenkte meine Aufmerksamkeit auf eine kleine Verletzung in der Mitte der Babystirn. „Dort hat die Mutter die Haut mit einem Pflanzen-Ätzmittel aufgerieben, damit sie empfindlicher ist und immer etwas weh tut. Das kalte Wasser mildert das Brennen und schläfert das Kind derart ein, daß es erst wieder aufwacht, wenn die Mutter es aufnimmt.“
Mir blieb der Mund offen vor Erstaunen. „Wie ist jemals jemand auf eine solche Idee gekommen?“ fragte ich.
„Es ist ein sehr alter Brauch“, antwortete er. „Manche sagen,

daß er in der Zeit der mohammedanischen Eroberung entstanden ist, um zu verhindern, daß die Kinder durch ihr Geschrei die Verstecke der Hindus verrieten. Andere führen den Brauch auf eine noch viel ältere Sage zurück: die Geschichte von einem König, der seiner Tochter Bibi verboten hatte, ihren Liebhaber zu heiraten, weil er arm war. Trotzdem aber schlichen sich die beiden Liebenden fort, und es vergingen kaum neun Monate, da ward ihnen ein Sohn geboren. Der König hörte davon und befahl, das Kind zu töten. Aber es war nicht zu finden. Die zwei Liebenden waren verschwunden, sie hatten sich unter das Volk gemischt und arbeiteten auf den Feldern, so daß niemand sie erkannte. Der König gab aber nicht nach. Er befahl seinen Soldaten, jedes männliche Kind in seinem Lande zu töten. Die Leute flohen und versteckten sich mit ihren Kleinen in den Wäldern. Die Soldaten folgten dem Geschrei der Kinder und töteten sie ohne Gnade. Eine Zeitlang waren Bibi und ihr Mann vor ihnen sicher, denn sie waren tiefer in den Wald geflohen als die anderen. Aber es konnte sich nur noch um Stunden handeln, und die Männer des Königs würden auch sie finden. Bibi wußte, daß sie entdeckt werden würden, wenn das Kind schrie, und sie betete zu Naina, der Göttin des Wassers, um Hilfe. Und plötzlich entspang eine Quelle aus der Bergwand über ihnen, und ein dünnes Rinnsal tropfte auf den Kopf des Babys und schläferte es auf der Stelle ein."

„So wurde Bibis Sohn also gerettet?"

„Ja, Madame. Und seit jener Zeit erspart dieser Trick den Bergbewohnerinnen von Indien die Sorge um ihre Kleinen."

Als Barnum müde, aber strahlend aus Bilaspur zurückkam, erzählte ich ihm die Geschichte.

„Blödsinn!" bemerkte er kurz. „Wir müssen jetzt die Märchen beiseite lassen und uns mit Knochen beschäftigen. Pilgrim hat mir eine Menge Ideen bezüglich neuer Ausgrabungsorte gegeben."

DIE EHRENWERTEN MÖRDER

Nachdem wir unser Lager in Siswan abgebrochen hatten, begaben wir uns auf die offene Straße. Jede Woche ein neuer Ort: Dhok Pathan, Kalka, Tschakwal, Tschandigarh, Tschendschi. Bis Barnum schließlich ganz Pandschab und die meisten der Pandschabstaaten durchforscht hatte. Er durchstöberte auch verschiedene Gebiete, die dem Maharadscha von Patiala gehörten.

Rekognoszieren, lautete der Tagesbefehl. Wir reisten mit leichtem Gepäck und übernachteten in Dak-Bungalows entlang der Straße. Wir benützten fast nie die Zelte und wenn, dann nur für eine Nacht. Abdul war seiner kulinarischen Pflichten enthoben und diente Barnum als Assistent. Seine frühere Hilfskraft, Fasil, übernahm die Stelle des Koches — ein schwerer Fehler. Es machte uns nichts, daß er die Suppe durch das lange Ende seines Turbans seihte, daß er das Brot zwischen den Zehen hielt, während er es toastete, oder daß er ein paar Kleinigkeiten für sich zur Seite legte. Aber als er sich mit der unschuldigsten Miene der Welt aus meinen karierten Geschirrtüchern ein paar Sonntagspumphosen schneiderte, flog er umgehend hinaus.

Ein Koch war ohnedies ein überflüssiges Gepäckstück. Die Daks waren mit einem vollständigen Dienstbotenstab ausgerüstet. Es gab Köche, Khitmagars (Kellner), sogar Punkah-wallahs, kleine Burschen, die in der Halle saßen und riesige Fächer bedienten, die sie an ihrer großen Zehe befestigt hatten.

Das indische Dak oder Rasthaus ist eine der großartigsten Einrichtungen auf dieser Welt. Fast alle Dörfer, und wenn sie noch so weit abgelegen sind, können sich eines Dak rühmen. Und jedes dieser Daks ist eine kleine Oase des Luxus in einem Land, wo Hotels selten sind und Luxus eine Rarität. Sie wurden auf Kosten der Regierung aus kühlen Ziegeln oder Stein gebaut und werden auf Staatskosten betrieben. Sie sind verschieden groß und verschiedenartig ausgestattet. In der Nähe der großen Städte gibt es welche, die mehr einem Gasthaus als einem Bungalow gleichen. Sie haben mehrere Fluchten großer, möblierter Räume, die alle auf eine zentral gelegene Halle hinausgehen. Andere wieder sind

weniger großartig. Aber wo immer wir ein Dak fanden, konnten wir sicher sein, daß wir ruhige und saubere Quartiere zu einem minimalen Preis erhalten würden. Für eine Rupie — etwa fünf Schilling — pro Tag bekam man ein Appartement, bestehend aus Schlafzimmer, Ankleideraum und Bad, und letzteres war mit einer Zink-Fußwanne und einem Nachtstuhl — für den Orient wahre Luxusgegenstände — ausgestattet. Mahlzeiten waren natürlich nicht einberechnet, und es war ratsam, Trinkgelder zu geben.
Da die Daks ihre Zimmer nach dem Prinzip: wer zuerst kommt, wird zuerst bedient, vermieteten, ging Abdul immer voraus, um die notwendigen Arrangements zu treffen. Nur einmal, vor den Toren der kleinen Stadt Dhok Pathan im Pandschab, gelang es ihm nicht, uns ein frisches, sauberes Dak vorzubereiten, in das wir nur einzuziehen brauchten. Und das war, weil das Dak ein Doppelleben führte und der Gemeinde auch als Gerichtshof diente.
Zwei Eingeborene, Brüder, waren gerade durch die Dorfältesten wegen Mordes am Postmeister abgeurteilt worden. Motiv: fünfzig Rupien und ein Paar Schuhe. Der Gerichtshof leerte sich gerade, als Barnum und ich heranritten, und nach dem breiten Grinsen der beiden Gefangenen zu schließen, mußten sie entweder freigesprochen oder zu einer sehr leichten Strafe verurteilt worden sein. Auf ihrem Wege die Straße hinunter brach das Paar in lauten, lustvollen Gesang aus, in den verschiedene Passanten aus vollem Herzen einstimmten.
Laut Abdul war aber alles gar nicht so, wie es schien. Tatsächlich waren die Brüder gerade zum Tode durch den Strang verurteilt worden. Allerdings würde der Fall erst noch vor einem höheren Gerichtshof von einem englischen Richter überprüft werden. So wollte es in dem damals noch von den Engländern kontrollierten Pandschab ein Gesetz, das irgend welche Mißbräuche der einheimischen Gerichte verhindern sollte. Aber es gab kaum einen Zweifel, daß das Urteil anerkannt und die Schuldigen schleunigst hingerichtet werden würden.
„Aber warum dann diese Freude?“ wollten wir wissen.
„Diese Männer sind Loot-wallahs. Sie gehören zu der Kaste der Räuber“, erklärte uns Abdul und informierte uns ausführlich

über die Psychologie einer indischen Verbrecherseele. Unter den Mitgliedern dieser Kaste war Stehlen eine sehr ehrenwerte Beschäftigung, eine ererbte Lebensweise. So wie der Priester zum Beten geboren wird und der Krieger zum Kämpfen, so wird der Loot-wallah geboren, um zu stehlen. Das war sein Karma — sein Schicksal —, der Wille Gottes, der es für notwendig erachtet, daß, wie im Tierreich, so auch in der menschlichen Familie geplündert und geraubt wird.

Diese beiden Brüder waren gute, ehrenwerte Diebe gewesen, stramme Burschen im Kreuzzug gegen die organisierte Menschheit. Sie hatten die Beute mit ihren Kameraden geteilt und hatten regelmäßige Gottesdienste am Schrein des Gottes der Gesetzlosen abgehalten. Sie befolgten genau die traditionellen Gebräuche ihrer Kaste, deren einer besagte, daß es für ein männliches Mitglied der Bande verboten war zu heiraten, bevor er die notwendige Zahl von Diebstählen vollbracht hatte. Aber niemand hatte einen Mord von ihnen erwartet. Sie gehörten nicht zu der Rasse der Halsabschneider. Nur kleine Diebereien, mehr nicht — das war seit Jahrhunderten das Familiengeschäft gewesen. Nun war das ehrgeizige Paar über Nacht aus öder Mittelmäßigkeit zu nie gekanntem Ruhm emporgestiegen! Sie waren Helden. Sie würden als Märtyrer für ihre Sache sterben. Und im Gedanken daran sangen sie.

Wir machten in der Gegend von Dhok Pathan unsere eigenen Raubzüge, und zwar wochenlang. Mehrere Überfälle auf ein halbes Dutzend isolierter Gräber zahlten sich recht gut aus. Unsere Beute waren Schädel ausgestorbener Tierarten, und alle waren fein säuberlich versteinert. Unter ihnen befanden sich die Bestandteile von drei Antilopen, einem Pferd und zwei fossilen Elefanten, von denen der eine einen zirka zweieinhalb Meter langen Stoßzahn besaß. Leichenschänder Brown und Abdul machten die schmutzige Arbeit, während ihre „Spießgesellin" die Beute in einem versteckten Dak bewachte.

Mit den kleineren Angelegenheiten wurden wir allein fertig, aber um die Schädel der fossilen Elefanten abzutransportieren, von denen jeder fast eine Tonne wog, brauchten wir fremde Hilfe. So engagierten wir ein paar Steinmetze aus dem Dorf, die in diesem

Teil der Welt als Mistris bekannt sind, für die schwere Meißelarbeit. Dank Abdul machten sie ihre Arbeit gut.
Dann tauchte das Problem des Transportes der riesigen Schädel zur Bahn nach Tschakwal auf, das etwa hundert Kilometer von uns entfernt lag. Besonders die ersten zehn Kilometer machten uns Sorgen — zehn Kilometer einer unebenen, felsbedeckten Ödlandschaft, die unsere Grube von der nächsten Straße trennte. Kamele konnten sie bewältigen, aber die Höchstlast, die so ein Tier tragen durfte, waren vierhundert Kilogramm, und natürlich weigerte sich Barnum, die Schädel zu zerteilen. Ochsenwagen hätten das Gewicht aufladen können, aber das Terrain hätte sie schon nach ein paar Metern zum Stehen gebracht. Wir saßen fest.
Abdul wurde um Rat gefragt und dachte nach. Dann verschwand er und kehrte mit einer Bande von einigen zwanzig Kulis zurück, die er sich in dem nahe gelegenen Ölfeld von Khoar ausgeliehen hatte. Sie waren mit genügend Hacken und Schaufeln ausgerüstet, um in kürzester Zeit eine Straße zu den vom Transportweg abgeschnittenen Gerippen auszuhauen.
Ein jubelnder Barnum brachte unser Dynamit zum Vorschein und sprengte einen Durchgang für die Straßenmannschaft. Das Resultat war keine ausgesprochene Autobahn, aber es genügte für die Ochsenwagen. Zwei Ochsenwagen, von acht Ochsen gezogen, brauchten elf Tage, um die hundert Kilometer von der Ausgrabungsstelle bis zur Bahnstrecke zurückzulegen.
Nachdem wir unsere Beute in Tschakwal abgeladen hatten, wandten wir uns nach Südosten über den Dildschubba Ruka Paß und durchstöberten die zerklüftete Gegend um Hasnot..., das dem englischen Wortlaut seines Namens: „Hat-nicht“ alle Ehre machte. Unser Glück holte uns aber in Tschendschi in Gestalt eines Rhinozerosschädels und verschiedener Kieferntteile wieder ein.
So erging es uns — von Dak zu Dak — von Knochen zu Knochen. Außer ein paar unvollständigen Kamelskeletten, zusammen mit ein paar Kleinigkeiten aus dem Körperreichtum eines Elefanten und Hippopotamus, die wir in den Tschandigarh-Hügeln sammelten, hatten wir es meistens mit Schädeln zu tun. Das freute Barnum diebisch. Gewöhnlich war es nämlich umgekehrt. Und

als uns eines Tages der Schädel des seltenen Sivatherium in die Hände fiel, kannte seine Freude keine Grenzen. Nach der Siswaner Schildkröte war es unser preisgekröntes Stück.
Das Tier muß ein prähistorisches Unikum gewesen sein. Es besaß zwei Paar massive Hörner, einen Rüssel, die Zähne einer Giraffe und einen Körper, der wahrscheinlich aus dem Liebesverhältnis eines Elefanten mit einem Rhinozeros resultierte. Die Experten reihen es in die Giraffen-Familie ein. Man kann es ruhig meinem Mann überlassen, die Unika zu finden, er hieß nicht umsonst Barnum.
Nach diesem letzten großartigen Fund zählte ich unsere Gewinne zusammen. Sie ergaben eine eindrucksvolle Liste; eindrucksvoll genug, fand ich, um einen Urlaub zu rechtfertigen und richtige Flitterwochen in dem hohen, kühlen Land von Kaschmirs strahlenden Bergen und mit Lotosblumen bedeckten Seen. Kaschmir! Konnte irgend etwas romantischer und mehr nach Flitterwochen klingen? Es hatte auch eine praktische Seite. Die Zeit der Monsune nahte und der Pandschab begann vor Hitze zu kochen. Jeder weiße Mann im Lande floh über die Sommermonate in die Berge. Jeder weiße Mann, schien es, außer dem meinen. Barnum zuckte nur die Achseln und bereitete sich darauf vor, die Sache durchzuschwitzen. Seine Begründung: er hatte schon alte Verabredungen mit weiteren, bisher noch unentdeckten Skeletten.
Schließlich überredete ich ihn dazu, einige seiner Verabredungen zu Gunsten der Kaschmirreise abzusagen. So war schließlich alles vorbereitet. Ich sollte vorausfahren, ein Hausboot auftreiben, Proviant besorgen und alles vorbereiten, damit wir sofort nach seiner Ankunft zu einer Tour über die Seen aufbrechen konnten.
„Versprichst du mir, daß du noch vor Ende eines Monats bei mir sein wirst?“ schmeichelte ich.
„In einem Monat, Pixie“, antwortete er mit Nachdruck. Dann wurde er milder: „und dann —“
„Dann — die Flitterwochen!“

MIT DER KÖNIGLICHEN POST

Von Rawalpindi in der Hochebene bis nach Srinagar im Tal von Kaschmir reist der kluge Reisende im Privatauto. Jetzt weiß ich das. Damals wußte ich es nicht. Ich fuhr als zusätzliche Last mit der königlichen Post, und das war die haarsträubendste Erfahrung, die ich jemals für den Preis einer Autobusfahrkarte gemacht hatte.

Irgendwann vor langer Zeit war das Transportmittel, das mich beförderte, ein Lastauto gewesen. Jetzt war es ein Ding, das einem prähistorischen Skelett auf Rädern ähnlicher sah als irgend etwas, was ich je gesehen habe. Das Ungetüm, das zweifellos aus einem vorgeschichtlichen Jahrgang stammte, hätte die Hallen eines Maschinenmuseums schmücken sollen, statt die Leben unschuldiger Touristen aufs Spiel zu setzen. Von irgend welchem Zubehör wie Türen, Fenster oder Windschutzscheibe war nichts mehr vorhanden. Das Übriggebliebene war ein nacktes Skelett: Chassis, Lenkrad, vier Räder und irgend etwas unter der Kühlerhaube, das zwar die Geräusche einer Riesenlokomotive von sich gab, aber wenig dazu beitrug, uns weiterzubringen. Das Ding bewegte sich, als ob es seit einigen Millionen Äonen versteinert wäre; es auch nur zu besteigen, war purer Wahnsinn, dann aber auch noch an die dreihundert Kilometer auf einer Straße, die über die Vorläufer des Himalajagebirges führte und mit einer Straße noch sehr wenig gemeinsam hatte, darin sitzen zu bleiben, grenzte an Selbstmord.

Und wen anders konnte ich als Chauffeur erwischen als einen verhinderten Geschwindigkeitsdämon! Nicht daß er etwa schnell fuhr. Er *schien* nur schnell zu fahren. Er war der einzige Mann, dem ich in meiner langjährigen Karriere als Autofahrerin begegnet bin, der dreißig Stundenkilometer wie hundertdreißig erscheinen ließ. Ich taufte ihn „Schnelling".

Schnelling war im Grunde ein recht netter Bursche. Er war ein entgegenkommender, leutseliger Sikh mit einem wundervollen schwarzen Bart, der sich unter dem Kinn in Falten legte. Aber sobald er hinter dem Lenkrad saß, schien irgend etwas in ihm

einzuschnappen und los ging's! Er wurde zu einem zweiten Caracciola, der in einem letzten Endspurt über die Rennbahn raste. Diese Zwiespältigkeit machte mich von Anfang an besorgt.
Ich saß vorne bei ihm; hinter uns lagen die Postsäcke hinter Schloß und Riegel. Auf dem rechten vorderen Kotflügel hockte eine menschliche Hupe — ein kleiner Bub mit einer Radfahrhupe aus Gummi um die Schultern. Er tutete ununterbrochen, während wir aus Rawalpindi herausfuhren. Draußen in den Vororten hörte uns eine Schar Gänse, die auf dem Weg nach Norden zu den Kaschmirseen war, machte kehrt und sauste an uns vorüber.
Plötzlich hörte das Hupen auf. Ich schaute zum rechten Kotflügel hin. Der Huper war verschwunden.
Erschrocken wandte ich mich an Schnelling.
„Oh, er heruntergefallen", kam die gleichgültige Antwort.
Ich versuchte mich in dem hüpfenden Fahrzeug halb zu erheben. „Heruntergefallen? Dann wenden Sie doch um Gottes willen, Mensch!"
Schnelling sah leicht überrascht aus. „Warum?" fragte er. „Brauche ihn jetzt nicht. Kein Verkehr mehr. Er immer herunterfallen an Stadtgrenze."
Ein derartiges Arrangement paßte sehr gut zu allem, was auf dieser verrückten Reise passierte.
Nachdem wir Rawalpindi verlassen hatten, begann die Straße aus der heißen Pandschabebene in die Berge hinaufzuklettern. Wir stiegen von zirka sechshundert bis auf achtzehnhundert Meter, und der Kühler spuckte wie ein Teekessel.
Mit zunehmender Höhe schien Schnellings Kopf leichter und der Fuß, der auf dem Gashebel stand, schwerer zu werden, und mein Blutdruck nahm ernste Formen an. Als wir schließlich die Spitze des Muree-Berges — irgendwo zwischen zweitausend Meter und der Unendlichkeit — erreicht hatten, hatte Schnelling die Rolle eines kühnen Piloten übernommen, der sein Flugzeug über den Mount Everest steuert. Ich war jetzt gar nicht mehr besorgt — ich war in Todesangst!
„Laß mich heraus! Laß mich heraus!" schrie ich verzweifelt, als wir uns dem Rande eines Abgrundes näherten, über den eine Brücke führte, die nichts anderes war als ein schlankes Fädchen,

das über einer bodenlosen Schlucht hing. Ich stolperte aus dem Auto heraus und schloß meine Augen, während das Lastauto vor mir hinüberkroch. Dann nahm ich mein Herz in beide Hände und folgte ihm auf allen Vieren. Das verfluchte Ding hatte nicht einmal ein Geländer.

Von dort bis Kohala im Flußtal des Dschelum fiel die Straße auf einer Strecke von vierzig Kilometern um fünfzehnhundert Meter ab. Die alte Kiste benahm sich während der Abfahrt vorzüglich und machte mit Rückenwind eine ganz gute Zeit. Bis zum heutigen Tage lasse ich mich nicht davon abbringen, daß wir auf dieser Strecke einen Purzelbaum machten — aber das wird mir natürlich niemand glauben. Wir rasten die Berge hinunter und durch Dörfer hindurch mit einer Salve von Rückzündungen, und Eingeborene und Hühner stoben nach rechts und links. Eine Kurve, eine Wendung, dann wie der Blitz am wackligen Rande eines Nichts entlang, und niemals wurde ein Gedanke an unser wertvolles Leben oder an die Bremsen verschwendet. Wie alle Hindus glaubte Schnelling an ein vorbestimmtes Schicksal. Was die Bremsen betraf, so war das etwas, wovor man sich hüten mußte — wie vor Schnaps oder schlechten Frauenzimmern.

„Niemals Bremse berühren“, pflegte er voll Stolz zu verkünden. Ich erfuhr bald, warum. Die einzige Art, wie er die nächste Steigung bewältigen konnte, war mit Hilfe der Triebkraft, die er bei der letzten rasenden Abfahrt gewonnen hatte. Außer für Kühe verlangsamte er für nichts sein Tempo, nicht einmal für Menschen. Kühe waren heilig.

Einmal war eines dieser heiligen Rinder unserem Tempo so sehr im Weg, daß wir auf der Bergaufwärtsfahrt stecken blieben. „Keine Zündung“, war die Diagnose. Die nächsten drei Stunden wurden mit Herumbasteln verbracht. Eine Menschenmenge sammelte sich und formte schließlich einen Stoßtrupp, der uns bis zur Spitze hinaufschob. Die restliche Strecke bis nach Kohala bewältigten wir mit Hilfe des Gravitationsgesetzes.

Kaum war ich aus dem Auto heraus, als eine aufgeblasene Kreatur, die stark nach parfümierter Seife roch, sich breitbeinig vor mir aufpflanzte und ohne ein Wort der Einleitung damit begann, mich mit Fragen zu bestürmen.

„Name?“ schrie er mir entgegen und zückte Papier und Bleistift. Und bevor ich noch antworten konnte: „Reiseziel?“
„Srinagar“, stellte ich kühl fest.
Der Kleine kritzelte eifrig und blickte von Zeit zu Zeit auf, als ob er eine genaue Beschreibung von mir geben wollte. Plötzlich stieß sein Bleistift vor und zielte direkt auf mein Gesicht. „Beschäftigung? Schnell ... Beschäftigung! Schnell antworten, bitte“, verlangte er.
Er verwirrte mich, und sein Bleistift, der immerzu auf meine Nase zielte, hinderte mich am Denken. Schließlich platzte ich heraus: „Ehefrau.“
Der Bleistift blieb in der Luft hängen. „Ehefrau!“ rief die Stimme dahinter aus. „Du sagst, du bist Ehefrau! Wo ist Ehemann?“ Eine Frau, die nicht von ihrem Mann begleitet war, schien ihm in seinem erfahrungsreichen Leben offenbar noch nicht begegnet zu sein.
„Mr. Brown ist in Rawalpindi“, schnappte ich verärgert zurück.
Das verursachte ein breites „A-a-a“, gefolgt von: „Will Madame bitte mit mir kommen?“
Was konnte ich schon verlieren? Schnelling hatte nach Rawalpindi um neue Zündkerzen geschickt, und so saß ich sowieso für die Nacht in Kohala fest. Außerdem hatte der Mann mir meine Autobusfahrkarte abgenommen, und mein Gepäck befand sich in den Händen seines stämmigen Komplicen.
Gefolgt vom Gepäck begaben wir uns einen Abhang hinauf zu einem kleinen Dak-Bungalow. Dort drinnen nahm das Kreuzverhör seinen Fortgang. Wie lange war ich schon in Indien? Warum ging ich nach Kaschmir? Warum reiste ich allein? Und immer wieder wirbelte er plötzlich und unerwartet herum und rief mir zu: „Wo ist Ehemann?“ Ich verbrachte die Zeit zumindest nicht völlig nutzlos. Zwischen den Fragen gelang es mir, ein paar Karten und einen Brief an Barnum zu verfassen.
Dann, als Überraschungsmanöver, entließ er plötzlich seinen Assistenten, verschloß die Tür und zog eine Flasche aus der Tasche. „Will Madame trinken? Guter Haig-Whisky.“ Er goß sich ein Gläschen ein. „Macht dir gutes Gefühl“, fügte er einschmeichelnd hinzu.

Da war ich mit meiner Geduld am Ende. „NEIN!“ brüllte ich. „Und ich rate dir, diese Tür sofort zu öffnen oder — der amerikanische Konsul wird davon hören.“
Das runde Gesicht des Burschen erbleichte. „Nichts Tür öffnen. Du Koffer öffnen — alle Koffer.“ Er wedelte mit etwas herum, das wie ein Dienstabzeichen aussah, und ich hielt es für klüger, nachzugeben.
Seine Finger durchwühlten mit viel Geschick den Inhalt, betasteten die Wände, suchten nach geheimen Abteilen, beutelten meine Seidenwäsche nach verborgenen Juwelen oder verbotenen Devisen aus. Dann roch er an der kleinen Flasche Likör und schüttete die Dose mit amerikanischem Kaffee — meinen wertvollsten Besitz — aus.
Er sah schnell auf. „Amerikanische Lady sehr hübsch“, hörte ich ihn sagen.
Da war es aus!
Zweifellos rührt mein höchst erregbares Temperament daher, daß ich ungefähr so irisch bin, wie es für eine geborene Amerikanerin überhaupt möglich ist. Auf einem Gestell hinter mir stand leicht erreichbar ein Wasserkrug. Ich zielte auf seinen Kopf. Er duckte sich. Ich wurde noch wilder. Das Gestell folgte, krachte an die gegenüberliegende Wand und beförderte Rama, die siebente Inkarnation von Vischnu, aus seinem Rahmen heraus. Was danach geschah, liegt hinter einem Nebel. Als sich die Dinge etwas abkühlten, fand ich mich in einem anschließenden Zimmer wieder, wo ich die Tür auf meiner Seite verschlossen hatte. Auf der anderen Seite rüttelte der leidenschaftliche Don Juan an der Klinke und winselte durch das Schlüsselloch: „Bitte, Madame ... öffnen bitte. Ich zeigen Ausweise.“
Ich ließ ihn eine Weile rasen. Seine Stimme wurde tragisch. „Bitte hören, Madame. Ich guter Mann. Ich Polizeiinspektor — tue Pflichten.“
So war das also! Ich öffnete die Tür, zündete mir eine Zigarette an und lauschte seinen winselnden Erklärungen. Scheinbar waren weibliche Wesen ohne Begleitung in Indien immer ein Grund zu Verdächtigungen, besonders aber im Frühjahr auf der Strecke von Rawalpindi nach Srinagar. Und noch mehr in Kohala, der

Grenzstation zwischen dem britischen Pandschab und dem Eingeborenenstaat von Kaschmir. Im Frühjahr erwachte laut Polizeibericht in den „gewissen Damen“ der Wandertrieb und führte sie auf dem Wege der Lust, gerade durch dieses Dorf, zu den grüneren Weiden des Kaschmirtales. Der Verkehr war dieses Jahr so stark gewesen und die illegalen Einwanderungen so häufig, daß die Mädchen von Kaschmir sich voller Empörung zusammengetan und die Politiker aufgehetzt hatten. Die Pandschab-Polizei war in Aktion getreten und hatte ihren besten Detektiv, meinen dicken Freund, eingesetzt.
Im selben Augenblick, da ich am Morgen dieses Tages mein Lastauto bestiegen hatte, hatte ein Spion die Nachricht an das Hauptquartier weitergeleitet, und Inspektor X, der Stolz der Polizei, war beauftragt worden, das böse Mädchen, das sich in einem Postsack nach Kaschmir hineinschmuggeln wollte, abzufangen. Nun, da sich alles als ein riesiger Irrtum herausstellte, hagelte es Entschuldigungen, Ausrufe des Bedauerns — und Gelächter.
Der Inspektor versicherte mir, daß er diese Arbeit durchaus nicht gerne täte, trotzdem ihn der gesamte Polizeistab darum beneidete. „Ich verheirateter Mann“, bemerkte er traurig. Immerhin mußte er zugeben, daß die Arbeit ihre angenehmen Seiten hatte. Man traf so viele interessante Leute!
„Ja, so ist das Leben. Man muß halt von irgend etwas leben“, sagte ich... Wir schieden als die allerbesten Freunde.
Am nächsten Morgen saß ich wieder im Autobus und Schnelling manövrierte das Dschelumtal hinauf. Zu unserer Linken rauschte der schäumende Fluß, der frisch von den Gletschern des hohen Himalaja herunterkam. Zu unserer Rechten erhoben sich mit Fichten bewachsene Berge, die sich einer hinter dem anderen bis zu den fernen Bergspitzen des Pir Pandschal fortsetzen. An den Berghängen kauerten winzige Lehmhütten inmitten Flecken grünen Getreides. Sie waren das Anzeichen für Ortschaften. Wir hatten die Straße praktisch für uns allein. Gelegentlich flitzte eine Tonga vorüber, ein leichtes, zweirädriges Wägelchen, das von schnellen Pferden gezogen wurde; oder es rollte eine schwere Ekka, mit Gepäck, Dienstboten oder irgend welchen Lasten beladen, die Straße entlang.

An verschiedenen Punkten hatten lange Karawanen von zweistöckigen Ochsenwagen am Straßenrande haltgemacht. Die großen Tiere, die sie zogen — schöne, gefleckte Geschöpfe —, hatten sich niedergelegt; einige trugen Sackleinwanddecken, um die Fliegen fernzuhalten. Andere hatten vergoldete Hörner, Ketten aus Glocken und aus glänzenden blauen Steinen um den Hals. Die Wagen waren übervoll beladen. Im oberen Teil unter dem zeltartigen Verdeck lagen die Fahrer und schliefen. Die Ochsenkolonnen durften nur nachts, wenn der Autoverkehr verboten war, über die Landstraße fahren, und wenn es Abend wurde, setzten sich die Wagen wieder in Bewegung, um eine weitere Etappe der drei bis vier Wochen langen Reise von den Seen bis zur Ebene zurückzulegen.

Dann begegnete uns die Gegen-Post, und beide Fahrer zogen sich an den Straßenrand zurück, um ein paar angenehme Augenblicke miteinander zu verbringen. Zwei Stunden, um genau zu sein! Erfreulicherweise reiste ein Engländer auf dem anderen Wagen. Wir kamen ins Gespräch und ich erfuhr, daß die angegebene Fahrzeit von zwei Tagen für die Strecke Rawalpindi—Srinagar reine Protzerei war. „Vier Tage ist die gewöhnliche Zeit für die Reise“. behauptete er. „Ich weiß es. Ich fahre seit Jahren auf diesen gräßlichen Ungetümen.“

Zwanzig Meilen hinter Kohala lag Domel — und weitere Unannehmlichkeiten. Am Rande der Stadt fiel direkt vor unserer Nase ein recht altersschwacher Zollschranken herunter. Er bestand aus einem Holzbalken und war dort, wo vor ein paar Jahren einer von Schnellings Kollegen ihn durchbrochen hatte, in der Mitte gespalten und mit Draht umwunden. Ein paar Gestalten mit Gewehren stolzierten aus der Zollhütte heraus, untersuchten unsere Papiere, schauten sich die Fracht an und zogen unter den Postsäcken einen Benzinkanister hervor. Als nächstes nahmen sie mir Schnelling weg und eilten mit ihm davon ins Gefängnis. Schon wieder das Gesetz!

Um einen Tisch vor der Zollstation saßen verschiedene ältere Männer mit einem Bleistift im Turban, dem sicheren Zeichen der Beamtenwürde. Einer von ihnen — offenbar der Kommandant — saß *auf* dem Tisch und beschnitt mit einem langen Messer seine

Zehennägel. Ich sprach ihn ohne Umschweife an: „Mit welcher Begründung sperren Sie meinen Fahrer ein?“
Er grunzte eine Antwort: „Schmuggel.“
Mein Gott! Noch mehr von diesem Blödsinn! „Ich dachte, daß dieses Mißverständnis bereits in Kohala durch den Pandschab-Offizier aufgeklärt worden sei“, sagte ich. „Ich reise aus eigener Initiative und völlig freiwillig nach Srinagar, Herr, und nicht als Schmuggelware. Und wenn Sie es wissen wollen, ich habe auch die Absicht, dorthin zu gelangen.“
Der Zehenbeschneider schien nicht zu wissen, wovon ich sprach. Mein Fahrer war eingesperrt worden, sagte er, weil er unerlaubt Benzin über die Grenze schmuggeln wollte. Selbiges war in dem Benzinkanister enthalten gewesen.
Wie konnte man denn eine solche Benzinbewilligung erhalten?
„Er könnte eine kaufen“, sagte der Mann zögernd, „aber ...“ Das Ende dieses Satzes ging in einem energischen Reiben der großen Zehe verloren.
„Aber was?“
Er zauberte einen leiderfüllten Ausdruck auf sein strenges Gesicht. „Er nichts hat, um es zu kaufen.“
Geld! Ich hätte es wissen sollen. „Wieviel?“ fragte ich.
„Fünf Rupien.“
Schnelling wurde entlassen und wir verließen Domel in einer Wolke von stinkenden Rückzündungen.
Wieder ein Dak für die Nacht, diesmal in Garhi, einem Haufen von Lehmhütten in einem Tal voller Weizen, wo wilde Lilien wuchsen. Aufbruch in der Morgendämmerung!
„Heute alles Schlimme vorüber, Memsahib. Heute nachts Srinagar“, versprach Schnelling.
„Mittagessen in Rampur?“ fragte ich hoffnungsvoll und zeigte auf einen Ort auf der Karte, der auf halbem Weg zwischen Garhi und Srinagar lag.
Ein Nicken.
Wir aßen nicht in Rampur zu Mittag, wir aßen überhaupt nicht zu Mittag. Der Wagen hatte sich ein paar neue Leiden zugelegt und blieb jede Viertelstunde wie angewurzelt stehen und verlangte nach fachmännischer Behandlung durch Schnelling. Diese Be-

handlung bestand darin, daß er ein wenig Wasser aus dem Kühler in den Treibstofftank transferierte und dann so lange hineinblies, bis er vor Erschöpfung fast zusammenbrach. Es funktionierte. Nach einer Folge von gräßlichen Explosionen sprang das Auto wieder vor, wie aus einer Kanone abgefeuert — aber nur, um nach einer kurzen Strecke wieder stehenzubleiben.
Einmal, als mein Begleiter gerade mit dem Kühler beschäftigt war, schob ich heimlich einen Stock in den Benzintank — aber, obwohl der Stock nicht einmal zwei Zentimeter Treibstoff anzeigte, weigerte sich Schnelling nachzufüllen. „Reichlich Benzin, Memsahib. Reichlich Benzin."
Ich erinnerte mich an die Geldstrafe von fünf Rupien in Domel und mir wurde klar, daß der gute Schnelling mogelte. Er „streckte" das Benzin, um es in Srinagar zu verkaufen — mit einem guten Profit natürlich.
Die Essenszeit nahte. Rampur war noch meilenweit entfernt. Ich war halb verhungert. Da entdeckte meine Nase plötzlich einen sehr fragwürdigen Geruch im Auto. Zuerst dachte ich an Käse, dann an Schnelling, dann an irgend etwas Totes. Aber ich ließ diesen Gedanken wieder fallen, denn es ging mich nichts an. Jedoch später, als es wärmer und wärmer wurde, *mußte* ich dem Geruch wieder meine Aufmerksamkeit zuwenden. Die Duftwellen schienen unter meinem Sitz hervorzukommen, und bei näherer Untersuchung bemerkte ich ein langes, dünnes Etwas, das in schmutziges Zeitungspapier gewickelt war. Ich stieß danach. Es war steif. Ein Windstoß hob das Papier an einer Ecke hoch und siehe da, ein uralter, getrockneter Fisch starrte mir entgegen. Immerhin, es war etwas zu essen.
Schnelling erklärte mir, daß er ihn in Rawalpindi gekauft hatte. Er nahm für alle Fälle immer etwas Eßbares auf seine Fahrten mit. Ich hätte ihn umarmen können.
Statt dessen umarmte ich den Fisch. Schnelling nahm die eine Hälfte und gab mir die andere. Nichts hat mir je besser geschmeckt. Wir aßen den Kopf und alles, was daran hing. Wir schleckten sogar die Gräten ab.
In Rampur hielten wir an, aber nur um zu tanken, und zwar echtes, unverpantschtes Benzin, das ich der königlichen Post nur

unter der Bedingung zur Verfügung stellte, daß es unterwegs nicht mit Wasser vermischt werden würde. Was bei unserer Ankunft in Srinagar noch übrig war, gehörte dem Chauffeur.
Der Erfolg war, daß sich das launenhafte Benehmen des Lastautos auf wunderbare Weise verbesserte. Wir bewältigten den Rest der Strecke, ohne anzuhalten. Es ging durch Baramula, wo das Dschelumtal weiter wurde und in die üppigen Ausläufer des Kaschmirtales überging. Wir fuhren eine gerade, ebene Straße hinunter, deren letzten fünfzig Kilometer von riesigen Pappeln eingesäumt waren. Als die Dunkelheit kam und über die sumpfigen Wiesen und die dahinter gelegenen Reisfelder kroch, stachen sie scharf und schwarz wie Schildwachen gegen den Himmel ab. In weiter Ferne erhob sich in seiner ganzen, fast achttausend Meter hohen Majestät die schneegekrönte Spitze des Nanga Parbat, der zum Himalaja gehört und der achthöchste Berg der Welt ist.
Es war schon Nacht, als die ersten Lichter einer Stadt durch die Bäume schimmerten. Wir fuhren durch einen verschlafenen Basar, bis zu einer Brücke, die über einen verschlafenen Fluß führte. Zwischen den Häusern am Ufer spielten die Strahlen des Mondes Verstecken. Kleine, gedeckte Boote kauerten am Strand.
Eine Stimme an meiner Seite sagte: „Hier hört alles Schlimme auf, kleine Memsahib."
Srinagar! Himmelhohe Hauptstadt von Kaschmir — Stadt der Sonne — Ziel aller Ziele! So bald?
Schnelling sah mich an und lächelte. Ich konnte nicht lächeln.

SRINAGAR

Mein erster Tag in Srinagar begann mit einer Art Volksauflauf. Geputzt und aufgetakelt, war ich gerade dabei, über die Schwelle des Hotels ins Freie zu schreiten, als mich eine Bande geräuschvoller Bettler aus dem Hinterhalt überfiel. Sie versuchten, mir ganz Kaschmir zu verkaufen. Offenbar ließen sie sich von der

Theorie leiten, daß, wenn sie einen erst einmal in ihrer Gewalt hatten, sie einem alles verkaufen konnten. Im ersten Moment sah ich nichts als Bärte, Hände und Münder, die sich wie verrückt bewegten. „Will Ladysahib Koch, Pferd, Türkis, Schneider, Korb, Träger?" Und immer wieder kam der alte Refrain: „Nur schauen, nicht kaufen." Ich erstand einen Schal. Ein Holzschnitzer schlich sich von hinten an mich heran und schnitt mir mit seinem Musterexemplar fast ein Ohr ab. Zu guter Letzt flog ein Turban durch die Luft, allerdings ohne Kopf.

Ein Turban aber ist der bei weitem wichtigste Bestandteil der indischen Garderobe. Plötzlich von seinem Turban getrennt zu werden, ist für einen Inder so viel wie für einen Engländer die Trennung von seinen Hosen. Kurz gesagt, er fühlt sich völlig nackt. Mit einem wilden Gebrüll drehte sich der unbedeckte Kaufmann herum und stieß nach allen Seiten. Irgend jemand wurde wütend und begann an dem nächstbesten Bart zu zerren. Ein Schrei! Und der Kampf begann.

Als die Tränen, die ich vor Lachen weinte, mir wieder den Blick freigaben, hatte sich ein kleines, mausartiges Männlein direkt unter meiner Nase aufgepflanzt und bemühte sich, das wilde Durcheinander zu seinen Gunsten auszunützen.

„Will Madame schönes Hausboot?" quietschte er.

Ich fiel ihm fast in die Arme. „Du bist mein Mann!" rief ich aus. Und während die Löwen kämpften, gelang es der Maus auf diese Art, mit dem Preis davonzulaufen, und er führte mich zu seiner wartenden Tonga.

Wir holperten die lehmigen Wege hinunter durch ein Labyrinth von engen, krummen Gäßchen, in denen unzählige Menschen, meistens Mohammedaner, Männer, Frauen und Kinder, wie geschäftige Bienen summten. Ein sorgloses Völkchen im Vergleich zu den Leuten aus der Ebene! Die Männer jodeln, wenn sie zur Arbeit gehen, die Frauen singen, während sie die Mahlzeiten bereiten, und die hölzernen Stößel schlagen in den irdenen Reistöpfen den Takt dazu. Trinkgeldschnorrer trotten neben dem Wagen her und brüllen etwas, das so ähnlich wie „gehorsamster Diener!" anfängt und mit etwas wie „Geizkragen" aufhört, wenn sie nichts bekommen.

In der Gasse der Schneider sitzt ein kleiner Bub auf der Türschwelle und bläst das Feuer unter einem Bügeleisen an, zwei rotbärtige Scheichs stehen im Hintergrund und schneiden Stoffe zu. Andere sind um eine Singermaschine herumgruppiert und schneiden an Stapeln von „Numdahs“, grobwolligen Decken, herum, die man oft bei uns zu Hause sehen kann. In einem Wirrwarr von farbigen Fäden und Seidenfetzen sitzen Männer mit Kappen auf dem Kopf und besticken Schals und Phantasiegewänder.
Die Kleider, die sie auf dem Rücken tragen, sind kein Musterbeispiel ihrer Künste. Sie kümmern sich nicht im geringsten um den New-look; ihre Mode wurde vor dreihundert Jahren durch den Kaiser Akbar bestimmt. Als er im Jahre 1626 in Kaschmir einfiel, hatten die Einwohner bereits so viele Plünderungen durch so viele Eroberer hinter sich, daß ihnen nichts mehr übrig geblieben war als ihre Hemden, und diese lieferten sie kampflos aus.
Akbar, ein tapferer Kämpe, liebte es, wenn seine Feinde Widerstand leisteten, und als die geschwächten Kaschmiri im Kampf völlig versagten, war er begreiflicherweise enttäuscht. Hier war das schönste Land in der ganzen Welt — und niemand war da, um es zu verteidigen! Gab es denn keine *Männer* in diesem Tal? Offenbar nicht!
Folglich wurde eine Verordnung herausgegeben, daß Männer und Frauen sich gleich zu kleiden hätten. Das vorgeschriebene Bekleidungsstück war — und ist es noch immer — eine Art Nachthemd, in einem Stück geschnitten, mit einem Loch für den Kopf und weiten, offenen Ärmeln. Wie es sich herausstellte, war dieses Kostüm das angenehmste „Gewand-für-alles“, das je erfunden wurde. Gott allein weiß, was sie alles in ihren Ärmeln verborgen haben, und so kommen sie selbst mit „dem Dolch im Gewande“ unbehelligt davon. Nach dem leicht schwangeren Aussehen der Männer zu urteilen, schien diese Uniformierung der Geschlechter allerdings etwas zu weit gegangen zu sein. Zu meiner Erleichterung stellte sich aber dann heraus, daß sie, um an kühlen Morgen nicht zu frieren, kleine Kohlenöfchen unter dem Gewande trugen.
Trotz ihrer etwas öden Toiletten läßt sich eine gewisse rassige

Schönheit der Kaschmirmädchen nicht verleugnen. Schlank, mit edlen Gesichtszügen, fehlt ihnen nichts als seidene Strümpfe und elegante Gewänder.
Natürlich sieht man die Frauen der hohen Kasten in Wirklichkeit niemals. Sie klappern die Straßen hinunter, nach Art des Ku-Klux-Klans in wogende weiße Bourkhas gehüllt und über den Augen winzige Vierecke aus Spitzen, damit sie durchsehen können. Wenn sie besonders waghalsig sind, kann es geschehen, daß sie auch einmal mit nackter Nase herumgehen. Und wenn man zufällig einmal eine Gruppe überrascht, deren Gesichter splitternackt sind, dann heben sie schnell ihre Röcke hoch und werfen sie sich über den Kopf. Und dann schau, daß du weiterkommst!
Von diesem Anblick, den Geräuschen und Geschehnissen restlos gefangengenommen, wurde mir plötzlich klar, daß wir schon endlos lange unterwegs waren.
Ich wandte mich mit einem besorgten: „Liegt dein Boot auf dem Dschelum?“ an meinen mausartigen Führer.
„O ja, Ladysahib.“
„Ist es ein großes Boot?“
„O ja, Ladysahib. Sehr groß!“
„Ich will kein *zu* großes Boot.“
„O nein, Ladysahib. Ist nicht zu groß.“ Über eine alte, hölzerne Brücke ratterten wir in den Harpie Basar, wo die „Blumen der Freude“ auf bemalten Pölstern lagen und die Männer durch abgelegene Gäßchen auf hohe Balkons hinauflockten. Noch mehr dunkle Seitenwege. Wir schienen uns weiter und weiter von der Küste zu entfernen.
„Wo um alles in der Welt ist denn dieses Boot?“ verlangte ich schließlich zu wissen.
„Bald — bald.“
Ein plötzlicher Ruck, und er hielt vor einem komischen kleinen Laden an, stieg ab und machte mir Zeichen, ihm zu folgen.
„Was ist denn das? Wo ist das Boot? Ich dachte, du bringst mich zu deinem Boot!“ sagte ich streng und blieb sitzen.
Ein Blick des Erstaunens zog über des Burschen Gesicht. „Boot, Ladysahib?“ piepste er unschuldig. „Welches Boot?“ Er hob

Srinagar wird mit Recht das „Venedig des Ostens“ genannt. Die Straßen sind Wasserwege und die Bevölkerung lebt größtenteils in Booten. Man fährt im „Wassertaxi“, bequem in die Polster zurückgelehnt, durch die stillen Kanäle.

Ich hatte ein prachtvolles Hausboot gemietet.
Nichts fehlte — außer dem Bräutigam.

Das Leben auf dem Fluß war eine einzige
süße Muße, voll Schönheit und Romantik.

Eingesäumt von rosa Lotosblumen liegt Nischat,
einer der Sommerpaläste der Großmogule Indiens.

Die Insel Chenars spiegelt sich im Wasser.

Ruinen uralter Städte am Oberlauf des Dschelum.

seine Hände. „Bei Allah . . . kein Boot. Das mein Laden. Das hier meine billige, echte Seide- und Wolleweberei.“
„Du hast mir auch ein echtes Lügengewebe vorgesetzt!“ explodierte ich.
Der Bursche verneigte sich, als ob er ein besonderes Kompliment zur Kenntnis nähme. „Wahrheit sagen kein gutes Geschäft“, schmunzelte er. „Du sonst nicht in meinen Laden kommen. Ich Partner von Moses dem Leidenden, wir Fabrikanten von erstklassigem Papiermaché.“
Dies war meine erste Begegnung mit der sehr zweifelhaften Rasse der Kaschmirhändler, deren Leitwort ist: „Der Zweck des Verkaufens heiligt jedes Mittel!“ Und ihre Geschäftsmethoden sind, obwohl äußerst unmoralisch, doch sehr wirkungsvoll: Man brauchte nur mich anzusehen, wie ich mit einem Armvoll Kerzen, Schalen, Schachteln und anderem Krimskrams zum Hotel zurückkehrte.
Nur etwas fehlte. Ich hatte noch immer kein Hausboot.

ALLES AUSSER DEM BRÄUTIGAM

Wenn ich jemals eines entdecken wollte, mußte ich offenbar den Kaufleuten ausweichen und einen Mann finden, der nichts anzubieten hatte als seine Dienste. Dieser Mann war Hamid, ein Droschkenkutscher, der mir vom Hotel empfohlen wurde. Er chauffierte eine Schikara, auf deutsch Wassertaxi. Das Reisebureau stattete uns mit einer Liste von Adressen aus, und Hamid und ich machten uns an die Arbeit.
„Sunwarbarg“, dirigierte ich ihn, indem ich mich in die Polster zurücklehnte. Das Panorama das an uns vorüberflitzte, war unvergleichlich. „Das Venedig des Ostens“, hieß es im Führer. Mit gutem Grund. Die Straßen waren aus Wasser und die Bevölkerung lebte schwimmend.
Der Dschelumfluß ist der Canal Grande. Die Stadt erstreckt sich drei Kilometer an seinem Ufer entlang und ist ein phantastisches

Durcheinander von Palästen, elenden Hütten, Moscheen und Basars. Durch die Mitte geht der Flußverkehr — buntgeschmückte Schikaras schießen an riesigen Getreideschiffen vorüber, Fährboote sind voll bepackt mit irgend welchen Produkten, wie Dachstroh und ähnlichem, Dungas mit einem Verdeck aus Matten führen Passagiere, herrlich bunte Farbenkombinationen werden von Blumenschiffen in die Geschäfte am Ufer gebracht. Das Geschrei der Bootsleute fliegt über das Wasser und vermischt sich mit dem Lärm des Eingeborenenviertels. „Alles klar!" erklingt ein Signal, als mit der Geschwindigkeit von einigen 50 Paddeln die Staats-Parinda des Maharadscha, ein langer, schlanker Traum in Weiß und Gold, vorübergleitet.
Luxuriöse Hausboote liegen im Schatten von riesigen Tschenar-Bäumen, die die geschäftige Esplanade der Stadt schmücken, vor Anker. Der Fluß fließt vorüber an dem europäischen Stadtteil, an der englischen Kirche, dem Klub, der Residenz, der Post, den Parsi-Läden, der Pandschabbank und Cockburns Agentur. Weiter unten starrt man blinzelnd auf die hohen, weißen Säulen des königlichen Palastes; auf den Goldenen Tempel, wo der Prinz von Kaschmir seine Andacht verrichtet; auf den Harem mit seinen luftigen Balkons und seinen geheimnisvoll vergitterten Fenstern, durch die die Lieblingsfrauen das vorüberziehende Schauspiel beobachten. An dem gegenüberliegenden Ufer liegen, mit Flaggen und bunten Fähnchen bedeckt, die pompösen Hausboote der Staatsminister.
Am unteren Ende dieser Pracht erstreckt sich der nicht ganz so vornehme Teil der Stadt, es ist der Teil, in dem die Eingeborenen wohnen, deren Häuser zwar nahe am Zusammenfallen sind, aber doch noch nicht völlig am Boden liegen. Hölzerne Wolkenkratzer schwanken ein paar Stockwerke hoch in die Luft und stützen sich gegenseitig, wo immer sich eine Gelegenheit bietet. Haushaltführen ist hier eine recht gefährliche Angelegenheit. Hie und da entdeckt man eine Ziege, die vergnügt aus einem der oberen Fenster herunterschaut, oder an dem Gras nagt, das an den Fenstern wächst. Wäschewaschen findet vor der Haustür statt, und dort füllen die Frauen auch ihre Wasserkrüge.
Über den Canal Grande führen sieben Brücken. Wenn man über

sie hinüberkommt ohne auf die darunterliegenden Felsen gelockt zu werden, hat man Glück. Und es ist nicht etwa der süße Gesang der Lorelei, der einen anlockt. Es ist ein Hagel von „Salaam Huzurs — Morgen, Euer Gnaden!“ aus heiseren Händlerkehlen, deren Besitzer fast aus ihren Ladenfenstern fallen, so wild wedeln sie einem mit Töpfen und anderem Krimskrams zu. Für den Fall, daß man etwas schwerhörig ist, haben sie Schilder ausgehängt. Da gibt es zum Beispiel: „Sidik Joo, einfacher und kunstvoller Silberschmied“ — „Rahmana T.O.K. — bester Holzschnitzer“; große, schwarze Buchstaben verkünden: „Habib Shaw, feinster Decken und Schal Kaufmann“, mit so zarten Gebilden von Schals, daß man sie durch einen Ehering ziehen kann. Das ist nur ein Teil der Läden, die am Fluß liegen und Handwerksarbeiten verkaufen, für die das Tal berühmt ist.

Wir glitten aus dem Dschelum heraus und in einen Seitenkanal hinein, der von hohen Dämmen eingesäumt war. Unter einer Brücke war es schattig, dann kamen wir wieder in das Sonnenlicht. Die Ufer traten zurück, und unsere Schikara schoß in einen weiten, schimmernden Teich hinaus. Sunwarbarg!

An den bewaldeten Ufern sah man unzählige Hausboote liegen, von einfachen schwimmenden Hütten bis zu prunkvollen Palästen. Ein paar Ruderschläge brachten uns an eine riesige Pfefferkuchenangelegenheit heran, mit holzgeschnitzten Säulenhallen und einem umfangreichen Aussichtsdeck, das vom Heck bis zum Bug reichte.

Hamid las meine Gedanken. „Besitzer will Menge Geld“, sagte er. „Vierhundert Rupien für Monat. Innen sehr gut — haben o. k. Piano. Oberst M. Sahib lebte hier letzten Sommer. Menge Gesellschaften.“

„Wieviel Zimmer?“

„Sechs Zimmer zu wohnen, drei zu baden.“

„Zu groß.“ Wir ruderten weiter an diesen Luxusdingern vorüber, vorbei an dem „Boot der sieben Giebel“, mit seinen neckischen kleinen Dachluken, die aus dem schindelbedeckten Dach herausguckten. Ein anderes Hausboot protzte mit einem wirklichen Dachgarten, auf dem ein paar Engländer in Tweeds auf Streck-

sesseln saßen, Gin tranken und mich durch die Topfpflanzen hindurch beäugten.
Die Schikara steuerte auf ein gemütliches kleines Häuschenboot zu, das abseits von den anderen unter einer herabhängenden Weide lag. Ich sah frischgestrichene, strahlend weiße Bootswände aufblitzen, bauschige Vorhänge flatterten im Wind, das Deck war mit einer Reling umgeben und machte mit seiner hellen, befransten Marquise einen angenehm kühlen Eindruck.
„Ein Schatz!“ rief ich begeistert aus und sprang an Deck.
Das Innere war köstlich und hatte gerade das richtige Maß von Kaschmiratmosphäre in seinen geblümten Decken, abgeblendeten Lampen und drapierten Vorhängen über den hohen französischen Fenstern. Hinter dem Diwan hing ein sanft getönter indischer Wandbehang vom Plafond bis zum Boden herunter. Das Speisezimmer wirkte in dem Sonnenlicht wie aus Gold, und durch die offene Tür sah ich das Boudoir. Über dem Bett lag eine fröhlich gefärbte Decke, und es gab zwei Nußholzkommoden, eine für Barnum und eine für mich. Wie herrlich würde es sein, sich nach endlosen Monaten des Lebens aus dem Koffer wieder einmal richtig ausbreiten zu können! Es gab eine Speisekammer, zur Verwendung bereit. Und Wunder aller Wunder — es gab auch ein Bad! Den Ausschlag für den Abschluß eines Mietvertrages gab jedoch ein offener Kamin.
Hier war endlich mein Traum Wirklichkeit geworden — unser Flitterwochenboot!
Unsere private Schikara wartete mit roten Kissen und allem, was dazu gehörte, darauf, von uns benützt zu werden. Am Heck des Bootes war ein kleines Küchenschiff befestigt, und unter dem Dach aus Matten schielten der Bootsmann und seine Familie heraus und brachen sich fast den Hals bei dem Versuch, einen Blick auf ihre neue Herrin zu werfen.
Wir begannen unsere Verhandlungen. Der Bootsmann erklärte sich bereit, für fünfundzwanzig Rupien im Monat die Küche zu übernehmen; für fünfzehn Rupien würde sein Sohn Hussan als Träger fungieren. Ferner konnten wir für je fünfzehn Rupien einen Wasserträger haben und einen Mann, der aufräumte. Dazu kamen hundert Rupien für Essen, Treibstoff und ähnliches;

hundertfünfzig Rupien für die Miete und damit Schluß. Und all diese Herrlichkeit gab es für nicht viel mehr als dreihundert Rupien im Monat, das sind hundert amerikanische Dollar! Ich konnte es nicht erwarten, Barnum die freudige Nachricht mitzuteilen. „Hier unsere neue Adresse, Liebling", schrieb ich. „Hausboot Nr. 6, Sunwarbarg, Tal von Kaschmir, Indien!" Solche Flitterwochen würden ein Ersatz für alles andere sein!

Das Leben auf dem Fluß war eine einzige süße Muße. Man glitt von einem Tag in den anderen hinüber, wie der Fluß, man spürte es kaum. Ich wachte von dem Gesang der Vögel auf — Bülbüls, Pirole, Drosseln, Zaunkönige, und das freche Gezwitscher der Sperlinge und Mynahs brachte einen auf die Beine, auch wenn man noch gerne weitergeschlafen hätte. An so manchem Morgen frühstückte ich an Deck und sah zu, wie die schweren Nebel sich langsam hoben und die Sonne heiß und strahlend über der Küste aufging. Man hörte das Geräusch der Ruder, der Wasserspiegel begann zu tanzen, und vom Ufer her kamen Dungas mit ihren spitzen Schiffsschnäbeln — das Wasservölkchen brach auf, um die Geschäfte des Tages zu erledigen.

Die Sonne stand jetzt schon höher am Himmel und lange, schlanke Ruderboote voller Blumen und Gemüse tauchten aus den schwimmenden Gärten von Dal und Nischat auf. Es gab alles. Tomaten, Gurken, Kürbisse, kleine Eierfrüchte, die man auf so viele verschiedene Arten zubereiten kann; oder Lotoswurzeln und Wasserkastanien, wenn man sie gerne aß; Erdbeeren, Melonen und allerlei köstliches Obst der Jahreszeit — alles frisch und reif und direkt bis vor die Tür gerudert.

Kein Wunder, daß dieses auf dem Wasser lebende Volk sich für Nachkommen Noahs hält. Von der Wiege bis zum Grab ist das Leben für sie eine wässerige Angelegenheit, die sie in winzigen Ebenbildern der Arche absolvieren. Alles schwimmt, sogar das Land.

Die Tatsache, daß in der Umgebung der Hauptstadt ein großer Mangel an festem Land herrscht, hat die Kaschmiri, sehr sparsame Leute, auf einen guten Einfall gebracht, um sich manch ein Anna ehrlich zu verdienen. Einige der wohlhabenderen Bauern haben sich schwimmende Gärten angelegt, die aus langen

Streifen von Schilfrohr bestehen, das durch Stämme, die in den Grund des Sees getrieben sind, festgehalten wird. Auf dieses Gestell häufen sie dann Erde und streuen die Saat... Es ist erstaunlich, was dort, praktisch über Nacht, alles zu wachsen beginnt. Hie und da während eines Sturmes löst sich wohl einer dieser schwimmenden Gärten aus seiner Verankerung und geht durch, und es kann geschehen, daß man am nächsten Morgen ein Stück fremden Gemüsegarten auf seinem Deck findet.
Ich verbrachte die sonnendurchtränkten Tage bis tief in die Nacht damit, daß ich über Büchern, die das „glückliche Tal" behandelten, hockte; oder ich nahm mein so traurig vernachlässigtes Tagebuch zur Hand und holte nach, was ich seit jenen unvergeßlichen Worten: „Ja, ich nehme dich zum Manne", versäumt hatte. Ich tat alles und jedes, um die Zeit bis zur Ankunft Barnums zu verkürzen. Ach, all die Vorbereitungen, die ich für sein Kommen traf! All das Putzen und Aufräumen, das Einkaufen und Vorrätebeschaffen! Ich durchstöberte Landkarten und stellte eine Odyssee durch sämtliche Seen und den Dschelum hinauf zusammen und suchte mir Orte aus, wo man haltmachen konnte, um zu fischen — „und Maulbeeren als Köder nehmen", pflegte mich Hussan lächelnd zu erinnern.
Ich dachte mir sogar schon ein Menü für das Mahl der Wiedervereinigung aus. Es sollte eine Gans geben mit Apfelsauce und allem, was dazu gehörte, genau wie daheim zu Weihnachten. Natürlich bestand auch die Möglichkeit, daß ich meine Meinung noch änderte und wir junge Tauben, Huhn, Ente oder Hammel haben würden. „Aber ja kein Rind", sagte der Koch mit einem langen Gesicht, „dies ist ein Hindustaat. Für Ochsen töten ist große Strafe. In alter Zeit Fleischhauer in Öl gekocht."
Heutzutage, wenn irgend jemand aus Versehen ein Kalb oder ein anderes Mitglied einer Rinderherde überfährt, kommt er mit der milden Strafe von bloß sieben Jahren Gefängnis davon.
Aber mit all diesem Pläneschmieden versuchte ich nur die Zeit totzuschlagen, bis mein Mann kommen würde. Er könnte jetzt jeden Tag auftauchen. Ich schrieb ausführliche Briefe über die Landschaft und all die ruhigen Winkel, die so voller Romantik waren. Weinerliche Briefe, leidenschaftliche Briefe. „Hier ist

das Schangri-La für Liebende“, berichtete ich ihm, und immer schloß ich meinen Brief mit den Worten des Dichters Moore: „Gedenke, mein Lieb', es ist die Zeit der Rosen.“ So sentimental war mir zumute.

Im Juni würde das Tal in voller Blüte stehen. Ich durchlebte diesen Monat, indem ich zusah, wie die Rosen blühten und wieder verwelkten. Wann würde er kommen? Würde er je kommen? Ich starb fast vor lauter Warten.

Aber wenn ich mich einmal gar zu einsam fühlte, so gab es ja den Bootsmann und seine Familie. Sie waren so großzügig mit ihrer Zeit und hatten immer kleine Überraschungen bereit. Keine Arbeit war ihnen zu lang.

Da war Hussan, der älteste Sohn, mein Führer, Einkäufer und treuer Schatten. Die zwei jüngeren Buben halfen auf dem Boot. Ich nannte sie „Chotha-wallahs“, „kleine Burschen“. Die gute Frau, die immer das Baby auf dem Arm oder an der Brust hatte, war meine Kaschmiri-Madonna.

Wenn das letzte Tageslicht der einbrechenden Nacht wich, konnte ich sie von meinem Strecksessel auf dem oberen Deck aus sehen, wie sie in dem Küchenboot dicht nebeneinander hockten. Hussan lag ausgestreckt hinten am Heck und zupfte an seiner Sitar — der indischen Version einer Gitarre.

Und dann überwältigte mich plötzlich meine Einsamkeit. „Hussan, pack meine Sachen. Morgen fahre ich zum Sahib“, pflegte ich energisch zu verkünden. Und so erwachte ich jeden Morgen und fand das Gepäck fein säuberlich am Ufer aufgestapelt.

Bei einer Gelegenheit hob ich zufällig einen Koffer auf und bemerkte, daß es sich verdächtig leicht anfühlte. Ich öffnete ihn. Leer! — wie alle anderen.

„Hussan, was bedeutet das?“ verlangte ich zu wissen.

„Um Wahrheit zu sagen, Memsahib, nach erste fünf Befehle, zu packen, schien Zeitverschwendung. Du ohnehin nie abreisen“, war die ehrliche Antwort. Die-Abreise-der-Ladysahib-am-Morgen war unter der Mannschaft zu einem ständigen Witz geworden — eine reine Formalität, wenn sie einen Kater hatte.

Das beste an einem Hausboot ist die Leichtigkeit, mit der man sich ohne die geringste Anstrengung von Ort zu Ort bewegt. Ein

paar Worte zum Bootsmann, und schon schwimmt man davon, samt Haus und allem übrigen, wie auf einem Wunderteppich.
„Die Seen!“ befahl ich eines Tages. Zum Gesang der Kulis, die das Boot vom Ufer abstießen, schwammen wir in den Fluß hinaus. Wir bewegten uns lässig durch den warmen, sonnigen Morgen und durch eine Luft, die süß nach Blüten duftete, und überall, wo man hinblickte, war Lieblichkeit und Schönheit. Felder mit gelben Sumpfdotterblumen, Wiesen voller Mohn und Lilien und traurige Flecken jener violetten Iris, die die schweigende Brust der Toten bedecken. Wir fuhren an rosaweißen Kirschbäumen vorüber, die weich und duftig wie die Puderquaste einer eleganten Dame aussahen, an den luftigen Hütten der Eingeborenen vorbei, die man hinter den dichten Pappelgruppen kaum sehen konnte. Auf ihren Dächern waren kleine Aussichtstürme angebracht, um nach den Bären Ausschau zu halten, die es auf ihre Kornfelder abgesehen hatten. Überall gab es Farben in allen Tonarten, von den dunkel glitzernden Tiefen bis zum blendend weißen Schnee der Berge!
Nachts befestigten wir unser Boot unter irgend einer großen Tschenar. Das sind riesige Bäume, die oft bis zu achtzehn Meter Umfang haben. Manche sind ein paar hundert Jahre alt, in ihre hohlen Stämme sind verschließbare Türen eingebaut — und dort wohnen heilige Männer. Es war alles wie aus einem Märchenbuch.
Hie und da fuhr ich allein mit Hussan in der Schikara spazieren. Sie war leicht und klein, konnte durch die dichte Decke von Lotosblumen gleiten und sich an der Küste entlangschlängeln. Wie viele Stunden habe ich in einer Art Trance, auf der Jagd nach den Großmogulen, deren Regierungszeit das goldene Zeitalter Indiens war, verbracht! Akbar, der Vater, der Hindostan eroberte und ungeheure Reichtümer ansammelte; Dschehangir, sein verwöhnter Sohn, der das väterliche Vermögen auf Lustgärten, herrliche Gebäude und wunderschöne Frauen verschwendete; der Enkel Schah Dschahan, Krieger, Staatsmann, Künstler und Liebhaber, der der Welt jenes architektonische Juwel, den Tadsch-Mahal, hinterließ.
Ich paddelte im Kielwasser ihrer kaiserlichen Barken durch

Ein Tempelwächter in Benares, der heiligen Stadt der Hindus.

Viele Stufen führen zum Ganges hinab, dem heiligen Fluß, zu dem Scharen von gläubigen Hindus aus weiter Ferne gepilgert kommen, um in seinen Fluten zu baden und die Asche ihrer Toten den Wellen zu übergeben.

Junge Inderin mit Opfergaben.

einen Überfluß an rosa Lotosblumen die Wasserwege hinab bis nach Nischat, dem Garten der Freuden, wo Dschehangir seine Rendezvous mit Nur Mahal, der „Sonne seines Palastes", hatte. Einen anderen unvergeßlichen Tag verbrachte ich in Schalimar, dem Ort der Liebe, unter Mandelblüten, glitzernden Springbrunnen und herrlichen Blumenteppichen. Ich träumte mir meinen Weg durch marmorne Pavillons, wo liebliche Damen spielten und Schah Dschahan seine Sommer vertändelte. Dies war der Garten, von dem das Kaschmiri-Lied: „Weiße Hände liebte ich in Schalimar" handelte. Auch *meine* Hände waren weiß in Schalimar, aber wer war da, um sie zu halten? In all dieser Schönheit brauchte man Liebe!

„Aber", schrieb mein fossilienjagender Ehemann zurück, „gibt es denn dort irgend welche Knochen?" Hatte ich in diesem schönen Tal nicht etwas entdecken können, das wie ein „Skink" — eine Wühleidechse — aussah? Der Brief kam aus Tschakwal. Ich trug mich mit der Absicht, ihm zurückzukabeln: *„Nein!* Keine Spur von einem Skink; aber ich kenne ein „Skunk" — ein Stinktier — in einem Ort namens Tschakwal."

Dann kam mir eine glänzende Idee. Warum sollte ich nicht die altbewährte Kaschmirimethode bei ihm anwenden? Und so schrieb ich, daß es hier „Skinks" zu Dutzenden gebe, und daß die Ufer des Dschelum von Knochen geradezu wimmelten. Aber er biß nicht an.

Ich nehme an, daß ich ihn in meiner Rolle als Knochenjägerin sowieso schon enttäuscht hatte. Hier, in all der Schönheit um mich herum, hatte ich mein Herz, das in dem Staub prähistorischer Zeiten vorübergehend verloren gegangen war, wiedergefunden. Meinetwegen konnte er dort unten in der heißen Ebene vertrocknen; ich machte eine Reise den Dschelum hinauf! Wenn es sich gerade ergab, könnte ich ja vielleicht nach Knochen Ausschau halten. Aber nur sehr vielleicht!

Der Dschelum ist ein Fluß, der seine Quelle in der Vergangenheit Indiens hat, und sein oberer Lauf ist von Ruinen uralter Städte eingesäumt, die in ihrer traurigen Verfallenheit immer noch etwas von der Größe einstiger Herrlichkeit widerspiegeln. Da lag Avantipur, die alte Hauptstadt, eine eindrucksvolle Mi-

schung von alt und neu, mit Hütten, die in den Überbleibseln alter buddhistischer Tempel erbaut waren.
Es ging weiter hinunter in das Land der Vergangenheit. In Islamabad verankerte ich das Boot und ritt durch das Land, an dem Brunnen der heiligen Fische vorüber, die von heiligen Hindumännern gefüttert werden, weiter und weiter bis zum Tempel der Sonne. Er liegt auf einem hohen Plateau und ist der größte Tempel Kaschmirs, in einem ausgeprägt indo-griechischen Baustil. Der Ort hieß Martand.
All diese Geisterstädte werden von den tausend Jahre alten Schatten einstiger Kaschmirkönige bevölkert — von dem mächtigen Laladitja, der den Tempel der Sonne erbaute; von Avanti, dem Guten, der seine Hallen mit Schätzen füllte; von Schankara, dem Bösen, der sie raubte; von der schlechten Königin Didda, der letzten Hindu-Herrscherin, und von Mahmud, dem ersten mohammedanischen König Indiens.
Ihre Ruinen stehen heute noch, der Dschelum fließt immer noch nach Süden zum Meer, und immer noch kommen und gehen Scharen von Eroberern. Nichts stört den zeitlosen Schlaf Indiens. Aber vielleicht naht jetzt die Zeit seines Erwachens.
Als ich nach Srinagar zurückkehrte, erwarteten mich Briefe in Hülle und Fülle — aber kein Ehemann. Ich tröstete mich mit dem Gedanken, daß er bestimmt zur Lotosblütenzeit hier sein würde. Aber die Lotos warteten nicht, und während sie zu voller Pracht erblühten, welkten meine Flitterwochenhoffnungen dahin. Ich eilte zum Wular-See, durchschwamm seine Gewässer, von denen behauptet wird, daß sie eine viertausend Jahre alte Stadt bedecken, und ruderte hinaus zu der Insel, die angeblich auf einem Tempel dieser versunkenen Stadt erbaut wurde.
Wieder zurück nach Srinagar — und dort eröffnete ich einen Pendelverkehr zwischen Post und Boot. Schließlich kam ein zerknitterter Zettel an, den Barnum offensichtlich in großer Eile hingekritzelt hatte. „Ich liebe dich", hieß es da, „ich liebe dich — *aber* ..."
Es verging ein anderer Tag. Ein zweiter. Dann war ein Telegramm in meiner Post! Also kommt er endlich doch! Ganz schwach vor Aufregung riß ich es auf und las: „Kaschmirreise

abgeblasen. Abreise nach Belutschistan, treffet mich in Rawalpindi."
Minutenlang saß ich regungslos da. Dann schickte ich ein Telegramm ab: „Kann kaum erwarten dich zu sehen. Herrliche Nachricht über Belutschistan. Kehre sofort nach Rawalpindi zurück."
Lebet wohl, ihr meine Träume von Liebe in Schalimar, zur Begleitung einer Zither und Gedichten von Laurence Hope. Mein Traum endete in einer wilden Hetzjagd nach neuen Knochen in neuen gottverlassenen Ländern an der Wildwestgrenze von Indien.

DER NAWAB BEDAUERT

„Wir sind hinter einem Baluchitherium her", sagte Barnum und wedelte mit einem Telegramm aus Amerika in der Luft herum. „Das ist mehr wert als zehn Flitterwochen."
„Ich habe noch nie etwas von dem Biest gehört", gab ich zurück.
„Na, dann ist dir aber eines der kolossalsten Tiere entgangen. Nach einem Dinosaurus ist ein Baluchitherium so ungefähr das größte Ding unter den Fossilien. Zu seinen Lebzeiten war es ein riesiges hornloses Rhinozeros. Seine Schulterhöhe maß zirka fünfeinhalb Meter und es hatte einen ein Meter zwanzig langen Schädel. Diese Eigenschaften machen es zu dem größten uns bekannten Landsäugetier."
„Der Präsident des Museums, Osborn, möchte gern, daß wir ein möglichst vollständiges Skelett von diesem Tier auftreiben", sprach er aufgeregt weiter. „Ich nehme an, daß wir am besten dort anfangen, wo die ursprüngliche Entdeckung gemacht wurde — in den Bugti-Bergen von Belutschistan."
Die Bugti-Berge aber waren Grenzgebiet und als solches in dem üblichen Zustand eines politischen Durcheinanders. Der normale gesellschaftliche Verkehr zwischen der schießfreudigen Bevölkerung bestand aus Streit und Kampf und noch ärgerem; Leute aus dem Bugti-Stamm schossen auf ihre eigenen Stammesbrüder, und Waziris machten wiederum auf Waziris Jagd. Und wenn es

einmal nichts mehr zu kämpfen gab, so fanden sich immer ein paar Pathans oder Afridis, mit denen man sich die Zeit durch ein kleines Kriegerl vertreiben konnte.
Daß diese Atmosphäre der friedlichen Jagd auf Knochen nicht besonders bekömmlich war, wurde uns in der Grenzstadt Dschakokabad gründlich klargemacht. Ein paar wohlmeinende Engländer versicherten uns, daß wir kein leichtes Spiel in den Bugtis haben würden. Sie rieten uns von einer Expedition ab; wir seien viel zu jung, um zu sterben.
Wir wurden mit haarsträubenden Geschichten über weiße Männer ergötzt, die in die Berge gezogen waren und die man nie wieder gesehen hatte. Wahrscheinlich waren sie Opfer des „Haut-Spieles" geworden. Das war ein äußerst beliebter Sport unter den Afridifrauen. Sie wickelten ihren Gefangenen in ein enges Netz, schärften ihre Messer und entledigten ihn sanft und sorgfältig aller Haut, die aus den Maschen hervorquoll. Dann wurde der arme, arme Bursche von neuem eingewickelt und abgeschabt, und so ging es weiter, bis er bei lebendigem Leib vollständig enthäutet war. Ameisen ersparten ihnen die Begräbniskosten. Während wir zuhörten, versorgten uns unsere freundlichen Gastgeber mit einigen Metern an Formularen für den Fall, daß ihre Geschichten uns noch nicht genügend entmutigt hätten.
Aber sie kannten meinen Barnum nicht. Die Opposition erhärtete nur seinen Entschluß, ein Baluchitherium auszubuddeln, und wenn es ihn das Leben kostete! Er diskutierte. Er schmeichelte. Er redete ihnen gut zu. Er sprach von dem Vorwärtsstürmen der Wissenschaft, von britischem Sportgeist — und schließlich erreichte er, was er wollte. Die offiziellen Schranken fielen, und die Angelegenheit wurde an den eingeborenen Herrscher, den Nawab der Bugtis, weitergegeben. Wenn es meinem Mann gelang, *seine* Zustimmung zu bekommen, würde der imperiale Segen folgen.
Nur eine Schwierigkeit lag noch im Hinterhalt. Der Nawab war zur Zeit gerade mit einem Staatsfest — dem Durbar-Fest in Sibi — beschäftigt. Das bedeutete eine unabsehbare Verzögerung, bis unser Gesuch auch nur in die Nähe des königlichen Ohres gelangen würde.

„Warum warten?“ meinte Barnum. „Sibi liegt nicht einmal hundertfünfzig Kilometer nördlich von hier. Ich werde das Eisen schmieden, solange das Durbar-Fest heiß ist, und den alten Knaben einfangen, wenn er sich in festlicher Stimmung befindet.“ Sprach's und bestieg den Zug nach Sibi.

Er kam zurück und war von dem Erfolg seiner Reise sehr begeistert. Nachdem der Nawab seinen offiziellen Astrologen konsultiert hatte, hatte er die uneingeschränkte Bewilligung zur Erforschung des Landes gegeben. Er machte nur eine Bedingung: wir mußten zu unserer Sicherheit unter militärischem Schutz reisen.

Während wir uns nach einer Leibgarde umsahen, kam eine sehr kurze und bündige Mitteilung aus Sibi. Seine Hoheit der Nawab hatte seine Meinung geändert. Die Expedition war abgeblasen. Nach einer Konferenz mit seinem Finanzminister war der Bugtihäuptling zu dem Resultat gekommen, daß Amerikaner zu teuer seien. Der letzte von ihnen, ein Ölgeologe, der innerhalb seiner Grenzen von Pathans überfallen und getötet worden war, hatte ihn 20.000 Dollar Schadenersatz, zahlbar an die Witwe, gekostet.

Noch einmal wandte sich Barnum an die britischen Autoritäten und gebrauchte jedes Argument, das ihm einfiel.

„Es tut uns leid, altes Haus“, sagten sie. „Dieses Gebiet gehört dem Nawab. Man kann ihm nicht hineinpfuschen, wissen Sie.“

Schweren Herzens kabelten wir unsere schlechten Nachrichten an das Museum. Die Antwort nahm uns den Atem. Wir sollten alle Pläne für das Belutschistan-Unternehmen fallen lassen, mit Indien Schluß machen und die Vorbereitungen für eine Expedition in das Innere von Burma treffen.

Burma! In genau drei Stunden waren wir in dem Zug nach Rawalpindi, und Belutschistan war nur noch eine Erinnerung. In Rawalpindi vertrödelten wir nicht mehr Zeit, als wir brauchten, um die nicht erledigten Angelegenheiten, die mit unserer Pandschabarbeit zusammenhingen, zu regeln und um die schwere Ausrüstung nach Kalkutta einzuschiffen.

Das Museum bekam sein Baluchitherium — aber nicht aus Belutschistan. Ein paar Monate später sollte Roy Chapman Andrews, der damals gerade mit einer Expedition in der Mongolei

war, in der Wüste Gobi einen Schädel und Teile eines Skeletts dieses riesigen Ungetüms entdecken.
Eines nur verzögerte ein wenig unseren Aufbruch von Rawalpindi, und das war Abduls Unentschlossenheit, ob er uns nach Burma begleiten sollte. Der Gedanke war uns gräßlich, daß wir ohne den großen, tüchtigen Burschen fertig werden sollten, aber wir wollten ihn nicht gegen seine Überzeugung dazu drängen. Er sagte uns schließlich, daß gewisse Familienangelegenheiten es ihm ratsam erscheinen ließen, nicht so weit von zu Hause wegzureisen.
Er kam zum Abschied mit auf den Bahnhof, und ich werde den Moment der Trennung nie vergessen. Als der Zug langsam anfuhr, winkten wir ihm ein letztes Lebewohl zu. Ich konnte ihn sehen, wie er dort gegen eine Säule gelehnt stand, und während wir davonrollten, schien der große Mann dahinzuwelken und zusammenzuschrumpfen. Er hatte den Kopf etwas zur Seite geneigt und schnitt, im Kampf gegen die Tränen, wilde Grimassen. Plötzlich packte er mit der Hand das lose Ende seines Turbans, hob es an die Augen und bedeckte sie. Ich wußte, er schluchzte.
Ich weinte auch. Unser wunderbarer Heinzelmann, unser Riese — jetzt wirkte er mehr wie ein kleiner, verlassener Bub. Was würden wir ohne ihn anfangen?
„Abdul Azziz . . .“ Barnum sprach den Namen langsam aus. „Wir werden nie wieder seinesgleichen treffen.“
Und so war es auch.

DINER BEIM MAHARADSCHA

Wir unterbrachen unsere Reise nach Kalkutta mit einem Aufenthalt in Patiala, wo Barnum den Maharadscha besuchen sollte, um ihm einen geologischen Bericht über das Land zu geben, das er für ihn untersucht hatte.
Ein schwarzer Rolls-Royce holte uns am Bahnhof ab und sauste mit uns zum Palast. Dort empfing uns der königliche Sekretär, ein

Engländer, und geleitete uns, nicht etwa zum Audienzsaal, sondern zu einem riesigen, grasbewachsenen Sportplatz, der von Zuschauern in Turbans, Khaki und weißem Leinen umgeben war, die alle mit großer Spannung einem Cricket-Match zusahen. Er machte uns an der einen Seite einen Platz frei, zwei dunkle Diener brachten Korbsessel und Getränke, mit deren Hilfe wir die Geheimnisse der englischen Version des Base-Ball-Spieles zu enträtseln versuchten.

Der Sekretär wies auf einen der Spieler, der um einen Kopf größer war als die anderen. „Der Maharadscha", erklärte er. „Nach Polo ist Cricket sein Lieblingssport. Er ist der Captain der Patiala-Mannschaft, müssen Sie wissen; und er ist eine Kanone. Wir haben einen sehr guten Vorsprung vor Benares."

Der Mann winkte einem britischen Ehepaar zu, das in unserer Nähe stand, und wandte sich dann wieder an uns. „Seine Hoheit hat sich schon darauf gefreut, Sie zu treffen und etwas über Ihre faszinierende Arbeit zu erfahren. Seine Hoheit hofft, daß Sie heute nacht an dem Kostümball teilnehmen werden."

Barnum und ich sahen uns erstaunt an. Kostümbälle waren in unseren knochengrabenden Reiseplänen nicht vorgesehen.

Inzwischen hatte sich uns das britische Ehepaar genähert. Sie entpuppten sich als George Burrows und Frau — Chefgärtner des Maharadscha. Nachdem der Sekretär uns verlassen hatte, vertrauten wir ihnen den traurigen Zustand unserer Garderobe an.

„Das werden wir gleich haben", sagte Mrs. Burrows, „Georges Diener kann für die Ausstattung von Mr. Brown sorgen, und mein Schneider ist ausgesprochen genial in der Erfindung von Kostümen in der letzten Minute."

Wenn es wirklich so etwas gibt wie eine Märchenfee, so war es diese liebenswürdige englische Dame. Und ich war ein sehr aufgeregtes Aschenbrödel. Sie zauberte mein abgetragenes Reisekostüm hinweg, und an seiner Stelle erschien eine Kreation in Rot, Weiß und Blau auf meinem Leibe, die, wie sie sagte, durch die amerikanische Flagge inspiriert worden war.

Mein Märchenprinz war der Scheich von Arabien — Barnum in fließenden Gewändern, einen wollüstigen Schimmer in den Augen und einen mit Juwelen bedeckten Dolch im Gewande.

Als wir an diesem Abend in der Halle des Palastes standen und darauf warteten, vorgestellt zu werden, überkam uns ein Gefühl, als ob wir plötzlich aus der Gegenwart herausgefallen und auf der Türschwelle irgend eines mittelalterlichen Palastes gelandet seien. Für uns lag ein Schimmer des Unwirklichen über dieser Halle. Jenseits des hohen Türbogens erstreckte sich in Weiß und Gold und in endloser Länge der Ballsaal. Wir sahen Gäste, die als leuchtende Farbflecke in dichten kleinen Gruppen herumstanden, und das Summen der Stimmen wurde von einer merkwürdigen exotischen Musik übertönt, die dem westlichen Ohr fremd war.
Hie und da teilte sich die Menge, und man sah für einen Augenblick den Maharadscha selber. Selbst auf diese Entfernung war etwas Majestätisches an ihm, eine erhabene Einsamkeit, wie bei einem Berg, der allein auf einer Ebene steht. Um ihn herum kreisten seine Hofleute auf vorgeschriebenen Bahnen wie Planeten, die sich um die Sonne bewegen — und dann zog wieder eine Wolke von Chiffon oder Tüll oder einem Goldgewebe vorüber und verbarg ihn unseren Blicken.
Die Gäste wurden Seiner Hoheit in kleinen Gruppen, einzeln oder in Paaren vorgestellt. Mir wurde fast schwindlig vor Aufregung, während ich beobachtend und lauschend darauf wartete, daß wir an die Reihe kamen.
Dann war es so weit. Wir hörten, wie unser Name von einer klaren Stentorstimme ausgerufen wurde: „Mr. und Mrs. Brown aus New York City.“ Ich ergriff Barnums Arm und wir segelten auf den frisch polierten Fußboden hinaus, an einem Meer von Gesichtern vorüber, bis wir vor dem Prinzen haltmachten.
Er war recht einfach in das Kostüm eines schottischen Hochländers gekleidet. Jedoch an seiner Seite stand das Double Seiner Hoheit, ein langer, blonder Schotte in den königlichen Gewändern und Juwelen.
Mein Mann verbeugte sich. Ich machte einen Knicks. Der Maharadscha neigte sich vor. „Willkommen in Patiala“, sagte er und fügte in gemachter Strenge hinzu: „Ich hatte gehofft, Sie würden mich früher besuchen.“
Wir stellten uns an der Seite auf und machten Platz für die

nächsten Gäste. Es war vorüber. Ich gab einen Seufzer der Erleichterung von mir. Barnum drückte meine Hand.
Das Diner war ein Ereignis. Seine Hoheit ging voraus und hinter ihm strömten die Gäste in den anschließenden Bankettsaal, wo an drei Seiten lange weiße Tische aufgestellt waren. Sie waren von einer Fülle von Blumen bedeckt, und die Gedecke bestanden aus Gold und Kristall, das in dem Licht der großen Kandelaber glitzerte.
Ein Beamter placierte Barnum und mich an der linken Seite des Maharadscha. Hinter den Gästen standen livrierte Diener, die mit leisen, schnellen Bewegungen jeden Wunsch vorauszuahnen schienen.
Aus der Küche strömten die Herrlichkeiten herein: große silberne Schüsseln mit Filet de Pomfret; Platten mit gebratenem Hammel und großen Scheiben von Yorkshireschinken; mehr silberne Schüsseln mit unzähligen Arten von Chutney und indischen Zutaten; gebratene Brust von Perlhühnern; dampfende Haufen von Reis-Pilaw, dicht bedeckt mit Nüssen und kandierten Früchten. Es gab weiße Weine, rote Weine, Champagner und alle möglichen Sorten von Süßigkeiten. Das Klirren des Kristalls vermischte sich mit dem Geräusch lachender Stimmen.
Es war leicht, mit Seiner Hoheit Konversation zu machen. Leutselig, aber ohne eine Spur von Herablassung, besaß er die unter Hindus seltene Gabe des Humors. Oft erfüllte sein dröhnendes Lachen die Halle, gefolgt von dem Geplätscher zustimmenden Gekichers am ganzen Tisch. Wir sprachen über alles mögliche, über Barnums Arbeit, über die bevorstehende Reise nach Burma, über Amerika. Aber meistens sprachen wir über den Maharadscha.
Er war ein Sikh, ein Mitglied jener edlen Rasse kampffreudiger Männer, die den Engländern so viele treue und fähige Mitarbeiter für die Verwaltung Indiens schenkte. Obwohl er gleich einem mittelalterlichen Prinzen in seiner eigenen Welt lebte, dachte dieser Mann, zumindest in politischer Hinsicht, sehr modern. Sein Traum war der Status eines Dominiums für Indien, in dem jeder einzelne Staat an der Regierung des vereinigten Ganzen teilnehmen sollte. Später, während er achteinhalb Jahre die Stelle

eines Kanzlers im „Chamber of Princes“ innehatte, richtete er alle seine Bemühungen auf dieses Ziel und wurde einer der eifrigsten Vorkämpfer für die Rechte der indischen Staaten.
Im Laufe der Mahlzeit wandte sich das Gespräch seinen Königinnen, den Maharanis, zu. Es gab ihrer sechs, eine für jeden Tag der Woche außer Sonntag. „Und ich bin auf der Suche nach einer siebenten“, fügte der Maharadscha mit einem Augenzwinkern hinzu. Barnum hustete und stieß mich mit dem Ellbogen an.
Seine Hoheit schien unsere Gedanken zu erraten und blickte auf eine vergoldete Gitterwand am Ende der Halle. „Meine Königinnen waren den ganzen Abend mit uns beisammen — sie sehen alles, aber können nicht selber gesehen werden“, sagte er. „Sie können sicher sein, Mrs. Brown, daß sie Sie genau geprüft haben. Als Amerikanerin sind Sie für sie von großem Interesse. Sie haben sehr viel über die Freiheit der Frauen in Ihrem Lande gehört, und obwohl sie Sie wegen dieser Freiheit bewundern, beneiden sie Sie nicht. Es liegt in der Natur der indischen Frau, Sicherheit über persönliche Freiheit zu stellen. Eines Tages werden sie vielleicht danach verlangen, den Männern gleichgestellt zu werden. Aber wenn man es jetzt täte, wäre das so, als ob man einen Kanarienvogel plötzlich im Dschungel freiließe.“
Während er sprach, legte von hinten her eine Hand etwas neben meinen Teller. Ich blickte es an. Es war eine Musikkassette. Sie war klein, rund, mit zarten Zeichnungen verziert, und ein winziges Meißner Porzellanpärchen drehte sich auf ihrem Deckel im Takt des Kaiserwalzers.
„Ein kleines Andenken an Ihren Besuch in Patiala“, flüsterte Seine Hoheit.
Nach dem Essen verschwanden der Maharadscha und Barnum in Begleitung einiger Staatsminister durch eine große Tür. Ich wurde mit dem Double Seiner Hoheit, dem juwelenbedeckten Schotten, zurückgelassen.
Laut seiner eigenen vorsichtigen Schätzung trug er Juwelen im Werte einer guten Million auf seiner Person herum. Dies war ein Teil des Sieben-Millionen-Dollar-Schatzes, der in den königlichen Gewölben aufbewahrt wurde. Der Saum seines großen weißen Turbans war mit mehreren Reihen der berühmten schwarzen

Patialaperlen verziert. Stränge und Kolliers von Diamanten hingen in einem glitzernden Durcheinander von seinen Schultern herab und endeten in einem Solitär von der Größe eines Taubeneies. Ein Gürtel aus weißen, milchigen Perlen war um seine Taille geschlungen. Über seinem Herzen erstrahlte ein herrlicher Brillantstern.

Ich war völlig bezaubert. Und ich sagte ihm das.

„Ja! Und es wird noch einmal mein Tod sein", antwortete der Schotte mit einem kurzen Auflachen. „Es kann jeden Moment passieren, daß mir einer einen Dolch in den Rücken stößt, während ich diese verdammten Steine herumtrage."

„Jedenfalls sind Sie, wie sich's zeigt, ein Mensch, in den man Vertrauen setzen kann."

„Das ist es auch nicht, meine Dame. Seiner Hoheit wäre es ziemlich egal, wenn ich mit ihnen davonliefe. Er hält viel mehr von seinen britischen Militärorden als von diesem Tand."

Irgendwie glaubte ich das auch. Sir Bhupindre Singh gehörte zu dieser Sorte Menschen.

Der Schotte und ich schlenderten auf die Terrasse hinaus. Die Nachtluft war kühl, und ein heller Mond erleuchtete den Palast und seine Umgebung. Im Schatten der Nacht konnte ich die Lichter und dunklen Umrisse vieler Gebäude erkennen und ließ sie mir von meinem Begleiter erklären. Er zeigte mir die sechs Paläste der Königinnen, die an den Hauptpalast, den Moti Mahal, anschlossen; den sorgfältig bewachten Kinderpalast, wo die königlichen Nachkommen von europäischen Lehrern und Gouvernanten aufgezogen wurden, die kaiserliche Garage mit ihrer Sammlung von siebenundachtzig Autos. Die anderen Gebäude versanken in der Dunkelheit.

Immer, wenn ich an Patiala zurückdenke, tue ich das mit einem Gefühl von Unwirklichkeit, als ob es diese Nacht niemals wirklich gegeben hätte und sie nur ein Traum gewesen wäre. Immer noch kann ich die Türme sehen und die Musik hören, aber in der Erinnerung wird alles undeutlich und verschwommen. Es ist wie irgend eine exotische Geschichte von etwas lang Vergangenem, die meine Mutter mir erzählt haben könnte, um mich in Schlaf zu wiegen.

Nur die Musikkassette beweist mir, daß der Traum Wirklichkeit war. An ihrem Mechanismus ist irgend etwas geschehen: die kleinen Figuren sind still; sie tanzen nicht mehr und die Musik spielt nicht mehr. Es war ein zartes Gebilde, das für sanftere Zeiten bestimmt war, als es die unseren sind. Aber irgendwie — zerbrochen und still — ist seine Verbindung mit der Vergangenheit jetzt noch stärker, denn nun weiß ich, daß meine Erinnerungen an Patiala zu dem wirklichen Indien gehören, das einmal *war*.

Die Welt der Maharadschas hat ein Ende gefunden. Viel Böses ist mit ihr dahingegangen — aber auch Schönheit und Ritterlichkeit und Ehre.

ZWEITER TEIL

Burma

„Die Reichtümer eines Mannes
sind die Gedanken seines Herzens.“

Gautama Buddha

EIN BISSCHEN TEXAS

Safari in Burma!

Zwei Monate lang dachten Barnum und ich an kaum etwas anderes. Bei Tag machten wir Pläne und bei Nacht träumten wir davon. Es war wie ein Lied in unseren Herzen, ein fortwährender Refrain — Safari, Safari, Safari. Indien schien tausend Jahre her zu sein und am anderen Ende der Welt zu liegen. Wir lebten jetzt in der Zukunft. Was für Wunder mochten vor uns liegen? Welch neue Geheimnisse gab es zu erforschen? Je eher wir aufbrachen, desto eher würden wir es wissen.

Wir verliebten uns auf den ersten Blick in die fröhlichen Birmanen. Unsere ersten Wochen in ihrem glücklichen Land vergingen wie ein Tag, und wir erhaschten im Vorübergehen nur flüchtige Blicke auf Land und Leute: Rangun, verschwommen und unruhig; im Nachtzug nach Prome; im Flußdampfer den Irawadi hinauf. Wir fachsimpelten mit dem Schiffer, und zur Begleitmusik des träge vorüberfließenden Flusses hoffte und plante und dichtete unsere Phantasie.

Wir verließen das Boot an einem Ort namens Yenangyaung, der seinem Namen „Bucht des riechenden Wassers" alle Ehre macht. Überall atmeten wir den dicken Dunst von Rohöl ein, und die Ufer waren mit den öligen Rückständen bedeckt.

Drei Meilen östlich des Flusses, in einer Gegend, die mehr Wüste als Dschungel ist, erhob sich ein Wald von Bohrtürmen, deren Mehrzahl der britisch kontrollierten Burma-Ölgesellschaft gehörte. Barnum, der immer an allem interessiert war, was aus der Erde kam, egal ob fest oder flüssig, dachte nicht daran, die Gelegenheit zu versäumen, dieses größte aller birmanischen Ölfelder zu sehen, das außerdem noch eines der ältesten der Welt war.

„Was würden sonst meine Kollegen drüben am Petroleuminstitut sagen!" rief er aus.

Einer der Inspektoren, der als unser Gastgeber fungierte, war Mr. T. S., ein langer, dünner Mann, von einem jahrelangen Leben in den Tropen gebräunt, dessen gedehnte Sprechweise es nicht verleugnen ließ, daß er aus Texas stammte.

„Ich freue mich sehr, euch kennenzulernen, Leutchen", begrüßte er uns. Und er freute sich wirklich. Da gab es keinen Zweifel. Nach der Art, wie er uns fast die Arme ausriß, hätte man denken können, daß wir ein Paar alte Amigos aus San Antonio seien. Er beauftragte seine Leute, ein kleines Bambus-Bungalow mit hohen Stelzbeinen, Fachwerkwänden und Grasmattenteppichen für uns zurechtzumachen. Und so führten wir sieben herrliche Tage und Nächte lang ein sehr lustiges Leben.

Unsere Abende verbrachten wir in dem Klub des Ortes, wo ein mandeläugiger Barmixer in rosaseidener Badehaube (der birmanischen Baung-gaung), seidenem Hemd und weißer Leinenjacke herumwirbelte und in silbergravierten Bechern eisgekühlte Getränke servierte. Limonensaft, Bier, Cocktails und das Feuerwasser der Gegend, das aus Palmensaft gewonnen wurde und „Toddy Collins" hieß, standen zuoberst auf der Liste. Das Nachtmahl war richtige „Hausmannskost" mit Dillen-Pickles, Obstkuchen und dem Nektar der Götter: amerikanischem Kaffee. Wir lebten mit ganzer Seele und mit ganzem Magen!

Nach dem Kaffee kam die Manilazigarre. In einer schwarz- und goldlackierten Kassette wurden köstliche Glimmstengel von dreißig Zentimeter Länge und fast vier Zentimeter Dicke herumgereicht. Die besten unter ihnen enthielten Tabak, Gewürze, Bestandteile von Baumrinde und eine Prise Opium.

Der Großteil des Personals auf dem Ölfeld waren Amerikaner, und es war herrlich, wieder einmal unter Landsleuten zu sein. Bis spät in den Morgen hinein, oder solange die Manilazigarren ausreichten, saßen wir herum und unterhielten uns, holten die Neuigkeiten nach, die wir versäumt hatten, und erzählten uns mehr oder weniger witzige Geschichten. Ich glaube, die Nacht, in der wir uns am besten unterhielten, war bei einem sogenannten „Mondscheinpicknick". Die Party bestand aus drei Ehepaaren und zwei lustigen Junggesellen. Palmen, Pagoden und orientalische Musik hatten wir im Überfluß. Für ein Mondscheinpicknick

Rangun. Reichgeschmückte Tempel und Heiligtümer zeugen von der Eigenart Burmas.

Die goldene Pagode, Shwe Dagon, in Rangun,
das berühmteste Heiligtum Burmas.

war alles vollkommen. Das heißt alles, außer dem Mond. Von dem war auch nicht die leiseste Spur zu sehen.
Wir verbrachten unsere Tage inmitten des staubigen Getöses von Bohrtürmen. Wir rochen das Rohöl, spürten die Geschäftigkeit und Erregung der Menschen, hörten das Gerassel und Krachen der Bohrgeräte, das Stoßen der Pumpen, das pausenlose „Quieck-Quack" der Hebel und das Surren der Winden, über die, zu dem heiseren Geschrei der Bohrer, die Kabel liefen. Diese Männer waren alle aus Oklahoma, Texas und Kalifornien und hatten einen dreijährigen Vertrag mit der Burma-Gesellschaft unterschrieben. Wenn ich sie sprechen hörte, bekam ich Heimweh.
Wir fuhren mit unserem Gastgeber T. S. in seinem großen Buick zwischen den Bohrtürmen herum und hörten ihm zu, wie er uns die verschiedenen Einrichtungen erklärte.
„Die Gesellschaft hat zwölfhundert moderne Bohreinrichtungen in diesem Sektor aufgestellt", sagte er. „Sie ergeben gut über dreieinhalb Millionen Hektoliter Öl pro Jahr. Die besten Ergebnisse haben wir in einer Tiefe von neun- bis zwölfhundert Meter."
Barnum bemerkte, daß die Quellen sehr nahe beisammen lägen; viele der Bohrturmgestelle griffen tatsächlich übereinander.
T. S. lächelte. „Ja. Ich nehme an, daß wir mehr Bohrlöcher pro Quadratkilometer haben als irgend ein anderes Ölfeld der Welt. Das rührt von dem alten System her, nach dem man hier das Land parzelliert hat. In den alten Tagen, als die birmanischen Könige die Schürfrechte in diesem Teil des Landes vergaben, wurden die Landparzellen so nahe nebeneinander aufgeteilt, daß die Quellen nie mehr als zwölfeinhalb Meter voneinander entfernt waren. Als die Engländer kamen, erhöhten sie diesen Abstand auf achtzehn Meter, aber sie liegen immer noch so dicht beieinander wie die Sardinen."
„Sie müssen wissen", fuhr er fort, „daß dies ein sehr altes Ölfeld ist. Man behauptet, es sei schon seit siebenhundert Jahren in Funktion. Aus dem Tagebuch eines Chinesen, der ‚Yen' im späten 13. Jahrhundert besucht hat, geht hervor, daß es schon damals auf vollen Touren gearbeitet hat."
Das Auto blieb vor einer sehr bejahrten hölzernen Konstruktion

stehen, an der Eingeborene arbeiteten. „Dies ist eines der alten handbetriebenen Ölbohrlöcher", erklärte T. S. „Es gibt hier deren sechzig, die heute noch in Betrieb sind. Sie werden ‚Twinzas' genannt."

„Twinzas?"

„Das kommt von dem Titel, der den ursprünglichen Schürfrechtinhabern gegeben wurde. Es bedeutet ‚einer, der sich sein Leben damit verdient, daß er eine Ölquelle besitzt'."

Wir beobachteten die braunhäutigen Birmanen, die geschäftig um den Bohrturm hasteten. T. S. erzählte uns, daß in einer Tiefe von fast hundertzwanzig Meter, am Boden des Bohrloches, ein eingeborener Taucher das frische Rohöl aus dem Ölsand in einen Petroleumkanister schöpft, der mehr als zwanzig Liter faßt. Er ist nackt bis auf ein Badehöschen und einen Taucherhelm, der durch einen Schlauch mit der Oberwelt verbunden ist, von wo ihn zwei Männer, Mitglieder seiner Familie, mit Luft aus einer Sauerstoffpumpe versorgen.

„Für solch ein Bohrloch sind etwa fünf Hektoliter am Tag ein sehr guter Durchschnitt", sagte T. S. „Der Taucher bleibt je nach den Bedingungen stets ein bis zwei Stunden lang unten und arbeitet bei dem Licht, das von diesem Spiegel dort drüben reflektiert wird." Er wies auf einen Spiegel, der in einem schrägen Winkel über der Bohrlochöffnung befestigt war, und fuhr dann fort: „Vor langen Jahren, bevor noch Taucherhelme benützt wurden, konnte ein Mann immer nur eine halbe Minute in der Grube bleiben; in dieser Zeit grub er wie ein Verrückter und versuchte, so wenig Gas wie möglich einzuatmen. Danach brauchte er eine halbe Stunde, um sich wieder zu erholen. Zwanzig Abstiege pro Tag waren seine Höchstleistung."

Im nächsten Augenblick ertönte ein Schrei von einem der Arbeiter, der damit eine Gruppe von Kulimädchen in Bewegung setzte. Wir hatten sie schon vorher bemerkt, wie sie in einer Reihe hintereinander neben der Quelle standen. Nun ergriff jede von ihnen, wie beim Seilziehen, einen Teil des Strickes, der über eine ausgekerbte Winde hinunter in den Schacht führte, und zog und zog, bis ein kleiner, dürrer Taucher, der von Kopf bis Fuß mit schwerem, dunklem Öl bedeckt war, an die Oberfläche kam.

„Eine schwere Arbeit für zwei Rupien pro Tag“, meinte der Texasmann. „Das sind nur ungefähr fünfundsechzig Cents in unserem Geld, müssen Sie wissen. Die Männer an der Pumpe bekommen drei Rupien und die Seilmädchen ungefähr acht Annas, das sind fünfzehn Cents. Ein ziemlicher Unterschied zwischen ihrem Lohn und den vierzig Rupien, die unsere Männer pro Tag einstecken.“

„Wie lange brauchen sie, um so ein Bohrloch auszuheben?“ fragte ich.

„Für eines mit hundertzwanzig Meter Tiefe? Ungefähr zwei Jahre. Wir mit unserer modernen Ausrüstung brauchen nicht einmal eine Woche. Natürlich sind nicht alle ihre Löcher so tief. Die meisten erreichen sechzig bis neunzig Meter. Das ist die höchste Schicht, in der man Öl finden kann.“

„Sie benützen eine kleine Handhacke zum Graben“, berichtete er weiter, als er unser aufrichtiges Interesse bemerkte. „Indes das Bohrloch immer tiefer wird, werden die Wände mit Brettern ausgekleidet. Wenn sie auf eine harte Sandsteinschicht stoßen, so zertrümmern sie sie mit einem schweren, spitzen Eisengewicht, das an einem Seil von einer Holzstange herunterhängt. Es hängt dort, und wird mit der Spitze genau auf den Mittelpunkt des Loches gerichtet. Wenn sie das Seil dann durchschneiden, stürzt das Gewicht herunter und hat so viel Wucht, daß es den härtesten Felsboden zertrümmert. Dann wird ein Mann hinuntergelassen und das Gewicht mit einem Seil wieder eingeholt.“

„Zweifellos sehr wirkungsvoll . . . aber primitiv“, bemerkte Barnum.

„Ja, primitiv ist es wohl, Mr. Brown“, stimmte ihm der Inspektor zu. „Schon vor zweitausend Jahren galt diese Methode als veraltet. Wissen Sie, daß die Chinesen lange vor Christi Geburt mit Bronzebohrern und Bambus neunhundert Meter tiefe Sole-Brunnen gegraben haben?“

„Aber wie bringen sie es ohne geologische Kenntnisse fertig, eine Ölquelle ausfindig zu machen?“ fragte mein Mann nach einer Pause.

T. S. lachte. „Sie benützen ein Zaubermittel, in diesem Fall das kleine Steinbildnis eines Elefanten, das sie auf einen flachen

Stein in die Sonne stellen. Darum herum wird ein Kreis von Geschenken aufgestellt, dann setzen sie sich dazu und beobachten."

„Beobachten was?"

„Na, wenn die Sonne sinkt, wird der Schatten des Elefanten länger. Die kleine Gabe, die zuerst von dem Schatten berührt wird, wird sorgfältig bezeichnet und in ihrer Richtung messen sie eine mystische Zahl von Schritten ab und beginnen zu graben." Ein ironisches Lächeln glitt über die Züge unseres Texasfreundes. „Das ist gar nicht so viel phantastischer als die Wünschelruten, die wir vor einigen Jahren in den Staaten benützt haben, um Ölvorkommen festzustellen."

Barnum nickte zustimmend. Die Wissenschaft hatte sich in einer sehr kurzen Zeit sehr weit vom Aberglauben entfernt.

Eine Woche in Yenangyaung, und es ging wieder weiter. Wir paddelten den breiten alten Irawadi hinauf. Wir hatten jetzt Dienstboten mit: ein Ehepaar aus Madras, namens Mari und Dos. Ihre Herrin, eine freundliche amerikanische Dame, hatte darauf bestanden, daß sie uns begleiteten.

Wer konnte ahnen, welche Freuden und welches Leid uns erwartete, als wir langsam aber sicher nach Norden, in das Land des lächelnden Buddha, vorstießen.

WIR KNARREN DURCH BURMA

Pakokku! Endlich hatten wir das kleine birmanische Dorf erreicht, das der Ausgangspunkt für unsere Expedition sein sollte. Vor uns erstreckte sich der langerwartete Dschungel, das Abenteuer... Vielleicht sogar Flitterwochen. Plötzlich wurde die Zukunft zum Heute!

Ich konnte Barnum vom Fenster aus sehen — Barnum, nicht mehr als vornehmer Gentleman-Wissenschaftler in fleckenlosem weißen Leinen oder in den fließenden Gewändern des Scheichs von Arabien. Er war wieder ganz der Forscher — Shorts, loses Hemd

Die birmanischen Ölfelder in Yenangyaung.
Die Burma-Ölgesellschaft hat zwölfhundert moderne Bohreinrichtungen aufgestellt, erklärte unser Gastgeber T. S., der uns die Anlagen zeigte.

Eine Twinza: der eingeborene Taucher schöpft in hundertzwanzig Meter Tiefe das Rohöl aus dem Ölsand.

Mittels eines Seiles, von Kulimädchen gehalten, wird der Taucher in den Schacht hinabgelassen und emporgezogen.

und Tropenhelm — und beaufsichtigte das Aufladen der Wagen. Für jemanden mit wenig Phantasie mochte unsere Ausrüstung nicht sehr eindrucksvoll aussehen. Sie bestand aus vier Büffelwagen, zwei kleinen, mit Matten überdeckten Karren, und einem Paar Sattelpferden mit beträchtlichen Senkrücken. Aber wenn wir die Rösser von Dschingis-Khan persönlich gehabt hätten, und Hunderte seiner Kamele und eine Leibgarde königlich-bengalischer Lanzenreiter, hätte ich nicht aufgeregter sein können. Die, die leichtbepackt — und auch langsam reisen, reisen am besten.

Auch die Dorfbewohner waren aufgeregt, als sie um unsere Karawane herumstanden. Die Augen traten ihnen heraus und ihre Köpfe wackelten beim Anblick unserer seltsamen Ausrüstung, und die besonders Neugierigen wagten sogar einen flüchtigen Blick in das Innere der Wagen. Selbst die kleinen braunen Babys, die auf den Hüften ihrer Mütter spazierenritten, waren bester Laune, gurgelten in einem fort und langten mit ihren dicken kleinen Händen nach den weißen Gesichtern. Noch nie hatte die Dorfgemeinde so viel Aktivität mitangesehen, und ich wußte, daß einige von ihnen über unsere Abreise gar nicht so glücklich sein würden.

Es kam die Stunde des Aufbruchs. Und dann der herrliche Moment, als die Ochsenkutscher ihre Büffel mit den langen Stangen antrieben. Und so setzte sich die große Burma-Expedition in Bewegung. Ich blickte auf meine Uhr. Sieben Uhr früh.

„Auf in den Kampf!“ rief ich Barnum zu, der an der Spitze der Kolonne ritt. Er drehte sich im Sattel um und winkte mir einen Gruß zu. Wir machten uns auf den Weg ins Unbekannte, und unsere Welt auf Rädern mit uns. In der Tasche hatte Barnum seinen Paß für den Dschungel — einen Brief, der vom Gebietskommissär unterschrieben und gesiegelt war und an alle Dorfhäuptlinge entlang unserer Reiseroute die Bitte richtete, uns mit allem, was wir brauchten, zu versorgen.

Mein Mann ritt auf einem uralten Klepper voran, und ich bildete auf einem ebenso antiquarischen Gaul, den das Alter sanft gemacht hatte, die Nachhut. Mari und Dos reisten, zwischen unsere Vorräte gequetscht, in den Wagen.

Die Eingeborenen standen am Straßenrand, während wir aus dem Ort zogen. Viele folgten uns bis zum Rande des Waldes und winkten uns ein fröhliches Lebewohl zu. Und dann waren wir allein. Das Reiseziel war Monywa, und das bedeutete ungefähr dreihundert Kilometer durch einen dichten Tiekbaum- und Bambusdschungel. Reisezweck war die Jagd nach einem Regenbogen. Und der Regenbogen war ein immer wieder entschwindender Streifen verschiedenfarbigen Gesteins, der sich durch das Waldland zog und hie und da in roter, blauer oder gelber Farbe zwischen dem Gestrüpp auftauchte und wieder verschwand. Irgendwo entlang dieses Regenbogenstreifens hofften wir unseren prähistorischen Schatz zu finden.

Das Leben auf der Straße begann schon vor der Morgendämmerung mit dem knisternden Aufflammen des Lagerfeuers, und Mari, die in dem fahlen Dämmerlicht wie eine kleine Hexe aussah, kochte den Tee. Während des Aufladens tranken wir schnell ein paar Schluck, und noch vor vier Uhr waren wir auf dem Marsch. Bei dieser Gelegenheit erlernte ich die sanfte Kunst, im Schlaf zu reiten.

Schnelligkeit spielte keine Rolle. Und das war ein Glück, denn unser Tempo wurde von den träge dahintrottenden Ochsen bestimmt und erreichte drei Kilometer pro Stunde — bestenfalls zwanzig Kilometer pro Tag. Zumindest hatte Barnum auf diese Art genügend Zeit, um auf der Suche nach Knochen kleine Abstecher zu machen.

Die Chance, uns zu verlieren, war sehr gering für ihn, denn wir hatten äußerst musikalische Wagenräder. Oft konnte er sie meilenweit hören. Sie informierten ihn ständig darüber, wo wir waren.

Das Quietschen der Wagen macht sozusagen den Ruhm des birmanischen Ochsenkutschers aus. Es ist das Kennzeichen seines Berufes. Die Karren werden niemals geölt, und je geräuschvoller die Achsen sich gebärden, um so größer sein Ruhm. Die besondere Tonart seiner Räder ist sein beruflicher Stolz, und man sagt ihm nach, daß er jeden seiner Kollegen an seinem individuellen Räderquietschen erkennen kann. Auf die gleiche Weise kann er das Nahen eines Fremden daran erkennen, daß

er in einer ihm unbekannten Tonart quietscht. Verfügt er außerdem noch über ein heftiges Knarren, so kann er sicher sein, in der birmanischen Fuhrmanngewerkschaft eine hochgeachtete Stellung einzunehmen.
Auf diese Art hatten wir Musik auf unserem Marsch, ob wir sie mochten oder nicht. Ich persönlich mochte sie. Es war eine fröhliche Melodie, die mit den Geräuschen des Dschungels harmonierte und mich mit seltsamen Rhythmen erfüllte.
Aber die Jahreszeit war auch besonders günstig. Das Frühjahr ist die herrlichste Zeit für Burma. Es hat all die Farben und die Würzigkeit unseres nördlichen Herbstes. Der Wald erstrahlt in reichem Gelb, Rot und Rostbraun, und jeder Windhauch schüttelt neue Kaskaden von Blättern auf den Boden. Unter unseren Füßen liegt eine dicke, weiche Schicht von Tiekbaumblättern, und die großen Äste ragen in den Himmel hinauf. Wie bei uns im Oktober steigen sehnsüchtige Düfte aus dem Dickicht wohlriechender Buschpflanzen auf und vermischen sich mit dem Duft blühender Bäume und dem schweren Parfum der Orchideen.
Der Wald wimmelt von Vögeln: wilden Kanarienvögeln, Hähern, quietschenden Sittichen, frechen Dschungelkrähen mit langen, schwarzen Schwänzen und rötlichen Brüsten. Wilde Hühner scharren im Dickicht — buntgefärbte Hähne und farblose Hennen. Tief im Schatten des scharlachroten Dakbaumes hat der schneeweiße Reiher sein Nest neben dem Dschungelteich. Den ganzen langen, heißen Tag und bis tief in die Nacht hinein pfeift der Whippoorwill seiner Dame etwas vor. So sieht der fröhliche, sonnenhelle Burmawald von außen aus.
Aber weitab vom Weg im Dämmer des Dschungels, inmitten des Gewirrs von Schlingpflanzen und stacheligen Weinranken, gibt es eine andere, grimmigere Seite des Dschungellebens. Hier verschlingen ganze Armeen von riesigen roten Ameisen den Kadaver einer Pythonschlange; dort verwandelt sich ein hübsches grünes Schilfrohr plötzlich in eine todbringende Viper. Das ferne Trompeten wilder Elefanten tönt durch die Wildnis. Überall ist der Tod in den Armen des Lebens verborgen!
Und das alles übertönt das hysterische „Wuup-puu-wuup-puuu“ der Gibbons, das wie der Schrei eines kranken Kindes klingt. Wir

waren nur sehr selten ohne die Begleitung einer geräuschvollen Schar dieser kleinen Äffchen, die uns nicht aus den Augen ließen und jede unserer Bewegungen mit ihren weißumrandeten Brillenaugen genau beobachteten. Sooft wir etwas taten, das ihnen nicht paßte, ließen sie uns das sehr schnell und unverblümt merken, indem sie uns mit allen möglichen Pflanzen und Zweigen bewarfen — oder uns auch auf wenig appetitliche Art begossen.
Goldfarbige Maiskolben, die in den Bäumen hingen, und eine Handvoll Bambushütten unter zartgefiederten Tamarinden kennzeichneten eine Ortschaft. Frühmorgens, um etwa halb fünf, ehe die Hitze des Tages begann, machten wir knarrend vor unserem gemütlichen Dschungelheim halt. Es bestand aus einem Dach aus Palmenblättern — statt Wänden war rundherum frische Luft. Diese Unterkünfte, als Zihats bekannt, wurden von liebevollen Samaritern für Pilger und müde Reisende, wie uns, errichtet.
Jede Gemeinde hat ihre eigene Pagode mit einer großen Auswahl an Buddhas und mit Glocken, die ununterbrochen im Winde läuten. Stunde für Stunde lassen diese Glocken ihr Lied erklingen und erinnern ohne Unterlaß an den großen Philosophen Gautama Buddha, dessen Lehre das tägliche Leben der Birmanen bestimmt. Außerhalb der Stadt befindet sich gewöhnlich ein weiträumiges Kloster aus Tiekholz, wo die Mönche ein ruhiges Leben des Studiums und der Besinnlichkeit führen und als Gegenleistung für die Unterstützung, die sie von den Dorfbewohnern erhalten, die Jugend erziehen.
Die zivilen Angelegenheiten ruhen in den Händen eines Häuptlings, des Tedsche, der Streit schlichtet, Ratschläge erteilt und im allgemeinen für das Wohlergehen seiner Leute sorgt. Sie sehen in ihm mehr einen Vater als einen öffentlichen Beamten und leben unter seiner Führung wie eine große Familie, die sich mit Essen, Rauchen und den kleinen Unterhaltungen des Tages begnügt.
Die Leute selber sind arm, aber glücklich. Sie verfügen über keine Reichtümer. Der Besitz ist gleichmäßig verteilt. Sie sind der Überzeugung, man gewinne nichts dadurch, daß man die Dinge für sich behält. Aller Wert liege im Geben. Wenn ein Birmane mehr besitzt, als er fürs tägliche Leben benötigt, so gräbt

er entweder einen Gemeindebrunnen, oder er baut eine Brücke, eine Pagode oder eine Schule. Er hamstert nie, sondern folgt ziemlich genau der Vorschrift des Buddha: „Die Reichtümer eines Mannes sind die Gedanken seines Herzens."
Aber trotz dieser sehr gesunden Lebensanschauung herrscht in den abgelegenen Gegenden ein großer Mangel an allen möglichen einfachen Medikamenten, besonders an Antiseptika.
Barnum hatte den guten Einfall gehabt, unsere normale Ausrüstung durch Medikamente zu ergänzen, so daß wir als eine Art reisende Apotheke für alle fungierten. In jedem Dorf verteilten wir reichliche Vorräte an Chinin, Aspirin, Jod und Kaliumpermanganat. In Wasser aufgelöst, erwies sich das Permanganat als ein wirkungsvolles Mittel gegen Augenerkrankungen, die im Orient so häufig sind.
In jedem Dorf kamen die Eingeborenen, sobald sie davon hörten, daß es gratis Pillen und Augenauswaschungen gab, in Mengen herbeigeströmt und scharten sich um uns wie Kinder um eine Drehorgel.

SCHWIERIGKEITEN MIT DEN NATS

Eines Morgens schaukelten wir fröhlich durch ein besonders dschungelhaftes Stück Landschaft, und unsere kleine Wagenkarawane ergötzte die Straße mit ihrem quietschenden Gesang. Von den Reisfeldern stiegen die Nachtnebel auf und blieben zwischen den großen, schweigenden Palmen hängen. Die Bodenvertiefungen lagen im Schatten. Hie und da brachen Sonnenstrahlen durch die dichte Mauer der Vegetation und betupften unseren Weg mit hellen, gelben Mustern. Von irgendwoher ertönte das Röhren eines Hirsches oder das Flattern verschreckter, wilder Hühner. Glückliches, glückliches Land! dachte ich.
Ich konnte Barnum sehen, wie er in Gedanken verloren voranritt. Bald verschwand er hinter einer Wegbiegung. Als wir uns dieser Biegung näherten, geschah es, daß sich der schlanke Stamm einer jungen Palme irgendwie unter dem vorderen Rad des Wagens

verfing, und die ganze Gesellschaft wurde plötzlich zum Stehen gebracht. Alle Versuche, den Wagen zurückzuschieben, waren vergeblich; der Baum blieb fest verklemmt zwischen Wagen und rechtem Rad.

Mit einem aufgeregten Wortschwall begannen unsere zwei Kutscher eine Diskussion über die verschiedenartigsten und nutzbringendsten Pläne zur Rettung der Situation, und wie alle Orientalen waren sie geradezu genial in der Fähigkeit, aus einem Maulwurfshügel ein Gebirge zu machen. Aber auch nicht einer ihrer Pläne beschäftigte sich mit der Befreiung des Wagens. Sie waren alle darauf gerichtet — den *Baum* zu retten.

Nach einer längeren, ernsthaften Verhandlung begannen die Kutscher einen emsigen, wenn auch etwas desorganisierten Ringkampf mit dem Rad. Der eine schob und der andere zog.

Ich hegte den ärgsten Verdacht, aber in dem Wunsche, gerecht zu sein und ihnen eine Chance zu geben, ritt ich heran und fragte, was sie da eigentlich täten.

„Nehmen Rad herunter“, war die freundliche Antwort.

„Was?“ rief ich aus. „Ihr macht euch all die Mühe, wenn ein einziger kräftiger Hieb mit einem Dha (Messer) den Baum fällen würde?“ Die beiden Eingeborenen schauderten vor mir zurück und betrachteten mich mit Entsetzen, um nicht zu sagen mit ausgesprochener Feindseligkeit. Der Bursche mit dem Dha stieß hervor: „Nein, Memsahib. Nein! Nein! Wenn Baum schneiden, Nats haben kein Heim. Nats machen Menge Unglück.“

Nats? Was war das schon wieder für ein Märchen? Wer oder was in aller Welt waren „Nats“, und was hatten sie mit dieser ganzen Geschichte zu tun? Ich war drauf und dran, die ganze Angelegenheit mit einem herzhaften „Blödsinn!“ abzutun und zu befehlen, daß der Baum umgehend gefällt werde. Aber dann überlegte ich es mir noch einmal, redete mir gut zu und wandte mich an meinen Diener um eine Erklärung. „Dos, was bedeutet diese Nat-Geschichte, über die sie da reden?“

Dos druckste verlegen herum, kratzte einen nicht vorhandenen Moskitostich unter seinem Turban und betrachtete nachdenklich die Baumkronen. „Also, Madame“, sagte er schließlich und suchte sorgfältig nach Worten für eine derart wichtige Erklä-

rung. „Birmanen haben sehr starken Glauben an Geister mit Namen Nats. Nats machen Häuser in Bäumen drin. Palme niederschlagen ist wie Nats Haus niederschlagen. Nat wird sehr böse, folgt uns und tut bösen Fluch auf uns, stößt Wagen in Löcher, macht Sahib den Weg verlieren." Seine Stimme wurde leise: „Vielleicht sogar töten."
Der Baum wurde stehen gelassen, obwohl es fast eine Stunde dauerte, um das Rad ab- und wieder aufzumontieren. Ich hatte keine Lust, von irgend einem munteren Geist verhext zu werden und wollte unsere Burschen nicht beunruhigen.
Barnum war fuchsteufelswild, als wir ihn bei der nächsten Weggabelung einholten. „Wird langsam Zeit, daß ihr auch erscheint", schimpfte er. „Kannst du denn nicht sehen, daß ein Gewitter im Anzug ist? Was war los, daß ihr so spät kommt?"
„Nichts als ein paar Nat-Schwierigkeiten auf dem Weg", antwortete ich beiläufig.
Er sah mich mißtrauisch an und massierte sich instinktiv hinter dem rechten Ohr. Dann brummte er ein „Hm" und ließ die Sache auf sich beruhen.
Unsere Kontroverse mit dem Palmen-Nat war die erste in einer Serie von köstlichen Begegnungen mit diesen Wesen. Auf wen zum Beispiel stießen wir schon im nächsten Dorf? Auf seine himmlische Hoheit, den Regen-Nat! Barnums Befürchtungen waren Wirklichkeit geworden, und die schwarzen Wolken, die wir zuvor bemerkt hatten, hatten direkt über unseren Köpfen Stellung bezogen und waren zerplatzt. Als wir schließlich das Dorf — einen entzückenden Ort namens Gyat, so zierlich wie sein Name — erreicht hatten, waren wir bis auf die Haut durchnäßt. Aber das waren alle anderen auch. Die gesamte Einwohnerschaft der winzigen Gemeinde hatte sich zu einem Bummel in den Wolkenbruch begeben, wo sie schreiend und lachend wie Verrückte herumliefen und sich köstlich amüsierten.
Unser erster Weg führte zum Tedsche, um ihn über unsere Ankunft zu informieren und ihn um eine wenn möglich wasserdichte Unterkunft zu bitten. Aber der Tedsche, ein wohlgenährter Bursche, der wie ein zu groß gewordener Cherub aussah und dessen Garderobe hauptsächlich aus einem gütigen Lächeln bestand,

wußte schon alles. Der „Nachrichtendienst“ des Dschungels hatte dafür gesorgt, daß er schon vor langer Zeit über unser Kommen informiert worden war. Was die Unterbringung anlangte, so stand schon seit Tagen ein Zihat für uns bereit und wartete nur darauf, daß wir über seine Schwelle treten und es uns gemütlich machen sollten.

Während wir auf das Häuschen zuplantschten, fragte ich ihn, warum denn im Dorf solch ein wilder Wirbel herrsche.

„Machen Fest für Regen-Nat“, erklärte er. „Brauchen hier viel Regen. Wir sagen Dank.“

„Ziemlich früh für Regen, nicht?“ warf Barnum ein.

„O ja, Sahib. Regenzeit kommen erst in Monat — vielleicht in zwei. Wir extra Bitte an Regen-Nat machen, daß kommt, bringt Regen früher. Nat hört. Gleich hat Regen gemacht.“ Der Häuptling wies mit der Hand auf die aufgeweichte Landschaft um uns herum.

Wir waren völlig seiner Meinung. Der verehrliche Regenmacher hatte ganz und gar im Sinne des kleinen Gyat gehandelt. Jupiter Pluvius selber hätte es nicht besser machen können. Es stellte sich heraus, daß der Tedsche, als Amtsperson des Dorfes, sehr viel mit den Nats zu tun hatte. Nicht nur das, er gab offen zu, daß er nur infolge seiner guten Verbindungen zu den Nats seines Amtes walten konnte. Wie dem auch sei, er war eine Quelle von Informationen über diese Wesen, und ich machte bei jeder Gelegenheit von diesen seinen Kenntnissen Gebrauch. Das Resultat davon war, daß ich das meiste, was ich über das birmanische Volk und seinen Charakter erlernte, von den Nats bezog.

Man braucht dem Birmanen nur in seine kindlichen Augen sehen, und die ganze Natur um einen herum belebt sich mit Feen, Elfen, Nymphen und Wichtelmännchen. Unter dem Sammelnamen „Nats“ sind diese Wesen untrennbar mit der Volkskunde und der Religion dieses Landes verwoben. Jeder Berg, jeder Baum, jedes Feld, jeder Fluß, Fels und Garten, gar nicht zu reden von den Elementen, alles und jedes hat seinen speziellen Nat-Obmann — und der Dschungel ist ein wirkliches Märchenland.

Diese ausschließliche Anbetung der Natur wird natürlich von den buddhistischen Mönchen keineswegs gebilligt. Aber da sie

Bimbo Brown, ein junger Elefant, war mein besonderer Liebling. Es war ein trauriger Tag, als ich ihn zurücklassen mußte.

in Nat-Häus-
hen sieht ei-
em Vogelhaus
hnlich. Es bie-
t ansässigen
nd vorüberzie-
enden guten
nd bösen Gei-
ern Essen und
nterkunft und
uß täglich ge-
einigt und mit
euem Proviant
ersehen werden.

Die jungen birmanischen Fräulein präsentieren sich sehr schick in knallroten Lungyis und weißen Blusen, fein säuberlich und in keuschester Weise von Kopf bis Fuß bedeckt. Ihre verheirateten Schwestern hingegen trennen sich der Babys wegen von den Blusen.

wissen, daß es eine große Dummheit wäre, diese primitiven Vorstellungen zu zerstören, sind sie weise genug, sie zu tolerieren. Was mich anlangt, bin ich am Tag vor Allerheiligen als Tochter einer irischen Mutter zur Welt gekommen, die schon sehr früh dafür sorgte, daß ich in die Feenkunde eingeführt wurde — und so nahm mich die lebendige orientalische Mythologie völlig gefangen. Ich hoffte nur, daß wir auf irgend einen liebenswürdigen Zwerg stoßen würden, der Barnum zu einem reichhaltigen Versteck prähistorischer birmanischer Knochen führen würde.

Im allgemeinen werden die Nats in zwei Sorten eingeteilt: die guten und die schlechten. Natürlich sind es die ersteren, die von den Leuten besonders gepflegt werden. Sie können es sich aber andererseits auch nicht leisten, die bösen Nats zu vernachlässigen oder gar offen zu beleidigen. Denn die schlechten Nats sind boshafte Dämonen, die mehr Unheil anstiften können als ein ganzes Dutzend unserer eigenen, zivilisierten Geister. Man erzählt sich über sie, daß sie ein ganzes Dorf, nur so aus Spaß, in Brand gesteckt hätten!

Und so geziemt es sich für die ganz gewöhnlich sterblichen Birmanen, sich für alle Zeiten der Gunst ihrer Nat-Nachbarn zu versichern. In Anbetracht dieser Tatsachen werden, ob man's glaubt oder nicht, von den Dorfbewohnern Nat-Häuser mit allem Komfort für ansässige und vorüberziehende Nats gebaut. Es sind das winzige Angelegenheiten, die wie ein Vogelhaus ausschauen und entlang der Straße, in Gärten oder neben irgend welchen Wohnstätten an hohen Pfosten angebracht sind; jeder Nat, ob gut oder böse, erhält dort freie Verpflegung und Unterkunft für einen beliebigen Zeitraum. Die luxuriöseren „Nat-Hotels“ sind kunstvolle Handwerksarbeiten mit dekorativen Holzschnitzereien und Filigranverzierungen; an den Wänden glitzern kleine Spiegel aus Mosaik, und märchenhaft kleine, vergitterte Vorhallen mit Miniaturtopfpflanzen schmücken den Eingang.

Jeden Morgen, bevor irgend ein Mitglied des Haushaltes etwas Eßbares auch nur zu berühren wagt, muß den Geistern ein umfangreiches Frühstück bereitet werden. Zuerst werden ihre Gemächer aufgeräumt, dann wird das Mahl serviert — und Gott bewahre die Familie davor, daß irgend so ein anspruchsvoller, schlechtgelaunter Nat vorbeikommt, um seine Mahlzeit einzunehmen, und feststellen muß, daß Ameisen und Vögel ihm zuvorgekommen sind!

Als Gegenleistung für Nahrung und Unterkunft erwartet man von den Geistern, daß sie sich im Unheil-Anstiften etwas zurückhalten und sich anständig benehmen. Wenn so ein Nat dennoch gelegentlich über die Stränge schlägt, so nur, weil er gerade nichts Besseres zu tun hat.

In meinen Augen gehörte der Regen-Nat von Gyat zu der schlechten Sorte. Es war schon wahr, daß er die durstigen Weideplätze liebte, aber zugleich vertrieb er alles, was kroch und schleimig war, aus seinem Heim, und die Mission dieser Ungeheuer schien darin zu bestehen, eine kleine Memsahib — nämlich mich — zu terrorisieren.

Eines Morgens entdeckte ich in meinem Stiefel ein Zwirnsknäuel, das sich als eine behaarte Tarantel von der Größe meiner Hand entpuppte. Ferner liefen: giftige schwarze und rote Ameisen, Skorpione, die sich in der Vorratskiste niederließen, und, als besondere Delikatesse, dreißig Zentimeter lange, orangerote Tausendfüßler. Das ärgste von allem waren die winzigen schwarzen und weißen Moskitos, deren Stachel einen mit dem gefürchteten Dschungelfieber versorgte. In der dampfenden Feuchtigkeit vermehrten sie sich millionenweise.

In Ermanglung von Flit oder DDT war die beste Verteidigung gegen diese Insektenhorden eine starke Isolierungspolitik. Und so führte ich jede Nacht, wenn ich mich in mein „Bett" zurückzog, eine spezielle Schlafschutzmethode durch und rollte mich auf ein Minimum zusammen, um meine Konstruktion nicht zu zerstören. Auch alle meine weltlichen Besitztümer gingen mit mir zu Bett: ein halbes Dutzend Kleidungsstücke, darunter zwei Paar Strümpfe; Hose und Hemd als Kopfpolster, sowie Tropenhelm und Stiefel zur Vervollständigung der Innendekoration.

Sobald ich mich installiert hatte, pflegte mein Mädchen zu fragen:

„Madame hat Füße in Kerosinschüssel?"

„Ja, Mari. Die Füße vom Bett sind in Ordnung."

„Madame hat Moskitonetz fest angezogen?"

„Ja, Mari. Madame alles angezogen."

„SEHR SCHLECHTES FRAU“

Barnum plante eine ausgedehnte Knochenjagd im Hinterland von Gyat, sobald der Wasserschratt beschließen würde, die durchaus nicht in diese Jahreszeit gehörigen Regengüsse abzustellen. Inzwischen beschriftete er die Fossilien, holte seine Schreibereien nach und hatte Wettersorgen, während ich herumwirtschaftete, um unser neues Heim gemütlich zu gestalten, was nicht allzu schwer war.

Unser Zihat gehörte zu der kleineren Sorte, war zirka sechs Meter mal dreieinhalb groß und hatte ein strohgedecktes Dach und Fußböden aus rohem Tiekholz. Aber meine innenarchitektonischen Anstrengungen zeitigten einen erstaunlichen Erfolg. Es gelang uns sogar, das Raumproblem zu lösen, indem wir durch die geniale Anbringung von Sackleinen „Trennungswände“ errichteten, die den einen großen Raum in ein nettes Dreizimmerbungalow, bestehend aus Vorraum, Schlafzimmer und Bad, verwandelten. Im „Parterre“ richteten sich unsere Dienstleute Mari und Dos in ihrem eigenen Quartier gemütlich ein. Was waren die beiden für ein Paar!

Maris Kleidung war ebenso sparsam wie originell: Eine enge Weste schloß fest unter ihren Brüsten; ein weißer Sari verhüllte ihre Glieder, was dazwischen lag, war nackt. Sie war eine Studie in Ebenholz und Elfenbein, unsere Mari! Sie hätte mit Freuden die Hälfte ihrer Reize eingetauscht, um „so weiß wie Madame“ zu sein — und Madame hatte, allerdings ohne jeden Erfolg, versucht, ihre Hüften so zu schwingen wie Mari.

Gewöhnlich wurde ich frühmorgens von ihrem hohen Falsetto in der Küche unter uns aufgeweckt. Meistens war sie gerade dabei, jemanden zu beschimpfen. „Birmanische Mann haben sehr schlechtes Auge“, pflegte sie zu sagen, „machen Brot verderben. Wasser kann nicht kochen. Immer schauen, schauen ...“ Dann kam der dramatische Höhepunkt: das dumpfe Knallen eines Tiegels auf einem bloßen Rücken. Das war die übliche Art, wie Mari ihren Tag begann. Es reinigte die Luft und brachte die Dinge in Gang, lautete ihre Verteidigung.

Wenn Dos sich in Schußnähe befand, ließ sie ihre Morgenlaune an ihm aus und übernahm oft die Rolle einer kriegerischen Frauenrechtlerin, die ihrer noch schwärzeren Ehehälfte die Leviten las. Dos verfügte über eine wilde Mischung von Hindostanisch, Englisch und Birmanisch und benützte gewöhnlich letzteres, da es den größten Schatz an eindrucksvollen Flüchen besaß. Eine Weile ließ er sich alles gutmütig gefallen. Aber wenn Töpfe und Pfannen zu fliegen begannen, zog er sich unter meinen Schutz zurück.
Ich vermied sorgfältig die Feuerlinie und rief Mari zu: „Was ist denn schon wieder los?"
Die Antwort war ein Klageschrei. „Verfluchte Dos! Geht immer mit birmanische Mädchen und macht Lügen. Wenn Wahrheit sagt, denken, er dumm."
Aber Mari hatte auch eine andere Seite. Manchmal, in den stillen Nachmittagsstunden, streckte ich mich auf den Matten unserer kleinen Grashütte zur Ruhe aus und mein Mädchen saß neben mir, fächelte mir mit Pfauenfedern Luft zu und unterhielt mich.
„Ich sehr schlechtes Frau, Madame", sagte sie. „Kriegen kein Baby."
„Baby?" sagte ich gedehnt und halb schlafend.
Langes Schweigen, dann ein nicht ganz echtes Lachen. „Babys wie Fliegen ... machen immer Lärm."
Ich wußte, was sie wirklich sagen wollte, denn sie liebte Kinder, und als sie meine Hand ergriff, gab es keinen Osten und keinen Westen mehr, nur noch zwei Frauen.
„Aber eines Tages wirst du Kinder haben, Mari", versicherte ich ihr.
„Nein, Madame, ich jetzt altes Frau."
Sie war gerade zwanzig.
Ich glaube, daß Dos seinen Ehestand sehr deutlich zu spüren bekam. Wenn er sich außer Hörweite seiner Lebensgefährtin befand, ließ er gerne die Bemerkung fallen, das Leben habe ihm vierundzwanzig Sommer lang zugelächelt, aber die letzten zwei Jahre lache es ihn laut aus, weil er mit Mari verheiratet sei. Natürlich tat er nur so. Ein paar Monate später, als die Krise kam, zeigte sich, daß ihre Liebe rein und stark war.

Dos war Koch, und seine Hauptsorge bestand darin, die Speisekammer immer voller Hühner und Eier — außer Obst unsere einzige frische Nahrung — zu haben. Das Dorf war voller Hühner und Eier. Aber niemand rührte sie an, denn es wurde als irreligiös angesehen, aus Nahrungsgründen zu töten und, um Mari zu zitieren, „sie behalten Eier für Kinder machen, nicht für verkaufen."

Die Antwort darauf waren wiederholte Raubzüge auf Straßen und Seitenstraßen. Wenn ich irgend etwas Eßbares aus der Hühnerfamilie entdeckte, bemühte sich Dos, ihm rasch den Garaus zu machen, und ich gab dann irgend jemanden acht Annas — und das war alles.

Mein Mädchen und ich waren für die Eingeborenen eine Quelle des Entzückens. Da ich Hosen trug wie der Sahib und lange Haare hatte wie ihre eigenen Männer, gelangten sie zu keiner Entscheidung darüber, ob ich Mann oder Weib sei. Schließlich aber, nach Anwendung mehr oder weniger fairer Methoden, entdeckten sie meine wahre Identität, und von da an war ich für die Birmanen eine Art achtes Weltwunder. Jedesmal, wenn ich den Bungalow verließ, folgte mir eine Menschenmenge auf den Fersen. Die ersten Prozessionsteilnehmer waren gewöhnlich ein paar nackte Kinder und bellende Hunde, aber sehr schnell entwickelte sich das Ganze zu einer bunten Ansammlung von wilden Männern und Burschen und ein paar jungen Mädchen. Genau die gleichen jungen Damen hatten vor ein paar Tagen, als sie mich noch für einen jungen Mann hielten, eifrig mit mir geflirtet.

Im Anfang unseres birmanischen Aufenthaltes hatte ich mich übrigens in der gleichen Verlegenheit befunden. In den größeren Städten waren Männer und Frauen ganz gleich in herrliche Sarongs und kurze weiße Westen gekleidet. Es war sehr schwierig, sie voneinander zu unterscheiden. Aber mit der Zeit lernte ich den Trick: die Männer trugen einen Schal um den Kopf gewikkelt, die Frauen steckten sich Blumen und Zierkämme ins Haar. Die englischen Soldaten hatten sich in den achtziger Jahren, als sie in den Besitz des Landes kamen, mit dem gleichen Problem herumgeschlagen, und zu ihrem Erstaunen entdeckten sie manchmal, daß ein Teil ihrer Gefangenen junge Damen waren.

Im Dschungel aber, wo die Eingeborenen sich bedeutend weniger diskret bekleideten, war es unmöglich, die Geschlechter durcheinanderzubringen. Hier verzichteten die Frauen auf die Westen und überließen nichts der Phantasie, während die Garderobe der Männer nur aus einem langen Dha — einem Messer —, einem Lendenschurz und einem Paar auf die Schenkel tätowierter „Dauer"-Hosen bestand. Aber, ob Stadt oder Land, ob bekleidet oder nicht, es ist die Frau, die in Burma die Hosen anhat, wie ich nach näherer Bekanntschaft mit diesen Leuten entdeckte.

BIMBO BROWN

Gyat zeichnete sich durch zwei Dinge aus: eine antike Singer-Nähmaschine und ein niegelnagelneues Elefantenbaby. Beide waren eine Quelle der Unterhaltung für die Dorfbewohner.
Das kleine Baby war verwaist, nachdem seine Mutter aus Versehen von ein paar Trappern getötet worden war. Dadurch war es völlig sich selber überlassen — das heißt, soweit man in Gyat sich selber überlassen wurde. Tagelang wanderte der kleine Bursche ganz nach Belieben in der Gemeinde herum, bettelte um Nahrung, spazierte unangemeldet in die Häuser anderer Leute hinein, stocherte mit seinem Rüssel in allen möglichen Dingen herum und beging einen Streich nach dem anderen.
Niemand erhob Anspruch auf ihn. Er war öffentliches Eigentum. Vielleicht fanden die Dorfbewohner, er sei darüber erhaben, einen Privatbesitz darzustellen, oder vielleicht wollten sie nur einfach nett zu ihm sein. Wie dem auch sei, es war umgekehrt: das Dorf gehörte ihm, und ebenso gehörte ihm das Herz eines jeden Menschen, dem er seine Neigung schenkte — einschließlich meines eigenen.
Es war für uns beide Liebe auf den ersten Blick. Ob er meinen mütterlichen Instinkt spürte oder nur einfach eine Vorliebe hatte für meine Methode, ihn hinter dem Ohr zu kratzen, er adoptierte mich auf der Stelle als seine Pflegemutter, wurde ein Mitglied der

Familie, und war von nun an unter dem Namen Bimbo Brown — „das Baby“ — bekannt.
Nun lief er nicht mehr wie ein heimatloses Schäfchen trübsinnig in der Gegend umher. Jetzt hatte er eine Familie. Er trug seine Ohren etwas höher, was besonders schick aussah, und seine Augen waren voller Lustigkeit. Ich befestigte ein buntes Band und eine Glocke an seinem Hals. Er gehörte mir! Und von da an war er anhänglicher, als selbst ein armer Verwandter es zu sein pflegt.
Er war kaum größer als ein Bernhardiner und verursachte mehr Gelächter als ein ganzer Wald voller Affen. Er befand sich ständig im Kampf mit seinem Rüssel oder seinen Füßen, die ihm ununterbrochen im Weg waren. Vielleicht war das der Grund für den komischen, halb verblüfften Ausdruck aus seinem Gesicht. Sein Rüssel wurde nie müde, diese herrliche neue Welt zu erforschen, und wenn er nicht gerade irgend einen Ochsenwagen, einen Korb voll Reis oder einen Wasserkrug umwarf, so brachte er sich selber zu Fall und das amüsierte ihn köstlich. Er pflegte dann eiligst nach Hause zu Mama zu rennen, das Glöcklein an seinem Hals klingelte, und das kleine rote Maul, das gerade groß genug für eine Aschantinuß war, verzog sich wie zu einem Grinsen.
Da Spielen und Essen die beiden einzigen Dinge waren, die ihn beschäftigten, stellte ich immer an dem einen Ende unseres Balkons eine Schüssel voll gekochtem Reis für ihn bereit. Mehrmals am Tag konnte man ihn hören, wie er die Bambusrampe hinauftappte und nach einem Leckerbissen suchte. Aber sein Gewicht wurde eines Tages zu viel für diese wacklige Angelegenheit, und es mußte ein anderer Platz für den Reis ausgewählt werden.
Nach einiger Zeit wurde seine Ernährung zu einem ziemlichen Problem. Nicht etwa, daß es uns an Futter mangelte — Dos sammelte zweimal in der Woche frische Bambussprößlinge für ihn —, aber er wurde zu den unmöglichsten Stunden hungrig und entwickelte eine Gewohnheit, ausgerechnet um drei Uhr früh eine Mahlzeit zu verlangen.
Der kleine Gauner hatte auch gar keine Skrupeln, uns aus dem festesten Schlaf zu reißen. Gott sei Dank hatte er noch nicht die

Kunst des Trompetens erlernt, obwohl sein schrilles, nasales Gequietsch schon genügte, um Tote zu erwecken. Sein Hungerschrei hatte jedesmal eine jener wohlbekannten ehelichen Debatten zur Folge, die, wenn sie in den allzu frühen Morgenstunden ausbrechen, sich überall auf der Welt auf dieselbe Art abspielen dürften.

„Barnum — bist du wach?“ pflegte ich zur Eröffnung der Verhandlungen zu fragen. „Du bist heute dran, den Elefanten spazieren zu führen.“

Ein unterdrücktes Grunzen aus den Tiefen des Kissens. Seliges Schnarchen.

Ein weiterer durchdringender Quietscher von unten, der diesmal das Bettzeug meines Lieblings in heftige Bewegung versetzte und eine ungeduldige Stimme laut werden ließ: „Was ist denn nun schon wieder los?“

„Unser Kind weint nach seinem Reis.“

„Das Biest ist nicht *mein* Kind! Ich werde es ihm schon geben —“

Barnum machte ein Geräusch, als ob er aufstünde, und ein Hoffnungschimmer flackerte in mir auf. Aber er drehte sich nur um und fügte mit einem schweren Seufzer hinzu: „— am Morgen dann.“

Aber einen Stock tiefer war die gewünschte Wirkung erzielt worden, denn wir hörten, wie die Dienstboten Maßnahmen zu ihrer Selbstverteidigung ergriffen.

„Was treibt das Baby, Mari?“

„Er fuchtelt mit Rüssel herum wie verrückt, Madame“, ertönte ihre Antwort. „Ich ihm Reis machen.“

Woraufhin die stolzen Eltern nach erfüllter Pflicht wieder in Schlaf versanken — in den tiefen Schlaf derer, die für ein Elefantenbaby zu sorgen haben.

DSCHUNGEL-TAGE

Dort, wo, wie Kipling über Burma schreibt, „die Dämmerung wie ein Gewitter heraufzieht", bestehen nicht viele Möglichkeiten, zu verschlafen. Und wenn obendrein der Geruch von frisch gebackenem Brot zu einem heraufdringt, hält man es nicht mehr lange im Bett aus. Wir waren beide schon vor fünf Uhr auf und bereit, den Tag zu beginnen. Während mein Mann in seine Kleider schlüpfte, bereitete ich über dem Holzkohlenfeuer ein paar Eier und kochte den Tee. Hie und da gab es auch einmal eine große, saftige Papaya.

Das Frühstück war eine ganz private Angelegenheit und nur allzu bald vorüber. Ein flüchtiges Küßchen auf Frauchens Wange, ein geflüstertes „Ich liebe dich" als Antwort, und Barnum bestieg seine alte graue Stute, dirigierte ihre Nase in die Richtung der Pondaung-Berge und zog wie Sankt Georg davon, um sein tägliches Duell mit irgend einem prähistorischen Drachen auszufechten — vorausgesetzt, daß er einen fände! Bisher hatten sich die birmanischen Skelettarten als sehr zurückhaltend erwiesen.

Ich hatte meine eigenen Jagdabenteuer. Strohwitwe und überdies sensationslüstern, wie ich es war, pflegte ich von Mari, meiner weiblichen Patrouille, begleitet in das Dorf vorzustoßen. Mari war immer, für alle Fälle, mit einem dicken Stock bewaffnet. Nicht weit hinter mir folgte mein Schatten, der kleine Bimbo, noch halb verschlafen und voller Sehnsucht nach seinem Bettchen. Wenn es sich um eine Balgerei mit einem Schwein oder um ein kleines Match mit einer alten Ziege handelte, wurde er allerdings recht lebhaft. Und mit wahrer Leidenschaft brach er zur Trinkzeit der kleinen Ziegen in den Kreis der Familie ein.

Jetzt wacht auch das Dorf schon langsam auf, kleine Geräusche durchbrechen das Schweigen, ein krähender Hahn, ein bellender Hund oder irgend eine glückliche Frau, die ihre morgendliche Hausarbeit mit Gesang begleitet. Das Klappern eines Webstuhles sagt mir, daß jemand sich einen neuen Rock webt; das Klopfen eines hölzernen Stampfers, daß jemand anderer zu Mittag Reis essen wird.

Junge, ernsthafte Mönche in hellgelben Gewändern schreiten durch die Dämmerung und holen sich von den Dorfbewohnern ihre tägliche Reisration. Schweigend bewegen sie sich von einer Tür zur anderen. Mit geneigtem Kopf strecken sie die schwarzen Lackschalen hin. Niemals wird zwischen dem Empfangenden und dem Gebenden auch nur ein Wort gewechselt, und der einzige Dank für den Wohltäter ist der, den die Mönche tief in ihrem Herzen empfinden. Dann verschwinden sie, wie nebelhafte Schatten, und kehren zurück zum Kloster, zu ihren Meditationen, ihrer Lehrtätigkeit — zu Buddha.

Die Mangos durchtränken die morgendliche Luft mit ihrem köstlichen Geruch. Pisangbäume und Tamarinden beschatten die Häuser, die mit Bambus bedeckt sind und zum Schutz gegen Termiten hoch über dem Boden stehen. Keines hat mehr als ein Stockwerk, denn es wäre unter der Würde eines Birmanen, wenn jemand über seinem Kopf lebte.

An den Hütten lehnen lange, fliegenwedelartige Bambusstangen. Niemand würde je erraten, wozu man sie gebraucht. Es sind die Feuerlöscher des Dorfes, die allerdings nicht immer besonders wirkungsvoll sind, denn während sie an einer Stelle die Flammen ersticken, fachen sie sie an einer anderen wieder an.

Zum Glück liegt es dem Birmanen nicht, materielle Güter zu sammeln. Mit seinem ganzen persönlichen Vermögen wird entweder der Körper seiner Frau behangen oder es wird in die Familienkommode gestopft, und diese beiden Depots können ja jederzeit aus dem Fenster geworfen werden. Warum sollte man sich auch aufregen, wenn das Haus wirklich zu brennen anfinge? Die Freunde schärfen einfach ihre Dhas, begeben sich zum nächsten Bambusdickicht und schlagen unter Gelächter und allgemeiner Fröhlichkeit das erforderliche Zubehör für ein neues Heim.

Bimbo streifte gern herum. Das war nicht sehr gut, denn man wußte nie, was das arme Waisenkind gerade im Schilde führte. Es bestand immer die Möglichkeit, daß er etwa, nachdem er zwei Krüge voll Palmsirup umgeworfen hatte, sich bis zu den Augen damit beschmierte. Diese Krüge waren das Eigentum von Maung Than — wörtlich: Herr Millionen —, dem Toddy-(Palmsirup-) wallah, der gerade in dem Augenblick, da Bimbo sich

so nützlich betätigte, hoch oben in einem Baumwipfel saß und Bimbos Missetat daher nicht verhindern konnte.
Herr Than war nämlich der Besitzer eines Palmenhaines am Rande der „Stadt", von wo er sich jeden Morgen in die Baumwipfel begab, um frischen Saft in Krüge zu sammeln, die an seinem Gürtel hingen.
Der Saft, den man aus den Bäumen gewinnt, ist anfangs weiter nichts als eine milde, geschmacklose Flüssigkeit, die aber sehr schnell in Gärung gerät und sich dann in ein widerliches Feuerwasser verwandelt, das die Birmanen zu besonderen Gelegenheiten genießen. Der größere Teil des Saftes wird in eine geräumige, aus Palmenblättern erbaute Hütte getragen und dort zu einem köstlich braunen Zucker verkocht. Da der Toddywallah das Monopol für Süßigkeiten besaß, war er eine wichtige Persönlichkeit.
Etwas später am Morgen begannen die Leute die Hauptstraße von Gyat zu bevölkern. Ein paar junge Burschen hatten bereits ein Ballspiel begonnen. Es hieß Chin Lon und wurde mit einem geflochtenen Ball gespielt, der durch schnelle, geschickte Bewegungen eines jeden Körperteiles außer den Händen in der Luft gehalten wurde. Sie waren gerade mitten im Spielen, als Thadu mit seinem Wasserbüffelgespann, das von seinem kleinen vierjährigen Sohn geführt wurde, die Straße entlang kam. Glaubt man etwa, daß dies die Ballspieler aus der Fassung brachte? Nicht im geringsten! Das Spiel ging lustig weiter, aber ich zog mich hastig an den Straßenrand zurück. Obwohl ein Eingeborenenkind diese Tiere ganz allein an der Nase führen kann, macht der Geruch eines Weißen die Wasserbüffel fuchsteufelswild.
Thadu war ein Bauer. Er arbeitete auf einem Reisfeld in der Nähe. Man konnte ihn jeden Morgen in der grauen Dämmerung sehen, wie er, bis zu den Knien versinkend, auf dem Feld herumwatete, um die zarten Sprößlinge zu pflegen. Er und seinesgleichen sind das Rückgrat Burmas, wo sich das ganze Leben auf diesen winzigen Kern und sein Wachstum konzentriert. Nebenbei befaßte sich Thadu mit Getreide und Tabak.
Ein anderer wichtiger Bürger von Gyat war der Besitzer der Ölmühle. Ich ging oft zu ihm hinunter und unterhielt mich dort

wunderbar. Stundenlang konnte ich dem alten Büffel mit den verbundenen Augen zusehen, der der Motor des Betriebes war. Mit einem roten Taschentuch neckisch über den Augen, stampfte das mächtige Tier ständig im Kreis, zu dem Quietschen und Knarren der Räder, die aus Ölsamen und Aschantinüssen das Öl herauspreßten, das man zum Kochen und Brennen verwendete.

Schon von weitem hörten wir das gewohnte Summen der Stimmen am Gemeindeplatz. Dies war die Welt der Frauen, wo sie täglich hinkamen, um darüber zu diskutieren, wer wem was getan hatte und wer dafür zahlte. Heute regten sich alle über eine drohende Scheidung auf. Großäugige Matronen lauschten offenen Mundes den saftigen Details, die ihnen von den Dorftratschen berichtet wurden.

Mari übersetzte dieses Schnellfeuer von spitzen Anspielungen so gut sie konnte. Monsieur X. verließ Madame X. Warum? Weil sie ihn nicht mehr liebte! Der Fall war dem Dorfältesten vorgelegt worden.

Dennoch schien Monsieur X. bereits auf dem Rückzug zu sein, und jeder wußte, daß es nie zu der Scheidung kommen würde. Das liebe Frauchen hatte das Geld, und da sie mit der Sache nicht einverstanden war, würde sie die Kinder und alles, was sich während der Ehe an Besitz angehäuft hatte, für sich behalten. Auf diese Art blieb der arme Ehemann mit nichts als seiner alten Ziegenledertasche zurück, die nur einen einzigen, zerfransten Lendenschurz, einen abgenützten Rückenkratzer und das rosa Baung-gaung — ein Kopftuch — enthielt. Das war sein ursprünglicher Beitrag zur ehelichen Gütergemeinschaft gewesen.

Bei dieser Gelegenheit erfuhr ich, daß sich eine Frau aus den verschiedensten Gründen scheiden lassen konnte, zum Beispiel wegen mangelhaftem Unterhalt, chronischer Krankheit oder Senilität des Gatten. Ein Mann konnte seine Freiheit zurückerlangen, wenn seine Frau ihm keine männlichen Nachkommen gebar oder wenn sie zweifelhafte Orte aufsuchte. Sehr strenge Eigentumsgesetze verhinderten mutwillige Trennungen.

Ich wurde daran gehindert, weitere Details zu erfahren, da plötzlich ein mehrstimmiger Gesang die Straße heraufklang. Die

Frauen verließen ganz plötzlich ihr Tratschhauptquartier und strömten einer sich nähernden Gruppe von Eingeborenen entgegen, die schwerbeladen auf den Marktplatz zuschwankte. „Schnell, Madame“, rief Mari aufgeregt. „Ein reisender Laden!“

WIR MÄDCHEN UNTER UNS

Drei untersetzte Kaufleute und etwas Großes, Schlankes mit einem Kopfputz aus überquellenden Körben kamen näher. Mein Gott, das letztere war eine Frau! Obwohl sie schon vor Sonnenaufgang gestartet waren und schon viele Meilen zurückgelegt hatten, machten sie durchaus keinen erschöpften Eindruck und entledigten sich ihrer Lasten unter Gelächter und Geschnatter.
Nachdem die Ware ausgepackt war, wurde der Reiseladen für die Käufer geöffnet. Pagâner Lackarbeiten, Mandalay-Seiden, Sonnenschirme und Sandalen wurden begutachtet und eingeschätzt, und ein lebhaftes Handeln begann; denn obwohl die Dschungeldamen keine sehr regelmäßigen Ladenbesucherinnen sind, lassen sie sich beileibe nicht überhalten.
Aber der beliebteste und begehrteste von allen Artikeln war gratis. Er bestand aus Neuigkeiten und ausgesuchten Tratsch-Delikatessen aus den großen Städten und Flußhäfen. Die Kaufleute waren gescheit und vergaben den Klatsch zugleich mit der Ware — je größer der Einkauf, um so reichhaltiger der Tratsch. Einige Nachrichten lauteten folgendermaßen: „Feiertag in Mandalay. Großes Pongyi-(Mönchs-)Begräbnis mit Mönchen in Autos. Schießereien. Ein Mord in Kyadaw! Dem Häuptling wird beim Essen der Kopf abgeschnitten — er verliert seinen Appetit!“ Letzteres beweist, daß es sich selbst in Burma nicht auszahlt, ein ehrlicher Richter zu sein.
Wie alle Reisenden der Welt, hatten auch sie ein Repertoire von kleinen Witzen und anzüglichen Geschichten, die die Frauen zum Kichern brachten und sie für weitere Einkäufe günstig beeinflußten.

„Von was reden sie nur?“ fragte ich. „Es muß sehr lustig sein.“
Mari bedeckte ihren Mund mit der Hand: „Nein, Madame — schlecht, schlecht, schlecht!“ sagte sie und gab mir damit einen weiteren Beweis für den Ruf, den die Birmanen für ihre zweideutigen Anspielungen haben.
Das war also die Rolle, die diese herumziehenden Kaufleute in den kleinen Dörfern spielen, die weitab von Bahn und Flüssen liegen. Sie dienen nicht nur als Spediteure, sondern auch als Zeitungen, Nachrichtenübermittler und als Anzeigenspalte für einsame Herzen und sonstige „Gesucht-wird ...“ Sie bilden den wichtigsten Bestandteil des Dschungel-Nachrichtendienstes. Morgen würden sie einen neuen Leitartikel haben: „Amerikaner in Gyat!“
Der reisende Laden fiel mir geradezu in den Schoß. Endlich hatte ich eine Gelegenheit, mich für die Freundlichkeiten all unserer Freunde zu revanchieren. „Mari“, sagte ich, „wir werden sie leerkaufen!“
Das Mädchen sah sehr erstaunt aus. „Aber wofür?“
„Ich habe mich dazu entschlossen, heute nachmittag eine Dorfversammlung in unserem Zihat zu veranstalten und jeder, der kommt, soll ein Geschenk erhalten. Ich sage dir, was ich will, und du übernimmst das Handeln. Siehst du das lackierte Tablett mit den sechs kleinen Schalen? Das ist für die Frau des Tedsche. Und diese bemalten lackierten Betel-Schachteln, findest du die nicht hübsch? Komm, kaufen wir die hölzerne, die mit Bambusgeflecht, und dieses köstliche Stück aus lackiertem Pferdehaar. Das ist für dich, Mari.“ Dankbares Gezwitscher! Ich fuhr fort: „Für die Kinder diese Spielzeugtiere und chinesischen Püppchen. Und ich glaube, die Mamas wären begeistert über diese hölzernen Sandalen mit den gemalten Blumen darauf. Jetzt für die süßen jungen Dinger — du weißt, was sie gern haben, Mari. Hübschen Haarschmuck: diese Haarnadeln und Kämme aus weißen Knochen. Vielleicht auch ein paar von den Medaillons aus Kupfer mit Filigranarbeit. Was wäre mit diesen Sicherheitsnadeln an einem Band? Wofür um alles in der Welt sind die?“
„Braucht man für Zauberei“, erklärte mein Mädchen. Für welche Art von Zauberei, weiß der Himmel. Vielleicht hatte es irgend

etwas damit zu tun, sich einen Mann zu angeln und ihn festzuhalten.
„Rauchwaren für die Männer", fuhr ich fort, „Manilazigarren — die große braune Sorte mit Tabak. Und vergiß nicht den Betelpriem, Mari; am besten, du kaufst gleich alles." Ohne Betel würde keine Gesellschaft ein Erfolg werden. Sie brauchten diesen gewohnten Brei aus gelöschtem Kalk, gehackten Betelnüssen, Kardamon, Nelken und anderen Gewürzen, der in ein Betelblatt eingewickelt wurde. Ich wußte, daß sie es sich wie gewöhnlich auf ihre eigene Art zusammenstellen würden und so lange glücklich waren, als es etwas zum Kauen im Hause gab.
Unsere Hütte quoll an diesem Nachmittag vor Geschenken beinahe über, während wir uns auf unsere Gäste vorbereiteten. Sie war auch zum Bersten voll mit Gesang.
„Oh, was du hier erlernst von Gelb und von Braun, es wird dir viel helfen bei Weiß", zwitscherte ich, nicht ganz im Sinne des Komponisten, während mein Mädchen eine verrückte Melodie aus dem fernen Hindostan summte. Niemand wußte es, aber wir hatten ein winziges Schlückchen Palmschnaps nach Hause geschmuggelt, das heißt niemand außer Bimbo. Und ich hoffte, daß er sich anständig benehmen und den Mund halten würde.
„Paß während der Party vielleicht ein bißchen auf mich auf", sagte ich vorsichtshalber zu Mari. „Ich möchte nicht alles durcheinanderbringen und womöglich den Mädchen Lendenschurze und den Papas Sicherheitsnadeln umhängen."
Und so wurde mit Hilfe eines guten Tröpfchens und eine Fülle von Blumen die Bühne für ein herrliches Fest hergerichtet. Selbst Mari und ich erblühten unter dem schneeigen Schmuck ganzer Fluten von Jasmin.
Unsere Gäste kamen etwas zu früh und brachten selbst auch Geschenke mit: Büscheln von grünen Pisang-Früchten und Papayas. Sie brachten Schüsseln voll birmanischer Leckerbissen, von knusprig braunen, flügellosen Grillen bis zu Honigbienen, in Öl gekocht. Ferner gab es Curry und Tamarinden und glühend scharfen Chilli mit riesigen Quantitäten von ihrem Teegebräu.
Ich verstand mich wunderbar mit den Dschungelfrauen. Sie

trugen alles so ehrlich und offen zur Schau, und auf allen Seiten war nichts als die nackte Wahrheit. Die jungen Fräuleins allerdings erschienen todschick in knallroten Lungyis und frischen weißen Westen, die mit buntfarbigen Steinen zugeknöpft waren — sie präsentierten sich fein säuberlich und in keuschester Weise von Kopf bis Fuß bedeckt. Um ihre verheirateten Schwestern aber stand es anders; denn die hatten sich schon lange um Babys willen von ihren Westen getrennt. Sie taten wirklich alles für die Babys; auch daß sie meine höchst privaten Besitztümer nach Seidenwäsche, die scheinbar gerade die richtige Größe hatte, nach Karbolseife und Zahnpasta durchstöberten, geschah nur für Baby. Die Zahnpasta schmierten sie auf die kleinen Köpfe, weil das so angenehm roch.

Die Mamas waren ein ununterbrochenes Karussell für ihre Lieblinge, und die Muttermilch wurde, wie alles in Burma, mit den Bedürftigen geteilt. Mama Thin tat ihre Pflicht doppelt und nährte zwei fette kleine Knödel zugleich. Wenn sie gerade nicht saugten, lutschten die beiden Lieblinge an einem Schnuller, der die Form einer Manilazigarre hatte.

Leider ist die Säuglingssterblichkeit in Burma sehr hoch. Sie beträgt ungefähr dreißig Prozent, denn Hygiene und Reinlichkeit werden durch uralte Gebräuche und Aberglauben ersetzt. Irgendwer, der zufällig etwas von Kräutern versteht und der Ansicht ist, schon einmal jemanden kuriert zu haben, gilt als Arzt, und die alten Frauen des Dorfes dienen als Hebammen. Sobald ein Baby das Licht der Welt erblickt, wird es in kaltem Wasser gebadet, während die Mutter zwischen heißen Ziegeln „geröstet" wird, um den bösen Geist zu vertreiben, der während der Wehen von ihr Besitz ergriffen hat.

„Birmanische Frauen sehr gut — arbeiten schwer, machen viel Geld. Birmanische Männer nichts gut — nur lachen und machen Babys", faßte Mari die Situation zusammen.

Letzteres Rezept aber scheint fehlerlos zu sein. Birmanische Babys sind die dicksten und gutgelauntesten der Welt. Die einzige Gelegenheit, bei der ich jemals eines von ihnen weinen sah, war bei meinem Anblick.

Als mein Ehemann bei Sonnenuntergang nach Hause kam, war

die Party immer noch in vollem Schwung. Unser Begrüßungskuß verursachte ein brüllendes Gelächter, denn Oskulation ist eine der wenigen Freuden, die die Birmanen irgendwie übersehen haben.
Mit dem letzten Schimmer von Licht ertönte der Zapfenstreich, das „Tuk-tû-tuk-tû" der großen Baumeidechse, und zum Vergnügen der Eingeborenen antwortete Barnum auf diesen Ruf. Obwohl es schon höchste Zeit zum Gehen war, machte niemand irgend welche Anstalten dazu.
„Vielleicht verstehen sie den Wink mit dem Zaunpfahl, wenn wir uns ins Bett legen", flüsterte ich Barnum ermutigend zu, denn ich wußte, wie müde er war.
Nachdem wir die letzte Kerze ausgeblasen hatten, lachten sie nur, scharrten mit den Füßen und schlichen näher heran, um durch die Spalten zu uns hereinzuschielen.
„Dos", rief ich streng, „sag unseren Gästen, daß die Party beendet ist!"
Als wir schon fast eingeschlafen waren, hörte ich sie immer noch erwartungsvoll kichern.

GESELLSCHAFTLICHES LEBEN IN BURMA

Nichts macht den Birmanen mehr Spaß, als selbst eine Gesellschaft zu geben. Seit dem Fest des Regen-Nat war noch kaum eine Woche vergangen, und schon wieder bereiteten die Dorfbewohner eine neue Feier vor. Diesmal sollte es ein Pwe werden. Ein Pwe ist die populärste Unterhaltungsform, die bei jedem besonderen Ereignis stattfindet. Es ist eine Kombination aus Varieté und Singspiel, mit Liedern, Tänzen, Monologen und Chören — alles gratis.
Ein einziger Mann bezahlt die Rechnung für die ganze Angelegenheit. Es spielt keine Rolle, ob der Betreffende dadurch in Schulden gerät, denn Burma ist für Gläubiger ein sehr angenehmes Land. Alle Welt wird eingeladen, selbst die eigene

Frau, und niemand sagt ab. Die Gäste sind darauf vorbereitet, während der ganzen Dauer des Festes — das sind gewöhnlich fünf Tage und Nächte — zu essen, zu schlafen und fröhlich zu sein.

Diesmal würde es eine jugendliche Party werden, um die Zeremonie des Ohrläppchen-Durchbohrens zu feiern, die stattfindet, wenn ein Mädchen in das heiratsfähige Alter von zirka dreizehn Jahren kommt. Es ist das größte Ereignis im Leben eines birmanischen Mädchens, und man pflegt eine Galaangelegenheit daraus zu machen.

Ich zerbrach mir gerade den Kopf darüber, was ich anstellen könnte, um an den Feierlichkeiten teilzunehmen, als eine Delegation von Frauen, angeführt von der Gattin des Tedsche, des Weges kam. Sie waren alle aufgeputzt und trugen ihre besten Sonntagsgewänder, eine verwirrende Zusammenstellung von Farben, gekrönt von einem blumengeschmückten Sonnenschirm.

„Will Memsahib bitte kommen zum Fest des Ohrläppchen-Durchbohrens?“ fragte die Frau des Häuptlings.

Und ob ich wollte! Aber was sollte ich anziehen? Ich hatte eine Inspiration. Was konnte passender sein als das birmanische Kostüm, das ich in Rangun gekauft hatte! Natürlich mußte es durch ein paar einheimische Verschönerungsmittel ergänzt werden, um aus mir eine wirklich reizvolle Erscheinung zu machen.

Und damit fing der Spaß an.

Ich gelangte mittels einer wackligen Bambusleiter, dem einzigen Zugangsmittel, in den Dschungel-Schönheitssalon, der aus einer Palmenhütte bestand, die auf vier Stelzbeinen ungefähr viereinhalb Meter über dem Boden im Winde schwankte. Während ich auf halbem Weg in der Luft schaukelte, kam ich zu der Überzeugung, daß Darwin recht gehabt hatte. Ich trennte mich von meinen hölzernen Sandalen, und zu den Clown-Kunststücken, die ich danach vollführte, hätte nur noch ein Schwanz gehört, und jedermann wäre sich über die Entwicklung der Menschheit klargewesen. Ich hielt in keuscher Angst meine Kleider zusammengerafft und erreichte schließlich die Spitze als eine Art von kopfstehendem Gugelhupf auf allen Vieren.

Ein kicherndes Fräulein geleitete mich zu einer Matte, auf der

ich mich ausstreckte, während die kosmetischen Künstlerinnen alle nur möglichen Anstrengungen machten, um aus einer simplen amerikanischen Gretl eine birmanische Schönheit zu machen.
Ockergelbe getrocknete Rinde, die auf einem flachen Stein zerrieben und mit Wasser und einer Prise parfümiertem Talg vermischt wurde, ergab das Gesichtspuder. Eine Schmiere aus Henna für Ohrläppchen, Finger- und Zehennägel; rote Beize für die Lippen — all das wurde mir mit Hilfe der Fingertechnik zugefügt. Zur Vervollkommnung dieser Farbeffekte wurden meine von Kokosnußöl glänzenden Flechten in einer aufwärtsstrebenden Haartracht zusammengewunden und mit Jasminsternen geschmückt.
„Hla, hla“ — hübsch, hübsch — riefen sie alle, als ich mich voller Bedenken in dem blanken Teil einer Kerosindose betrachtete.
„Mein Gott, du schaust aber einheimisch aus“, staunte ich mein Spiegelbild an. Die Gesamtwirkung erinnerte an ein Spiegelei mit zerflossenem Dotter!
Während meiner Behandlung erhielt ich ein paar sehr wertvolle Tips über das birmanische Schönheitsideal, das Schlankheit um jeden Preis fordert. Und was für einen Preis sie bezahlen! Zum Beispiel drückt man einem jungen Mädchen, das die ersten Knospen ihres Frauentums zu entwickeln beginnt, heiße Ziegel auf die Brüste, um deren Entwicklung zu verlangsamen.
Die durchschnittliche Dschungeldame hat es selten notwendig, ihre natürlichen Reize zu erhöhen, und sie beweist meistens eine Feinheit und Einfachheit des Geschmackes, die in dem übertrieben gekleideten Orient äußerst erfrischend wirken. Mit kleinen, biegsamen Figuren, die in zierliche Hände und Füße auslaufen, mit Hüften, die selbst für amerikanische Begriffe geschwungen sind, neigen sie in ihren Körperidealen ausgesprochen zu Stromlinienformen. Die schwungvollen Kurven ihrer leiblichen Umrisse im Rahmen einer Bambustür sind eine ausgesprochene Augenweide.
Als ich mich neben den Eltern des Mädchens niederließ, kündete eine laute Fanfare gerade den Beginn der Feierlichkeiten an. Für

die Eltern war es ein großer Tag, denn er bezeichnete die Mündigkeit ihrer Tochter.
Während sie unter einem Pisangbaum saß und wahrscheinlich wünschte, sie wäre ein Bub, wurden die Ohren des Mädchens mit langen goldenen Nadeln durchbohrt, und ihre Schmerzensschreie wurden von den Alten begutachtet. Diese Schreie entschieden, ob sie das Zeug für eine gute Ehefrau hatte. Lustvolle Klagelaute wurden jubelnd applaudiert, temperamentloses Wimmern hingegen mit Stirnrunzeln und Kopfwackeln abgelehnt.
Nachdem die ernsthafte Angelegenheit des Ohrläppchen-Durchbohrens vorüber war, wurde jedermann lustig. Inmitten allgemeiner Fröhlichkeit machte die junge Debütantin ihre erste Verbeugung vor der Gesellschaft, sie entschlüpfte dem sorglosen Kokon ihrer Kindheit, und der goldene Frühling ihres Lebens begann. Unsere Gastgeber servierten Getränke, Kokosnußmilch und Palmenschnaps in getriebenen Silberschalen, und eine birmanische Tanzkapelle gab sich den Dschungelrhythmen hin.
Im Zentrum des Saing-waing, einer kleinen, runden Einfriedung, die einer Kinder-Gehschule ähnelte, saß ein wilder Musiker, den Turban schief auf dem Kopf, und seine fliegenden Finger klopften seine eigene Version von Musik aus einer Reihe von verschieden gestimmten Trommeln. Sein sogenannter Begleiter, der in einem kleineren Kyi-waing hockte, vermied die Abnützung seiner Finger durch den Gebrauch eines hölzernen Hammers, den er mit einer ohrenbetäubenden Leidenschaft gegen vielstimmige Messing-Gongs hieb.
Schmetternde Trompeten und kreischende Flöten vollendeten mit ihrem Getöse das musikalische Potpourri. Eine Tom-Tom donnerte, Zimbeln klirrten und Bambusklappern vermischten sich mit den Tönen eines primitiven Bambusxylophons.
Dann kam die Varieténummer mit Jongleuren und Komikern. Auch tanzende Mädchen wurden uns geboten, die auf seltsame Weise nicht mit ihren Füßen zu tanzen schienen, sondern im Gegenteil den Eindruck machten, als ob sie an den Boden genagelt seien, und nur mit dem Oberteil ihres Körpers wackelten. Das Ballett tanzte in völligem Einklang zu dem Rhythmus des Orche-

Eine birmanische Musikkapelle besteht aus allerlei merkwürdigen Instrumenten, die im Zusammenklang ein ohrenbetäubendes Potpourri ergeben.

Junge, ernsthafte Mönche in hellgelben Gewändern holen sich ihre tägliche Reisration.

Jede größere Ortschaft hat ihren eigenen Tempel mit einer großen Auswahl an Buddhas. Reich geschmückt und überdimensional zeigen sie ein unergründlich lächelndes Antlitz.

sters, die Tanzenden posierten und drehten und schwangen und wanden ihre Oberkörper mit zitternden Wellenbewegungen von Armen und Schultern.
Das dauerte so lange, daß ich am Schluß das Gefühl hatte, jetzt *müßte* irgend etwas geschehen — ich hoffte nur, daß nicht gerade ich es sein würde, die etwas anstellte. Dann brachen sie plötzlich und ohne Warnung in einen wilden Bauchtanz aus und sprangen in einem irrsinnigen Tempo in der Luft herum, als ob eine Biene sie gestochen hätte. Die Musik gab sich in einem letzten Crescendo endgültig den Disharmonien hin — und plötzlich standen sie wieder wie angenagelt still.
Es war unvermeidlich, daß sich sowohl Schauspieler als auch Zuhörer in einen Zustand von glücklicher, hungriger Erschöpfung hineinarbeiteten. Und so wurden die Matten aufgerollt, und die Müdgefeierten erwarteten das langersehnte Festessen.
Das Hauptgericht bestand aus Reis, der auf viele köstliche Arten zubereitet war. Der größere Teil war mit Schweinefleisch und Curry gemischt oder zu kleinen Reisknödeln geformt, die in Sirup getaucht waren.
Die größte Köstlichkeit aber, und etwas, das bei keinem Festessen der Birmanen fehlen darf, war eine zweifelhafte Delikatesse namens Ngapi (das g ist stumm, aber dafür stinkt es laut). Es geht das Gerücht, daß dieses Zeug einst Fisch war, und zwar vorzugsweise Katzenhai oder Seewolf, die keine Schuppen haben. Aber zu dem Zeitpunkt, da man es ißt, erinnert es in nichts an irgendwas, das je lebendig war. Nachdem er gefangen wird, wird besagter Fisch in der Sonne liegen gelassen, um ein reifes Alter zu erreichen, und wird im Verlauf des Verfaulungsprozesses zu der berühmten obenerwähnten Fischpaste. Wenn man mich fragt, so war die Sonne sein endgültiges Verderben.
Zu guter Letzt nahmen die Festlichkeiten ein Ende, und die kleine Dame fühlte sich zweifellos um viele Jahre gealtert. Und das mit Recht, denn nach diesen Zeremonien war sie jetzt endgültig für die Affären des Herzens bereit und konnte an der üblichen „Stunde des Liebeswerbens“ — jede Vollmondnacht zwischen neun und zehn Uhr — teilnehmen.
Dies ist der Jugend süß-romantische Liebesstunde, wo der birma-

nische Jüngling sich mit dem birmanischen Mädchen trifft, und Träume gesponnen werden, die nur darauf warten, in der Liebe ihre Erfüllung zu finden. Eines Tages würde auch ihr der Märchenprinz begegnen, und wenn er kam, würde sie sich ihm nicht versagen. In den Tropen ist die Liebe eine wilde, impulsive Angelegenheit. Es gibt kein Kompromiß, keine Verzögerung, kein Morgen, nichts, nur eine völlige, rückhaltlose Hingabe.

Sollte der Jüngling ihrer Wahl nicht anbeißen, so kann das verschmähte Mädchen zu allen möglichen Mitteln Zuflucht nehmen, die unfehlbar sein Herz entflammen werden. Erstens gibt es den Liebestrank aus Kräutern. Wenn dieser versagt, kann sie selber in ihrer Verzweiflung den Todestrank nehmen. Zum Glück gibt der Geliebte für gewöhnlich rechtzeitig nach und wird daraufhin mit dem „Fingernagel-Zauber" beglückt, einem langen, vergoldeten Fingernagel, den das Mädchen zu diesem Zweck hat wachsen lassen und den er nun für immer am Halse trägt, es sei denn, daß er ihn gerade zum Rückenkratzen benützt.

Wenn die Eltern mit der Partie einverstanden sind, wird für das glücklich vereinte Paar ein Pwe arrangiert, und sie beginnen ihr Leben als Mann und Frau. Falls die Eltern ihre Zustimmung verweigern, bleibt den Liebenden nichts anderes übrig als auszurücken. Wie Mari erklärte: „Machen keine Heirat, laufen nur zusammen davon." Aber das ist keine bloße Eskapade. Dieser Akt des Davonlaufens ist in den Augen der Gemeinde ewig bindend. Nach ihrer Rückkehr von den für gewöhnlich drei, vier Tage währenden „Flitterwochen" im Wald oder in einem benachbarten Dorf werden die Liebenden als regelrechte Eheleute betrachtet. Wieder einer von den alten birmanischen Gebräuchen!

Auf jeden Fall gibt es keinerlei Heiratszeremonien, wie sie bei uns üblich sind. Der buddhistische Glaube lehrt, daß alle Dinge vergänglich sind. Folglich können wir auf dieser Erde keinen Schatz beiseite legen, auch nicht in Gestalt eines Ehemannes. Auch werden die Ehen nicht im Himmel geschlossen; sie sind von dieser Erde — sie sind irdisch, und die Kirche kann keine irdischen Bande segnen.

Auch der Staat spielt keine Rolle bei dieser Vereinigung. Die Ehe ist nichts als eine rein persönliche Angelegenheit, die nur die

zwei Leute angeht, die den gemeinsamen Wunsch hegen, miteinander zu leben. Die Liebe ist das einzige Band.
Von Anfang an ist der Ehestand eine Halbscheid-Angelegenheit: die Braut bewahrt sich ihre Individualität, ihr Eigentum und behält selbst ihren Namen. Wenn man sich in Burma beispielsweise erkundigt, wem dieses oder jenes Haus gehört, erhält man zur Antwort, es sei das Heim von Fräulein Müller und Herrn Schmidt, obwohl diese beiden Mann und Frau sind.
Nachdem der erste Rausch ehelichen Glücks ausgekostet ist, lassen sich die Neuvermählten zu einem normalen Leben nieder, und die Frau wirft sich aufs Geschäft. Fast der gesamte Kleinhandel des Landes liegt in weiblichen Händen, und es gibt wenig Frauen, die sich nicht mit einem anständigen Gewinn aus einer Marktbude oder einem Laden in ihrem eigenen Haus brüsten können. Aber was immer sie tut, die Birmanin ist vor allem anderen Hausfrau und Mutter.
Jedoch das Leben einer Ehefrau besteht nicht nur aus Arbeit. Wenn der Mann zu Hause ist und abwechselnd mit den Kindern spielt und sich mit seinem Reisfeld beschäftigt, gönnt sie sich auch ein paar Augenblicke der Muße.
Ihr Hauptvergnügen und der häusliche Sport der meisten birmanischen Frauen ist es, den Ehemann zu kleiden. Sie setzen ihren Stolz darein, aus ihm den Bestangezogenen der Ortschaft zu machen, und opfern ganze Abende, um sich seiner Bekleidung zu widmen und ihn für seine nächtlichen Streifzüge mit den anderen Burschen in die feinsten Seidengewänder zu hüllen.
Eine wirkliche Scheidung kennt man dort nicht. Die Ehe, gegründet auf Liebe, Treue und Verständnis, ist in Burma eine äußerst erfolgreiche Einrichtung. Sie verwirklicht tatsächlich die altehrwürdige Heiratsformel: „... in guten und in schlechten Zeiten, bis der Tod uns scheidet." Gemeinsam führen die birmanischen Eheleute ein ideales Leben, das Burma fast zu einem Paradies macht. Leben, so meinen sie, ist nicht ein Geschäft. Leben ist eine Kunst — und ganz bestimmt ein Vergnügen.

So wie den birmanischen Mädchen zum Zeichen ihrer Mündigkeit die Ohrläppchen durchbohrt werden, so lassen sich die Knaben als Zeichen ihrer Mündigkeit tätowieren.
Alle gewissenhaften Eltern müssen darauf achten, daß ihre männlichen Nachkommen noch vor dem Ende der Flegeljahre einen gründlich bekritzelten Anblick bieten.
Schon in seiner frühesten Jugend bringt man den Knaben zum Saya, dem Tätowierungskünstler des Ortes, wo die Spitze einer sechzig Zentimeter langen Nadel ihn sehr schnell mit den ersten, schmerzhaften Prozessen des Erwachsenwerdens bekanntmacht. In diesem Alter ist es für den kleinen Burschen eine ziemlich schreckenerregende Angelegenheit, ungefähr so wie unser erster Besuch beim Zahnarzt. Aber es ist der Brauch, sagt Mutter, und die muß es wissen. Im übrigen, wenn er nicht stillhält und sich, während der nette Mann an seiner Hinterfront herumsticht, nicht gut benimmt, wird er verhauen oder, noch schlimmer, die bösen Nats holen ihn. Wenn diese guten Lehren den Buben nicht genügend beeindrucken, so reagiert er zweifellos auf das Opium, das ihm ohne viel Umstände eingeflößt wird und ein sehr wirkungsvolles Gegenmittel gegen Dickschädligkeit ist.
Da mit den Gravierungen auf dem Hinterteil angefangen wird, wenden die Eltern vor der Hinzuziehung von Opiaten gewöhnlich ein wenig Kinderpsychologie an. Sie denken sich eine sorgfältig zusammengestellte Räubergeschichte aus, daß nämlich Tätowierungen eine Art Impfung gegen Prügel oder ähnlich unangenehme Strafen von seiten der Erwachsenen darstellen, und der einfältige Tropf schluckt das alles brav, erträgt geduldig die Quälerei und jedermann ist glücklich — bis zu den nächsten Prügeln, wo er entdecken muß, daß er schwer hineingelegt wurde.
Nach dieser Einführung in die männliche Gemeinschaft wird aus dem kleinen Buben ein großer Bub und seine Besuche bei dem Saya werden häufiger. Jetzt beginnt der Maestro seine Schenkel zu bearbeiten, indem er das Fleisch aufritzt und die Risse mit dunkelblauer oder roter Beize aus Pflanzensaft füllt. Die Zeit der

Kindermärchen ist vorüber, und er erklärt dem Burschen nun, daß es die Geschichte seines Schicksals ist, die jetzt fortlaufend in ihn hineingekratzt wird.
Von nun an trägt er am eigenen Leibe einen wohldurchdachten „Führer in die Zukunft“, inklusive spezieller Zaubermittel zur Verscheuchung des Bösen. Er hat es nun nicht mehr nötig, den Dorfastrologen nach seinen glücklichen und unglücklichen Tagen auszuforschen, ein Blick unter sein Lungyi genügt, um ihn genau zu informieren.
Natürlich müßte er manchmal ein Schlangenmensch sein, um gewisse Stellen seines Horoskops lesen zu können. Aber wenn ein Mann einmal bei diesem schwer zugänglichen Teil seiner Tätowierungslektüre angekommen ist, hat er gewöhnlich schon eine Frau, die die Nachforschungen für ihn betreibt. Und manchmal befinden sich zwischen den Zeilen astrologische Feststellungen, die ungeahnte Dinge offenbaren. Das kann jede birmanische Ehefrau bezeugen. Es gibt hier keine Geheimnisse. Wenn sie jemals über die Vergangenheit oder die Zukunft ihres Mannes im Zweifel ist, braucht sie nur einen Blick auf seine Schenkel zu werfen.
Diese Tätowierungsangelegenheit dauert mehrere Jahre, in deren Verlauf dem stolzen Opfer ein wundervoller Ausschlag an Phantasietieren, Schnörkeln, Strichmustern, Hieroglyphen und manchmal auch Morseschriftzeichen auf der Haut erblüht und die ganze Gegend vom Knie bis zur Taille bedeckt. Es bleibt kaum ein freier Raum übrig. Und wenn eines Tages der Maestro dabei angelangt ist, den Nachruf seines Klienten in ihn hineinzukratzen, dann ist alles vorüber.
Der birmanische Jüngling kann sich nach einem ernsthaften Studium der Gestirnkonstellation auf seinem linken Knie davon überzeugen, daß er sich dem Mannesalter nähert. Und so stürzt sich der zukünftige Mann ins volle Leben und produziert vor den Mädchen bei der geringsten Herausforderung seinen herrlichen neuen Tierkreisgürtel — und dabei denkt er die ganze Zeit an jene süße kleine Frau mit einer Tabakfarm, die ganz deutlich unter seinem Nabel eingekritzelt ist.
Aber Jugend ist ungeduldig. Obwohl jedes Bein jetzt einem damaszierten Gewehrlauf gleicht und das Zwerchfell mit einem

eindrucksvollen Freskengemälde kommender Ereignisse bedeckt ist, ist das wirkliche Mannesalter noch nicht erreicht. Denn in Burma sitzt die Männlichkeit tiefer als nur unter der Haut, sie ist auch eine Angelegenheit der Seele. Er ist erst ein halber Mann, ist erst die physische Hälfte eines Herrn der Schöpfung. Jetzt ist die Zeit gekommen, um seinen Geist zu pflegen. Der birmanische Jüngling hat nun noch die letzte Barriere, die ihn von der Welt des Mannes trennt, zu überwinden — seine Novizenzeit im Kloster.

Während wir in Gyat waren, erreichten gerade zwei solche Kandidaten der Männlichkeit diese wichtige Phase. Ihr Eintritt ins Kloster fand am größten Feiertag des Ortes, am Pagodenfest, statt.

Ein Pagodenfest ist eine Art grandiosen Kirchen-Picknicks. Es waren zu dieser Gelegenheit sicher tausend Leute in Gyat versammelt, und das kleine Dorf platzte fast aus seinen Nähten. Sie kamen meilenweit aus dem Umkreis über die Berge gezogen, mit Geschenken für die Mönche und dem, was sie für das Festgelage beisteuerten. Die Frommen kamen aus religiösen Gründen, andere, um die Novizen zu sehen, einige wegen der Gratisernährung, alle um alte Freunde zu besuchen und fröhlich zu sein.

Es war gerade Vollmond, und die Jünglinge und Mädchen nützten das weidlich aus. Dunkle Haine hallten von den Schritten zahlloser Füße wider, und man hörte das bei diesen Gelegenheiten übliche Kichern und Quietschen. Aus dem Dorf erklang das dumpfe Geräusch der Reisstampfer und das tiefere Lachen der verheirateten Leute.

Die ganze Nacht ging es so. Leute kamen, Leute gingen, schleppten Körbe voll grüner Tomaten, Papayas, Pisangs und große, fette Schweine für das Festessen herbei. Sie standen um die flackernden Feuer herum, sie schnüffelten hungrig an den riesigen brodelnden Kesseln, die die Luft mit dem Geruch von Schweine-Curry erfüllten. Süße Röllchen aus Reismehl, die durch das Loch einer Kokosnußschale in kochendes Öl gedrückt wurden, ließen ihnen das Wasser im Munde zusammenlaufen. All diese Dinge waren Anzeichen für ein köstliches Mahl am folgenden Tag. Und gerade als jedermann zu ermüden begann und nach einem Platz für ein

Schläfchen suchte, nahm die Ordinationszeremonie ihren Anfang.

Irgend jemand begann den Gong zu schlagen, und eine lange Prozession setzte sich langsam und feierlich in Marsch durch den Ort. Allen voran schritten die zwei kleinen Novizen in farbenfreudigen Gewändern, aber die Gesichter mit Asche bedeckt, zum Zeichen der Vergänglichkeit irdischer Freuden. Zu beiden Seiten von ihnen stellte ein großer Hti (Sonnenschirm) — einer offen, der andere geschlossen — die Fülle des Lebens dar, das sie bisher genossen hatten, und die Ausschließung weltlicher Freuden in dem Leben, das sie nun beginnen würden. Jeder trug über der Schulter einen Regenschirm und ein Paar Sandalen, die alles darstellten, was sie noch an irdischen Gütern besaßen. Hinter ihnen kamen mit Geschenken beladene Leute. Es waren einige zwanzig Frauen mit Körben voller Pfauenfedern, Blumen, Früchten, safranfarbenen Gewändern und Reis, ganz zu schweigen von den vielen verschiedenen Süßigkeiten für die Mönche.

Die Prozession machte unter einem großen Palmenbaldachin halt, der eine erhöhte Plattform überdeckte, an deren unterem Ende vier riesige Palmenblattfächer standen. Die Frauen traten eine nach der anderen vor, um ihre Geschenke auf der Bühne niederzulegen. Dies war das Signal für das Senken der Fächer, hinter denen jeweils ein Mönch stand, der seine Meditationen beendet und es offenbar nicht mehr notwendig hatte, sich vor irdischen Ablenkungen zu schützen.

Zu dem langgezogenen, singenden Gemurmel der Gebete wurden die zwei neuen Seelen Gott übergeben. Eine Strähne weißer Baumwolle wurde ihnen über die Köpfe geschlungen und dann um die heiligen Männer herumgewunden. Auf diese Art wurden die Jünglinge an die Kirche gebunden.

Den Rest des Tages verbrachten sie mit Freunden und Familie, gegen Abend verabschiedeten sie sich von allen, die sie gekannt hatten, und nahmen die gelben Gewänder der Priesterschaft in Empfang. Am nächsten Morgen würden sie zu einem neuen Leben des Studiums und der geistigen Entwicklung erwachen.

Zwei Jahre lang würden diese jungen Knaben weitab von der Welt, tief in ihren eigenen Gedanken und der zeitlosen Weisheit des Ostens vergraben leben und die Grundsätze des Buddhismus lernen. Am Ende dieser Zeit, wenn sie geistig herangereift waren, würde man sie vor die Wahl stellen, als erwachsene Männer in die Gesellschaft zurückzukehren oder im Orden zu verbleiben, um eines Tages Mönche zu werden.

IN EINEM BUDDHISTISCHEN KLOSTER

Wie die meisten birmanischen Klöster stand auch das von Gyat ganz für sich allein in der Nähe des Dorfes. Es war ein großer, länglicher, einstöckiger Bau aus braunem Tiekholz, der sich im Schatten unzähliger Bäume erstreckte.
Frauen dürfen nur sehr selten dieses Allerheiligste betreten, und nur durch die Gnade Gottes und die Zähigkeit des Tedsche machte der Ober-Pongyi (Abt) bei mir eine Ausnahme.
Nachdem ich den Novizen und den geringeren Geistlichen Zeit gelassen hatte, der Versuchung aus dem Wege zu gehen, kam ich am Nachmittag dort an und zog, wie es üblich ist, meine Schuhe aus, bevor ich die Stufen zur Vorhalle hinaufging. Zwei grauenerregende Kreaturen, halb Mensch, halb Löwe — glücklicherweise aus Gips — versperrten Dämonen und bösen Geistern den Weg. Aber ich kam durch. Am Ende des Stiegenaufgangs wartete der Pongyi auf mich. Er war ein jung aussehender Mann mit einem geschorenen Kopf und hatte ein safrangelbes Gewand wie eine römische Toga umgeworfen. Er winkte mich herein.
In scharfem Gegensatz zu dem reichgeschmückten Äußeren mit seinem vielreihigen Dach, holzgeschnitzter Dachrinne, reich verzierten Spitzen und Türmen und was sonst noch an schmückenden Effekten, war das Innere die Einfachheit selber.
Durch den Eingang kam man in eine lange, kahle, dämmerige Halle. Offensichtlich diente diese nachts als Schlafsaal, denn zu beiden Seiten des Raumes hatten die Mönche ihre Schlafmatten sauber zusammengerollt aufgereiht. Direkt gegenüber der Tür an der hinteren Wand neben einer Alabasterstatue des Buddha stan-

den zwei Stühle mit steifer Rückenlehne und zwischen ihnen ein Spiegel, der von der Decke bis zum Boden reichte. An der einen Seite befanden sich alte, geöffnete Truhen, die mit Manuskripten vollgestopft waren, ein paar Holzfiguren standen herum, und ich entdeckte sogar ein paar alte Ausgaben der indischen „Times“ und der „London Illustrated News“. Die Wände selber waren mit allen möglichen Gemälden bedeckt, die im Thema von der Krönung der Königin Victoria bis zu einer Gruppe gelbgekleideter Mönche variierten, die meditierend in einem erbsengrünen Wald wandelten. Neben einem Bild des Elefantengottes Ganescha hing eines der Heiligen Familie. Tatsächlich war hier jede Religion vertreten und alle in der freundschaftlichsten Weise durcheinandergewürfelt.

Die Klosterküche sah mit ihrem blankgescheuerten Bretterfußboden wie aus dem Ei gepellt aus. Lange, niedrige Tische waren mit Stapeln von rosa und blauen Porzellanschalen, Messing- und Lacktabletten, Reiskrügen, Messern und Gabeln bedeckt. In einer Ecke stand eine riesige, aus einem Tiekholzklotz ausgehöhlte Tonne. Sie war voll mit Reisresten für die Armen. Daneben entdeckte ich einen offenen Kessel, in dem das Essen gewärmt wurde, das die Mönche täglich von den Dorfbewohnern erhielten.

Da ich nur eine Frau war, wurde mir nicht gestattet, in den Teil des Klosters hinter der Küche vorzudringen. Der Rest war für mich verbotenes Gebiet. Lächelnd führte mich der Pongyi in die mittlere Halle zurück, wo wir uns hinsetzten und uns ruhig unterhielten.

Einmal während einer Gesprächspause hörte ich Stimmen aus einem anderen Teil des Gebäudes — es waren Kinder, die aus Leibeskräften ihre Lektionen hinausschrien. Das hatte seinen guten Grund.

„Das sind unsere Schüler aus dem Dorf“, erklärte mir der Mönch. „Wir glauben, daß die Kinder besser nach dem Gehör lernen — daher der Lärm. Unser Curriculum?“ Seine Zunge liebkoste das Wort und rollte es im Mund herum, als ob er jede Silbe einzeln auskosten wollte. „Unser Curriculum“, wiederholte er, „enthält Geschichte, Geographie und Arithmetik. Natürlich beschäftigen sich die Novizen mit höheren Studien. Fürs erste lernen sie die Pflichten eines Mönches. Ihr Tag ist in drei Studienperioden eingeteilt — die erste nach dem frühen Morgenmahl, die zweite nach dem regulären Frühstück, das wir im Dorf eingesammelt haben, und die dritte nach der letzten Mahlzeit zur Mittagsstunde."

„O ja", lachte er in sich hinein, „jeder, der eine Novizenzeit mitmacht, muß nach einem strengen Stundenplan leben. Aufstehen bei Sonnenaufgang, dann beginnt die Hausarbeit mit dem Auskehren des Klosters oder dem Aufreiben der Fußböden, dem Herbeischaffen von frischem Trinkwasser und der Pflege der heiligen Bäume. Zu den Mahlzeiten bedient der Novize bei Tisch und räumt am Nachmittag wieder alles auf. Wenn er dann eines Tages Mönch wird, sind die guten Gewohnheiten zu einem Teil seines Wesens geworden. Dann wird sein Leben ein Leben des Lehrens, Meditierens, er liest die heiligen Bücher und, wenn er eines Tages alt wird, ruht er aus."

„Gewöhnlich", fuhr er fort, „ist unser Tag gegen vier Uhr, wenn die Schule aus ist und die Kinder nach Hause geschickt werden, mehr oder weniger beendet. Danach haben die Mönche und Novizen bis zum Sonnenuntergang Zeit, im Dorf oder in der Gegend umherzuwandeln."

„Bis Sonnenuntergang?" warf ich ein.

„Keiner darf nach Einbruch der Dunkelheit hinaus", erklärte er. „Am Abend versammle ich die Studenten-Pongyis um mich und prüfe sie in diesem oder jenem. Manchmal halte ich ihnen einen kleinen Vortrag. Um neun Uhr ist bei uns das, was ihr Vesper nennen würdet, und dann geht es ins Bett."

„Ein ausgefüllter Tag!"

„Zu ausgefüllt!" stimmte er schnell zu. „Ich bin immer froh, wenn er vorüber ist, dann erst finde ich Zeit zu eigenen Meditationen. Die sind nämlich sehr notwendig für einen buddhistischen Mönch. Die Meditation spielt in unserer Religion die größte Rolle."

„Und worüber meditieren Sie?" fragte ich.

„Ich denke über das Leben Buddhas nach und verfolge in Gedanken wieder und wieder seinen Lebenslauf, damit ich dann um so

besser mein Leben nach dem seinen richten kann.“ Er machte eine Pause und sah mich forschend an: „Kennen Sie die Geschichte des Buddha?“
Ohne auf meine Antwort zu warten, lehnte er sich zurück und entfaltete nun vor mir das wundervolle Leben eines Mannes, der vor fast 2500 Jahren geboren wurde und dessen Lehren heute von einem Drittel der Menschheit als die höchste und letzte Wahrheit angesehen werden.
„Der Buddha“, sagte er, „kam als ein Hinduprinz und Erbe eines Königreiches im nördlichen Indien auf diese Welt. Sein Name war Siddhartha Gautama. Obwohl von kräftigem Körperbau und schneller Auffassungsgabe, bemerkte man schon früh, daß er seltsam unbefriedigt war und für den Pomp und Luxus des Hofes nichts übrig hatte. Selbst nach seiner Heirat mit der schönen Yasodhara, die er liebte, wurde er weiter von einem Gefühl der Nutzlosigkeit gequält. Dann, in seinem 29. Lebensjahre, begegnete er eines Tages einem alten Mann, kurz darauf einem Kranken und schließlich sah er einen Toten. Bisher waren ihm solche Anblicke erspart geblieben, und nun öffneten sich die Augen des verzärtelten Prinzen, er erblickte das Elend des Lebens und sein Herz floß über vor Mitleid. Dieses Mitleid mit der leidenden Menschheit veranlaßte ihn, sein sorgenfreies Leben aufzugeben und in die Welt hinauszuziehen. Man sagt, daß er in der gleichen Nacht aufbrach, als sein Sohn geboren wurde.“
Der Mönch ließ seine Augen über die Halle schweifen. „Stellen Sie sich vor, wie diese Nacht für ihn gewesen sein muß. Denken Sie daran, daß er immer noch ein Mensch und nicht der Buddha war. Er war immer noch schwach und menschlich. Wir nennen dies die Nacht der großen Entsagung, denn damals im Halbdunkel verzichtete er auf alles, um ein einfacher Mann zu werden und das Elend des Lebens kennenzulernen, damit er die Antwort darauf fände und vielleicht sogar die Heilung.“
Der Pongyi strich sich mit seiner zarten, braunen Hand über den kahlen Schädel und fuhr fort: „Jahre später, als er eines Nachts unter einem Bo-Baum rastete, kam die Wahrheit wie eine Erleuchtung über ihn und er sah, daß Leben und menschliches Leiden ein untrennbares Ganzes sind. Er sah unsere gegenwärtige Existenz

als einen von vielen Zyklen des Schmerzes, durch die der Mensch hindurchmuß, um das Nirwana — den Himmel zu erreichen. Damit wurde Siddhartha Gautama zu dem, den wir als ‚den Erleuchteten' — den Buddha kennen."

„Und dann?" sagte ich, als er eine Pause machte.

„Er hörte auf zu suchen und begann zu lehren. Er drang in uns, einander zu lieben und in Frieden zu leben und riet uns, in allen Dingen Maß zu halten. Er hinterließ uns fünf Hauptgebote, denen jedermann gehorchen sollte. Dies sind sie: Du sollst niemals ein Leben zerstören, du sollst nicht stehlen, noch Ehebruch verüben, noch lügen, noch berauschende Getränke zu dir nehmen. Dies sind die Prinzipien, Memsahib, nach denen heute fünfhundert Millionen Menschen leben."

„Für die Mönche", fügte er hinzu, „erließ der Buddha fünf zusätzliche Gebote. Es ist uns verboten, irgend welche Schönheitsmittel oder persönliche Zierate zu verwenden; es ist uns verboten zu singen, zu tanzen oder zu musizieren; nach der Mittagsstunde zu essen, dem Körper unnötige Bequemlichkeit zu gewähren und Gold oder Silber anzunehmen."

Irgendwo im Kloster erklang ein dumpfes Dröhnen. Das Echo schallte durch die Korridore und erfüllte die mittlere Halle. Der Pongyi erhob sich eilfertig: „Das ist das Kaladet", erklärte er, „eine hölzerne Glocke, die jeden Tag bei Sonnenauf- und Sonnenuntergang ertönt, wie euer Angelus."

Er begleitete mich bis zur Vorhalle und verabschiedete sich.

GROSSMUTTER TIS HEIMGANG

Daß es jemals eine Zeit geben sollte, wo Gyat sich nicht auf ein Fest vorbereitete oder nach einem Fest ausschlief, war unvorstellbar. Dennoch geschah es.

Ob das auf ein Versehen des Horoskopkomitees zurückzuführen war, oder ob der Mangel an Geburten und Ohrläppchen-Durchbohrungen, an Regen oder Dürre daran Schuld trug, das Vergnü-

gungsprogramm hatte absolut nichts zu bieten. Die Einwohner waren alles andere als glücklich darüber, die Stadtverwaltung war mit ihren unterhaltenden Einfällen völlig am Ende, und alle Welt machte dem Tedsche Vorwürfe.
Der kleine Mann kam, von Kummer gebeugt, um ein beträchtliches dünner zu uns.
„Dorf braucht sehr notwendig Pwe“, verkündete er mit einem Flehen in der Stimme.
Barnum unterdrückte einen Ausruf des Erstaunens. „Aber ihr hattet doch gerade vor ein paar Tagen ein Fest!“
„Zwei Wochen vorüber seit Pagodenfest, Sahib“, war die empörte Antwort. „Zwei Wochen lange Zeit für kein Pwe. Leute denken, ich kein guter Tedsche.“
Mein Mann schlang seinen Arm um die wohlgepolsterten Schultern des Tedsche. „Du bist ein erstklassiger Bürgermeister“, sagte er. „Sicher wird bald irgend etwas geschehen.“ Seine Augen blitzten auf, er hatte eine plötzliche Eingebung. „Was ist mit euren Nats? Könnten die euch nicht aus solch einer Patsche helfen? Ich meine — könntest du nicht so etwas wie eine Botschaft von ihnen bekommen, die den Dorfbewohnern befiehlt, ein Pwe für den Sonnen-Nat oder etwas ähnliches abzuhalten?“
Der Tedsche schüttelte den Kopf. „Ich Nats schon gefragt. Sie nicht hören ... Vielleicht sie wollen kein Pwe.“ Wieder war das Flehen in seiner Stimme. „Nur du und Memsahib kann helfen.“
„Wir — helfen? Aber wie?“
„Große Knochen finden — sofort, schnell, jetzt — dann wir können Feier machen.“
Barnum lächelte mitleidig. „Ich wünschte, das wäre so leicht“, seufzte er. „Glaube mir, wenn wir könnten, würden wir die größte Knochensammlung von ganz Burma für euch auftreiben — nur damit ihr eine Freude habt. Aber ...“ und er fuhr fort, den entmutigten Bürgermeister über das zurückhaltende Benehmen von Fossilien aufzuklären.
So standen die Angelegenheiten — bis die Nachricht kam, die alles und wahrscheinlich auch die Stellung des Bürgermeisters rettete. Er hatte bereits jede Hoffnung aufgegeben, und die Lage verschlechterte sich stündlich, als Großmutter Ti — Gott segne

sie! — sehr zuvorkommenderweise starb. Das Problem war gelöst!
Großmutter Ti war ziemlich alt, einige neunzig oder mehr. Dieses kleine Detail hatte sie aber nicht davon abgehalten, sich bei dem letzten Fest um den Titel der Dorfschönen zu bewerben, und bei diesem Versuch war sie gestorben. Zwei Stamperln und ein Tänzchen hatten ihr den Rest gegeben. Das Tänzchen hätte sie noch überleben können, aber die Stamperln hatten hundertprozentigen Palmschnaps enthalten!
Die Geschichte war die, daß sie sich immer gewünscht hatte, eine berühmte Musikkapelle bei ihrer Beerdigung zu haben — und da gerade eine im Ort war, war es eine einmalige Chance für sie gewesen, zu sterben, was sie auch zu ihrem ewigen Ruhme getan hatte. Schon seit Jahren hatte niemand in Gyat das Glück gehabt, in Anwesenheit eines Orchesters das Zeitliche zu segnen — Großmutter war der Neid des Ortes.
Barnum und ich waren äußerst verblüfft über diese Einstellung, bis man uns darüber aufklärte, was der Tod in Burma bedeutete. Offenbar ist das Sterben in diesem seltsamen Lande eines der größten Vergnügen, das einem in diesem Dasein begegnen kann. Die Leute verbrachten ihr ganzes Leben damit, sich auf das Ende zu freuen. Das Leben war für sie ein einziges großes Schauspiel voller Witz und Gelächter, bis zu dem großen Finale, das den Höhepunkt darstellt, wenn unter dem Applaus und dem Jubel seiner Mitmenschen der Birmane mit Würde und Grazie seinen Abgang macht.
Auf Verlangen des Tedsche wurden Barnum, Dos, Mari und ich als Ehrengäste zu Großmamas Abschiedsfest eingeladen.
Es war schon Nacht, als wir am Ort der Totenfeier ankamen, wo einige zweihundert Menschen beim flackernden Licht von Fackeln aßen, tranken und sich vergnügten. Seit vier Tagen und Nächten hatten sie sich schon auf Großmutters Kosten unterhalten, und heute war die letzte Nacht. Durch die offene Tür der mit Palmen gedeckten Hütte bewegte sich ein ununterbrochener Strom von lachenden und angeregt plaudernden Gästen, die alle bemüht waren, einen letzten Blick auf die Verschiedene zu werfen. Ich fühlte mich nicht recht wohl, als wir dort am Eingang standen,

denn ich wußte, daß die größte Ehre, die ein Birmane einem Freund erweisen kann, ein prächtiges Begräbnis ist. Drinnen im Raum preßten wir uns in die dichtgedrängte Menschenmenge hinein, mitten in einen Nebel von brennendem Wachs, Weihrauch, Manilazigarrenrauch und Schweiß. In einer Ecke stand der Tedsche und unterhielt sich mit einem jungen, gelbgekleideten Mönch.

Er erblickte uns und drängte sich strahlend durch die Menge auf uns zu. „Großes Pwe! Großes Pwe“, grunzte er vergnügt, überreichte jedem von uns eine riesige Manilazigarre und führte uns zu einer kleinen Nische, wo wir mit den üblichen Süßigkeiten und Getränken versorgt wurden. Unter anderem gab es Le' pet — das einheimische Teegebräu, das aus Baumblättern, Knoblauch, Salz, Öl und Hirsesamen hergestellt wird.

Wir arbeiteten uns schiebend und stoßend zu dem vorderen Teil des Zimmers vor, wo die Menschenmenge am dichtesten war. Dort, hinter einem durchsichtigen Wandschirm, ruhte beim flackernden Schein von Kerzen das einzige schweigsame Mitglied der Gesellschaft, die kleine Dame persönlich. Sie war auf den Boden gebettet und ihr ganzer Körper bis auf den Kopf mit Asche bedeckt — ein wirksames Mittel der Einbalsamierung, falls man die Beerdigung nicht allzu lange hinausschiebt. Zwischen ihre Zähne hatte man eine Silbermünze geklemmt, die zweifellos als Eintrittsgeld in das Leben nach dem Tode dienen sollte.

Der Tedsche erklärte uns, Großmama Ti sei als eine recht wohlhabende Dame gestorben. Die sehr Armen mußten sich mit einer Betelnuß oder, wenn es hoch kam, mit einer Bleimünze zwischen den Zähnen zufriedengeben.

Wir blieben eine Weile dort stehen und lauschten den Beschreibungen des Bürgermeisters über die Vorbereitung der Leiche zur Beerdigung. Sie war gründlich gebadet, ihre beiden großen Zehen mit einer Strähne aus dem Haarschopf ihres ältesten Sohnes zusammengebunden worden, dann hatte man sie in ihr bestes Sonntagsgewand gekleidet und in die Asche vergraben.

Bei einer sich ergebenden Gelegenheit wandte ich mich mit der Frage an Mari: „Was glaubt ihr, wo die Seelen nach dem Tode hingehen?“

Sie antwortete in ihrer üblichen, äußerst bildlichen Art: „Wenn gute Leute, gehen hinauf mit Gott, immer essen und immer glücklich. Wenn schlechte Leute, bleiben unten, gehen immer herum, bleiben nie stehen, haben kein Haus, verstecken im Wald und machen Leuten Angst.“

Man erkannte den orthodoxen Buddhisten in dieser Beschreibung kaum wieder. Aber sie bewies einem von neuem, daß ein Birmane nie verlieren kann. Selbst ein schlechter Mensch hat im Jenseits keine zu arge Zeit. Das ist die Natur dieser Leute, sie sind milde mit ihren Sündern, und lassen Vergangenes vergangen sein, ob im Leben oder im Tode.

Einmal im Laufe des Abends hieß der junge Mönch die anderen schweigen und hielt eine kurze Rede. „Diese Welt ist eine Brücke“, sagte er. „Überquert sie, aber baut kein Haus auf ihr. Der Tod ist der Eingang in den großen Frieden, und wenn einmal für euch die Stunde gekommen ist —“ er machte eine Pause und ließ den Blick über die Zuhörer gleiten — „denkt an eure guten Taten, denn sie werden mehr für euch bedeuten als alles andere.“ Ein Schweigen folgte und der Raum schien seltsam leer — bis er sich plötzlich wieder mit dem Getöse erneuter Lustigkeit füllte.

Draußen begann das große Orchester mit der Musik, so wie Großmama es gewünscht hätte. Tom-Toms donnerten, Gongs dröhnten, und fast konnte ich mir vorstellen, wie der muntere Geist der kleinen Dame, endlich von den Fesseln des Fleisches befreit, einen letzten Luftsprung machte und im Tanzschritt die Milchstraße hinaufschwebte.

Am nächsten Abend bei Sonnenuntergang versenkten sie einen kleinen roten und grünen Sarg in einer seichten Grube an einer einsamen Lichtung draußen vor der Ortschaft. Sie warfen Reis auf den Sarg und bedeckten ihn mit der warmen Erde. Pisangfrüchte und Wasser wurden zurückgelassen, um Großmama Ti auf ihrer Reise in die andere Welt ein wenig zu versorgen.

Als wir fortgingen, bot der Friedhof den Anblick eines verlassenen Jahrmarktes, den eine vergnügungssüchtige Menge eilig geräumt hatte. Der Boden war mit allem möglichen phantastisch geformten Zeug bedeckt, ausgebleichte Stoffetzen und Knochen

Von weither kommen die Besucher zum Pagodenfest mit Geschenken für die Mönche und den Lebensmitteln, die sie zum Festgelage beisteuern.

Steinerne Wächter schützen das Kloster vor Dämonen und bösen Geistern.

Thadus Wasserbüffel war ein fügsames Tier, aber der Geruch eines Weißen machte ihn fuchsteufelswild.

Für jedes kleine Traummädchen, das König Mindon Min zu heiraten beabsichtigte, setzte er ein Steinmonument.

lagen in einem wilden Durcheinander überall herum. Und von einem frischen Erdhügel hob sich ein neuer hölzerner Turm mit prunkvollen Wimpeln gegen die untergehende Sonne ab.
Wir waren überzeugt, daß alles so war, wie Großmama Ti es sich gewünscht hätte.

EINE LEUCHTENDE SPINNE

Eines Abends war zwar das Nachtmahl bereit, aber nicht so der Sahib. Das Zwielicht wurde zur Nacht. Immer noch kein Sahib.
„Ich mache mir Sorgen“, gestand ich den Dienstleuten, als wir zum Hause des Bürgermeisters eilten. Tausend furchterregende Vorstellungen schossen mir durch den Kopf. Barnum konnte sich verirrt haben, oder vom Pferd gefallen und verletzt sein, oder vielleicht hatte ihn ein wildes Tier angegriffen.
„Kannst du bitte eine Rettungsmannschaft ausschicken, um nach meinem Mann zu suchen?“ flehte ich den Tedsche an.
Er schüttelte den Kopf: „Birmanen gehen nachts nicht von Dorf weg.“
Wieder diese Nats, dachte ich.
„Wissen, welchen Weg Sahib heute gehen?“ fragte er.
„In Richtung Thittadaung — ziemlich weit.“
Er runzelte sein fleischiges Gesicht. „Das schlechter Ort, nicht gutes Dorf. Dacoits!“
„Dacoits? Du meinst Räuber?“
„Ja, Memsahib. Böse Stehler. Töten nicht Leute, aber rauben.“
Letzteres war nur ein geringer Trost.
Bei der Erwähnung des Wortes Dacoits erbleichte Dos und verschwand. Irgendwie hatte ich nicht das Gefühl, ihn in nächster Zeit viel zu sehen.
Weiteres Palaver mit dem Bürgermeister enthüllte den Grund für den schlechten Ruf von Thittadaung. Die Sache hatte begonnen, als vor langer Zeit birmanische Könige die Gegend unsicher

machten. Die Köpfe saßen damals nicht sehr fest, und es gab Dacoits in Hülle und Fülle. Eines Abends erschien ein einsamer weißer Forscher in dem friedlichen Dorf. Er war müde und schlecht gelaunt und verlangte auf eine etwas schroffe Art Essen und Trinken. Was man ihm brachte, schien nicht nach seinem Geschmack zu sein und er machte einen Wirbel.
Danach lag er ruhig schlafend in der schweigenden Nacht, als sich ein paar Eingeborene heranschlichen und sich an seinen Besitztümern, aus Gründen ausgleichender Gerechtigkeit, schadlos hielten. Dann jagten sie ihn davon, und mit nichts als seiner sonnengebräunten Haut und einem Tiekblatt bekleidet, entfloh er unter wilden Beschimpfungen dieser Diebshöhle.
Es geht das Gerücht, daß seine Unterhosen noch lange danach über dem Hause des Häuptlings im Winde flatterten, als Andenken an das für die Einwohner von Thittadaung historische Zusammentreffen zwischen der braunen und der weißen Rasse.
Mein Herz war mir schon fast völlig in die Hosen gerutscht, als wir wieder zu Hause anlangten. Dort blieb dann Mari und mir nichts anderes übrig, als die Nacht durchzuwachen.
„Bitte Madame nicht sorgen“, tröstete sie mich. „Dacoits jetzt machen nicht mehr Schlechtes mit Männern, nur mit Frauen. Binden sie nackt an Bäume und wollen Lösegeld.“
Irgendwie beunruhigte mich das noch mehr. Es war schlimm genug, wenn Barnum ohne seine Hosen durch den Dschungel wanderte, aber wenn dann auch noch nackte Mädchen, an Bäume gebunden, am Wegrand harrten ... Das war eine äußerst kitzlige Situation!
Kurz vor Mitternacht erschienen ein paar Abgeordnete des Bürgermeisters mit dem Auftrage, uns bis zum Morgen zu bewachen. Ihre Vorstellung von Bewachung war einzigartig.
Ich kann ihre Späße nicht anders beschreiben als eine Art Dschungel-Hexentanz. Kaum hatten sie die Hütte betreten, als der Dickste von ihnen sich in der Mitte des Zimmers auf den Boden fallen ließ und derartig zu hüpfen und umherzuwackeln anfing, daß ich glaubte, das Haus würde zusammenfallen. Sein Partner neben ihm übte Radschlagen.
Dann taten die beiden sich zu einem Kriegstanz zusammen, ver-

zerrten die Gesichter und sangen aus Leibeskräften ein Lied über die Krieger und Geister des Waldes. Dieses Getöse nahm ein Ende, als Darsteller Nummer zwei so tat, als ob er zusammenfiele und wir statt mit einem Kriegstanz mit einem Solo ergötzt wurden.

Das andere Paar, das sich bedeutend zurückhaltender benahm, verbrachte die meiste Zeit damit, sich in einer Ecke grunzend zu umarmen. Mein Mädchen behauptete, daß es sich dabei um den einheimischen Jiu-Jitsu handelte.

Alle vier vereinten sich am Schluß zu einem wilden Ringel-Ringel-Reihetanz und ließen sich in regelmäßigen Abständen einer nach dem anderen auf den Boden fallen, wo sie blutrünstige Drohungen durch die Mauerritzen hinausbrüllten.

„Was um alles in der Welt tun sie denn da?“ fragte ich Mari. „Ist das etwa ihre Vorstellung von Lustigkeit?“

„O nein. Sie den Teufeln Angst einjagen“, piepste Mari aus einer neutralen Ecke zu mir herüber.

Mit all ihrer Angst und ihrem Aberglauben fürchteten sich die Eingeborenen viel mehr als wir. Es war ihre Methode, sich im Finstern Mut zu machen. Als die ersten Anzeichen der Morgendämmerung am Horizont auftauchten, gingen sie nach Hause.

Meine Furcht hatte sich in Panik verwandelt, und ich war schon völlig verrückt vor Angst, als ich das Geräusch von Hufschlägen von weitem hörte und durch den Morgennebel ein müdes Stückchen Menschheit näherkommen sah. Der Sahib war daheim!

„Du bist, weiß Gott, die Antwort auf ein jungfräuliches Gebet!“ schluchzte ich, während Dos ihm die Stiefel auszog und Mari ihm eine dampfende Tasse Tee einschenkte.

„Hast du dich gestern nacht wirklich geängstigt, als ich nicht kam?“ fragte er müde, aber sanft.

Mari mischte sich ein. „O nein. Madame bekam gar keine Furcht. Vier Männer waren mit Madame die ganze Nacht.“

„A propos, das erinnert mich an die Kehrseite des Problems“, bemerkte ich etwas angerührt. „Mit wem hast du eigentlich die Nacht verbracht, Mister Knochen?“

Barnum suchte nach seiner Pfeife. „Also ich werde es dir erzählen“, begann er. „Es wurde schon dunkel, und ich war auf

dem Weg über die Borgo ins Lager, als ich plötzlich, nur ein paar Schritte von mir entfernt, eine kleine Lichtkugel in der Größe meines Daumens erblickte. Natürlich dachte ich, daß es eine große Feuerfliege sei, denn von der Sorte flogen eine Menge herum. Aber dieses Licht war anders. Es bewegte sich nicht. Ich stieg ab und bog die Zweige zur Seite, bis ich direkt über ihm war. Dann zündete ich ein Streichholz an. Und da, Pixie, direkt vor meiner Nase, war eine leuchtende Spinne, deren großer, ovaler Unterleib im Dunkeln erglühte. Sie bewegte sich noch immer nicht. Als mein Zündholz erlosch, leuchtete die Spinne wieder in voller Stärke. Ich hatte Angst, daß sie giftig sein könnte, wickelte ein Taschentuch um meine Hand und griff nach ihr. Das Tuch blieb an einem Zweig hängen und mein Schatz eilte davon. Ich beobachtete, wie das Licht im Gebüsch verschwand und suchte dann die ganze Nacht nach ihr. Hab' das Ding nie wieder gesehen", seufzte mein Mann und blickte resigniert zu mir auf.
„Es hätte sehr viel Aufsehen in der wissenschaftlichen Welt gemacht", sagte er nachdenklich. „Noch nie hat jemand eine leuchtende Spinne gefangen, und soviel ich weiß, hat bisher erst ein einziger weißer Mann außer mir eine gesehen."

DINER IM PALMENHAIN

Ausgerechnet in Gyat wurde ich zu guter Letzt doch noch Zeugin eines erstaunlichen menschlichen Benehmens, von dem ich mein ganzes Leben lang gelesen hatte, ohne je wirklich daran zu glauben. Es begann mit der Erscheinung eines sauber gekleideten kleinen Birmanen, dessen dunkle Haut wie nach einer kürzlichen gründlichen Reinigung glänzte.
Weder Barnum noch ich hatten ihn je zuvor gesehen, und nach seinem Gehaben zu urteilen, war er bestimmt kein einheimisches Produkt.
Dos stellte ihn als Ba Tu, den Träger eines Engländers, der kürzlich in der Nachbarschaft angekommen war, vor.

Daraufhin brachte der Bursche eine Visitenkarte zum Vorschein, die den Namen S. Alexander Packinham, Korrespondent, trug; darunter der Name der britischen Nachrichtenagentur, für die er arbeitete. Auf der Rückseite stand in einer äußerst korrekten Schrift geschrieben:
„Würden Sie, bitte, die Liebenswürdigkeit haben, morgen abend um 8 Uhr mit mir zu dinieren? Mein Camp befindet sich gerade hinter dem Kloster, im Palmenhain."
In einer Minute hatten wir die Antwort geschrieben, daß wir entzückt sein würden. Der kleine Mann nahm unsere Botschaft mit einer Verbeugung in Empfang und eilte zurück zu seinem Herrn.
Vor einem großen und kostbaren Zelt stand am nächsten Abend S. Alexander Packinham, Korrespondent, um uns zu empfangen. Wer da glaubt, daß er etwa auf die schlichte und praktische Art eines Stanley oder eines Ernie Pyle gekleidet war, oder in seinem Äußeren auch nur im entferntesten an einen Zeitungsmenschen erinnerte, der irrt gründlich.
Wir blieben beide wie angewurzelt stehen, als wir ihn erblickten. Mein Mann schaute, blinzelte, rieb seine Augen und schaute wieder. Einen Augenblick lang glaubte auch ich, Visionen zu haben. Aber es war wahr. Der Mann trug einen weißen Smoking, schwarze Krawatte und Hosen, die in messerscharfen Bügelfalten auf die glänzenden schwarzen Schuhe herabfielen.
In meinem ersten Schrecken wäre ich am liebsten im Boden versunken. Barnum hatte seine gewöhnliche Feldausrüstung an, und ich kam mir vor wie ein scheckiger Regenschirm.
„Hallo, hallo!" rief der Engländer und schritt uns entgegen. „Donnerwetter, bin ich froh, daß Sie gekommen sind! Es ist ziemlich unkorrekt von mir, so einfach aufzutauchen und zu erwarten, daß Sie zu mir zum Dinner kommen, wo ich Ihnen noch gar nicht vorgestellt worden bin. Aber ich war so versessen darauf, Sie kennenzulernen. Und man kann sich in diesem Weltteil doch nicht an Zeremonien halten, nicht wahr?"
Wir stimmten ihm bei und fühlten uns etwas besser. Er geleitete uns dann in das riesige Zelt, wo der Abend mit einem Aperitif begann.
Mister Packinham hatte von unserer Arbeit gehört und war ein

einziges Fragezeichen. Barnums Bericht über seine Entdeckungen in Indien und über die, welche er jetzt hier zu machen hoffte, schien ihn zu faszinieren.
Nach einiger Zeit tauchte hinter einer Zeltklappe der kleine Birmane von tags zuvor auf und verkündete, daß serviert sei. Unser Gastgeber erhob sich und führte uns an einen Tisch, der in der Mitte des Zeltes stand, und mit einem fleckenlosen Tischtuch, inklusive Servietten aus feinem irischen Leinen, bedeckt war. Das Besteck war aus Silber mit üppigen Monogrammen, das Wedgwood-Porzellan um ein Blumenarrangement herum gedeckt.
Das Hauptgericht bestand aus gebratenem Spanferkel. Nachdem die zarten, saftigen Scheiben Fleisch auf unsere Teller gehäuft waren, bemerkte Barnum, daß er sich entschuldigen müsse, denn wenn wir gewußt hätten, wären wir in einer anderen Aufmachung erschienen ...
S. Alexander lachte wiehernd. „Na, ich bin riesig froh, daß Sie es nicht getan haben", entgegnete er. „Ich habe es gern, wenn meine Gäste sich wohlfühlen. Sie müssen wissen, daß — obwohl es ein wichtiges Ereignis für mich ist, einen so hervorragenden Wissenschaftler und seine liebenswürdige Gattin bei mir zum Essen zu haben, dies nicht den alleinigen Grund für all dieses, sagen wir, Gepränge darstellt." Er deutete auf die tadellose Einrichtung des Zeltes, das glänzende Leder und das polierte Metall, das mit militärischer Präzision genau an der richtigen Stelle stand. „So lebe ich. So lebe ich immer, meine ich."
Sein Diener stellte die schweren Wedgwood-Platten vor uns hin, auf denen stark gewürztes Schweinefleisch und kerniger Reis dampften.
Er fuhr fort: „Ja, ich ziehe mich jeden Abend um, wo immer ich auch bin, und Ba Tu deckt meinen Tisch täglich mit Silber und Porzellan. Das sind die Bande, die mich mit der Heimat verbinden, und während ich für mich allein sitze und esse, denke ich an ... nun, an viele Dinge. An unseren Familiensitz in Cornwall, an ein Häuschen in Devon, an Polo in Wimbledon, an Imber Court und die Trabrennen, an Piccadilly und an meine Wohnung in Mayfair. All das sind gute, solide Dinge, etwas, wissen Sie, woran sich ein Mann in diesem verflixten Dschungel klammern kann.

Ich glaube, man könnte diese Hülle aus heimatlichen Dingen — Tischgedeck, Manieren, Kleider, Gebräuche —, mit der wir kolonialen Engländer uns umgeben und abschließen, als eine Art Panzer bezeichnen. Aber gerade dieser Panzer hält uns in Gang. Legt den Panzer ab und wo kommt ihr hin? Wenn sich ein Mann erst einmal gehen läßt, kommt er in den Tropen sehr schnell auf den Hund.
Ich strolche jetzt schon seit über vier Jahren im Osten herum und bekomme eine Aufgabe nach der anderen zugewiesen. Dies ist mein siebenter Monat in Burma, wo ich Material für eine Artikelserie sammle. Wenn man schon so lange von zu Hause fort ist und den größten Teil der Zeit weit entfernt von jeglicher Zivilisation verbringt, geschieht es leicht, daß sich die Maßstäbe verschieben und man die Dinge, mit denen man normalerweise lebt, vergißt. Daß ich mich immer umziehe und das Familiensilber mit mir herumtrage, ist meine Methode, mich daran zu erinnern, daß ich ein Teil des Britischen Commonwealth und seiner Lebensart bin. Natürlich hat das Ganze auch eine psychologische Seite", fuhr er fort. „Es ist das gleiche wie das Rasieren und Messingknöpfe-Putzen beim Militär. So ein einzelner Mann kann sich hier draußen fürchterlich einsam fühlen. Es ist eine seltsame Welt für einen Weißen. Und wenn er sich nicht immer an die andere Welt erinnert, ist er verloren.
Immer, wenn ich fühle, daß ich im Abrutschen bin, sage ich mir: ‚Halt dich fest, alter Junge! Eines Tages mußt du wieder auf die Britischen Inseln zurückgehen, und du willst doch nicht völlig verkommen sein, wenn es soweit ist.‘ Dann singe ich vielleicht auch eine Woche lang jeden Abend ‚God save the King‘ oder ich vertiefe mich besonders intensiv in irgend eine Arbeit — nur um mein Rückgrat zu stärken.
Ich weiß, daß das bei euch Amerikanern anders ist. Ihr habt die Gabe, euch anzupassen, wo immer ihr hingeht. Aber wir Briten müssen immer streng isoliert bleiben, sonst verlieren wir unser Gesicht."
S. Alexander Packinham spielte mit seinem Wasserbecher, und seine Manschetten stachen schneeweiß von der tiefgebräunten Hand ab. „Sehen Sie", fügte er ernsthaft hinzu, „wir haben es

uns niemals erlaubt, die Kluft zwischen Ost und West zu vergessen. Und so wie wir hier unsere ursprüngliche Lebensart beibehalten, weil es für uns die einzige ist, so erlauben wir auch den eingeborenen Völkern des Commonwealth, die ihre beizubehalten. Und darum — obwohl das für euch Amerikaner komisch klingen wird — haben wir versucht, uns in unserer Kolonialpolitik nach dem Prinzip zu richten, daß *wenig* regieren am *besten* regiert ist. Wir sind hier im Orient, um Handel zu treiben und die Ausbeutung der Bodenschätze, die andernfalls brach liegen würden, in die Wege zu leiten. Kurz gesagt, um Geschäfte zu machen. Die Einmischung in die Privatangelegenheiten unserer Handelspartner, in Religion, Gebräuche und so fort, ist streng tabu." Er blickte zu seinem Diener hinüber, der schweigend bereitstand. „Ba Tu hier ist ein gutes Beispiel. Ich würde ihn gar nicht ändern wollen. Ich mag ihn so, wie er ist."

Der Korrespondent sah uns nachdenklich an, dann winkte er Ba Tu, den Tisch abzudecken. Der Diener stellte Strecksessel vor den Eingang des Zeltes, und wir ließen uns dort nieder. Die Umrisse des Dschungels hoben sich schwarz gegen den Himmel ab, und ein Eckchen Mond lugte über die Spitzen der Palmen.

Unser Gastgeber klappte ein goldenes Zigarettenetui auf und reichte es uns herüber: „Wollen Sie eine Piccadilly versuchen? Obwohl sie wirklich nicht so gut sind wie Ihre amerikanischen Sorten — aber sie sind handgemacht. Ein Teil meines Panzers, wissen Sie." Er zwinkerte mir zu und gab ein britisches „Ho-ho" von sich.

„Sie sprachen über die englische Politik gegenüber den Eingeborenen", soufflierte ihm Barnum.

„Jawohl." Der Engländer lehnte sich in seinen Sessel zurück und atmete tief die Nachtluft ein, die schwer vom Duft exotischer Pflanzen war. „Zum Beispiel: unlängst stieß ich auf eine Gruppe von Eingeborenen in einer Lichtung außerhalb der Stadt. Sie standen dicht um einen alten Elefanten herum, der auf der Seite lag und sich in äußerstem Schmerz wand und schrie. Er warf sich derartig umher, daß dort, wo er lag, eine große Grube in der Erde entstand. Das Tier war irgendwie verletzt und hierher gebracht worden, um zu sterben. Der Mahout — der Elefanten-

wärter — stand in der Menge und sah so unaussprechlich traurig aus, als hätte er seinen besten Freund verloren.“
Packinham klatschte sich energisch aufs Knie. „Nicht einer dieser Nichtsnutze hätte auch nur einen Finger gerührt, um das Tier von seinen Qualen zu befreien! Eine Kugel aus meinem Jagdgewehr zwischen die Augen hätte ihn sauber und schmerzlos erledigt. Aber ich konnte es nicht tun, so sehr auch mein Instinkt danach verlangte. Ich hätte unmöglich an den Elefanten, mit der Absicht, ihn zu töten, Hand anlegen können, ohne die tiefsten Gefühle dieser Leute zu verletzen. Es wäre dasselbe gewesen, als wenn ich einen von ihnen getötet hätte, weil er schwer krank war. Wie Sie wissen, tötet man in diesem Lande nie und unter keinen Umständen; alle Fleischhauer sind Mohammedaner aus Indien oder Chinesen.“
Mein Mann und ich hatten das mächtige Expreß-Gewehr bemerkt, das in einer Lederhülse von der inneren Querstange des Zeltes herunterhing. „Jagen Sie viel?“ fragte Barnum.
„Wenn ich kann. Vor einiger Zeit habe ich einen großen Sambur-Bock — der Hirsch mit der Mähne — in den Bergen westlich von Mogok erlegt.“
„Mogok?“ wiederholte Barnum und richtete sich auf. „Sind dort nicht die berühmten Rubin-Bergwerke?“
Der andere nickte. „Die berühmtesten der Welt. Dort kommen auch die unbezahlbaren ‚Taubenblut‘-Steine her. Im Jahre 1875 soll einer dieser Mogok-Rubine, der achtunddreißigeinhalb Karat wog, 20.000 Pfund eingebracht haben. Die Siam- und Ceylon-Rubine können sich nicht mit ihnen messen. Thibaw, Burmas letzter König, versüßte sein Bankkonto durch die Rubinfunde um 15.000 Pfund. Gute Rubine sind wertvoller als Diamanten, wissen Sie. Ein Stein von fünf Karat kann leicht 3000 Pfund einbringen, während ein Diamant von der gleichen Größe nur ein Zehntel davon wert ist. Sie sind auch viel seltener als Diamanten.“
Er streifte die Asche von seiner Zigarette und sie glühte auf. „Wie Sie sicher schon entdeckt haben, Mister Brown, ist dies ein ideales Land für Mineralien. Es gibt eine große Menge Zinn, Jade und Bernstein im Norden, wo außerdem auch eines der größten Silber-Zink-Blei-Erzvorkommen der Welt ist. Und was Wolfram

anlangt, so kommt bei den Tavoy-Gruben südlich von Moulmein davon mehr zum Vorschein, als ich je irgendwo gesehen habe. Dieser Tavoy-Distrikt ist überhaupt verdammt interessant", sagte er nachdenklich. „Die Eingeborenen, die dort an der Küste leben, halten sich gezähmte Pythonschlangen, die sie zum Fischen mitnehmen. Diese siebeneinhalb Meter langen Reptilien haben ein unglaubliches Gefühl für die Witterung und spüren schon lange vorher das Herannahen eines Sturmes. Wenn die Schlange fühlt, daß etwas im Anzug ist, wirft sie sich aus dem Boot in den Ozean und macht, daß sie zur Küste kommt. Sie können wetten, daß die Schiffsmannschaft danach eiligst irgend einen sicheren Hafen aufsucht."

Der Mond stand schon hoch am Himmel, als Barnum und ich in dieser Nacht nach Hause gingen. Wir sprachen wenig. Ich ließ mich nicht einmal darüber aus, daß ich endlich dem Phänomen eines Briten begegnet war, der sich in der Wildnis zum Dinner in Smoking wirft. Aber irgendwie kam mir der Dschungel etwas weniger wild und die Welt ein wenig besser vor. Und wir hatten ein herrliches Gefühl der Sauberkeit und Sicherheit gewonnen.

Ich glaube, so geht es einem immer, wenn man den Abend mit einem wirklichen Gentleman verbracht hat.

ABSCHIEDSSCHMERZ UM BIMBO

In der Welt herumzureisen hat einen großen Nachteil, der so manches Mal alle Vorteile in den Schatten stellt. Dieses Mal zum Beispiel erging es uns so.

Kaum hatte ich begonnen, mich in Gyat zu Hause zu fühlen und die Eingeborenen liebzugewinnen, da tauchte mein Mann auf und verkündete seine Pläne für die Abreise.

So bald schon abreisen! Es kam mit der Plötzlichkeit eines Blitzes und erfüllte mich mit nackter Verzweiflung. Diese letzten Wochen waren so erfüllt von Menschen und Geschehnissen, so voller Gegenwart gewesen, daß der Gedanke an eine Abreise mir

nie gekommen war. Ich hatte keine Zeit gehabt, an einen zukünftigen Abschied zu denken.
Und plötzlich wurde mir klar, wie sehr ich mich hier eingewöhnt hatte. Denn während Barnum am anderen Ende der Regenbogenfelsen seinen flüchtigen Schätzen nachjagte, hatte ich das Ende *meines* Regenbogens hier im Dorf gefunden und meinen Goldschatz in den Herzen dieser liebenswerten Menschen. Dieses Märchenland mit seinen Zauberern, seinen Nats, seinen Fabeln, seinen komischen kleinen Gebräuchen und *meinem Babyelefanten* sollte ich verlassen? Ich konnte gar nicht daran denken — besonders nicht an Bimbo. Ich konnte es nicht ertragen, mich von ihm zu trennen.
Nachdem ich mich von dem ersten Schreck erholt hatte, wendete ich schüchtern ein, daß es doch so nett sein würde, wenn wir noch ein bißchen länger bleiben könnten. Barnum war anderer Meinung. „Du weißt, daß wir weiter müssen, Pixie. In dieser Gegend bin ich mit meiner Arbeit fertig, und zwischen hier und Monywa muß ich noch eine große Strecke erledigen, bevor die Regenzeit kommt. Das macht mir die meisten Sorgen. Die Regenzeit. Sie ist fast schon fällig."
Und so machte Barnum Pläne für unsere Abreise aus Gyat und den Marsch in eine neue Welt der Entdeckungen, und ich verfiel in Trübsinn; das heißt, einen Hoffnungsstrahl gab es. Vielleicht war es möglich, Bimbo mitzunehmen! Warum auch nicht?
Je mehr ich darüber nachdachte, um so mehr gefiel mir diese Idee. Aber würde sie auch Barnum gefallen? Das war der Haken. Am besten, ich wartete auf eine günstige Gelegenheit und auf den psychologischen Moment, wo er in der richtigen Stimmung sein würde.
In unserer letzten Nacht in Gyat wartete ich immer noch auf eine günstige Gelegenheit — und es war nicht mehr viel Zeit zu warten. Wir saßen auf der Veranda des Zihat. Der Tedsche, gesprächig wie gewöhnlich, der schweigende Pongyi, Barnum und ich — und feierten ein trauriges Abschiedsfest nach vielen Wochen eines herrlichen Lebens, das nur allzu bald nichts mehr sein würde als eine Erinnerung. Letzte Dinge wurden gesagt, letzte Blicke ausgetauscht. Während einer Pause in der Konver-

nation hauchte ich ein „Jetzt oder nie“ vor mich hin und platzte ziemlich abrupt mit der Frage heraus, die meinem Herzen am nächsten stand: „Was geschieht mit Bimbo?“
Mein Mann sah mich fragend an.
„Ich möchte ihn mitnehmen“, sagte ich.
Einen Augenblick lang massierte er sich angelegentlich hinter dem rechten Ohr, dann lachte er laut heraus. „Das sagst du doch bestimmt nicht im Ernst.“
Mein Herz fiel ins Bodenlose. „Doch. Ich möchte Bimbo mit nach Hause nehmen.“
Barnum trommelte mit den Fingern auf seiner Sessellehne, setzte in Anbetracht der Gäste ein charmantes Lächeln auf und sah mich wiederum lang und scharf an. „Nein“, sagte er ziemlich tonlos. „Bimbo bleibt hier. Ich habe nicht die Absicht, für den Rest meines Lebens so ein dickhäutiges Schoßhündchen hinter mir herzuzerren. Wo willst du ihn unterbringen? In einer New-Yorker Wohnung? Vielleicht in einem Hotelzimmer? Du mußt wissen, daß er die Anlage hat, so groß zu werden, daß man ihn höchstens in einer Ranch unterbringen kann.“ Er zündete sich nachdenklich seine Pfeife an. „Natürlich gibt es noch den Zoo, aber — und überhaupt, es würde einige hundert Dollar kosten, um ihn nach Amerika einzuschiffen.“
„Nur dreihundert“, verbesserte ich ihn. Es hatte keinen Sinn. Barnums Kinn bekam einen noch entschlosseneren Ausdruck.
„So willst du also einfach fortgehen und ihn hier zurücklassen?“ fing ich jetzt mit wütender Beredsamkeit zu schimpfen an. „Das wäre einfach genug, wenn du es mit einem deiner versteinerten Elefantenbiester zu tun hättest. Aber die Lebenden sind anders. Sie haben eine Art, dir ans Herz zu wachsen ... aber davon weißt du natürlich nichts. Du bist zu sehr damit beschäftigt, die Toten auszugraben, um noch Zeit für die Lebenden zu haben. Ich wette, du würdest nicht daran denken, ihn zurückzulassen, wenn er versteinert und einige Millionen Jahre alt wäre.“
Mein geschätzter Gegner warf mir einen jener Na-warte-nur-Blicke zu. „Wenn wir all deine Lieblingsaffen, Mungos, Mäuse und Hunde behalten hätten, die dir ans Herz gewachsen waren, hätten wir schon vor langer Zeit eine Arche mieten müssen.“

Aber ich war nicht in der Stimmung, um einfach beiseite geschoben zu werden. Hier war eine Mutter, die nicht die Absicht hatte, ihr Baby kampflos aufzugeben. Noch ein paar Kinnhaken wie den letzten, eine scharfe Linke mitten in seinen Stolz hinein, und ich hatte ihn in den Seilen.
„Weißt du, ich bin erstaunt, daß du, gerade du auch nur daran denkst, ohne Bimbo fortzugehen", schimpfte ich weiter. „Was wäre, wenn man dir einen lebenden Babydinosaurus geschenkt hätte? Würdest du den zurücklassen? Wir haben eine ganze Ladung von fossilen Elefantenknochen, alle sind sie alt, zerbröckelt und zersplittert, und trotzdem kriegst du Krämpfe, wenn jemand auch nur in ihrer Richtung atmet!"
Barnum hustete, öffnete den Mund, um etwas zu sagen, und klappte ihn dann wieder zu. Ich konnte sehen, daß er sich in sein Schicksal ergab.
Um die Angelegenheit zu besiegeln, versetzte ich ihm noch ein Extra-Knockout. „Und hier haben wir das vollkommene Exemplar eines lebenden Elefanten — voll ausgebildetes Skelett, kein Knochen fehlt, alle wichtigen Organe sind nicht nur völlig erhalten, sondern sie funktionieren auch. Und was geschieht? Du willst es nicht! Du jagst dich lieber krumm und schief nach ein paar zerbrochenen Fragmenten von so einem antiquarischen Dickhäuter, der seinen Geist schon was weiß ich wann vor der Eiszeit aufgegeben hat."
Mein Mann hob die Hand.
Ah! Er gibt sich endgültig geschlagen, sagte ich mir triumphierend. Aber meine Freude war voreilig.
Barnum spielte seinen letzten Trumpf aus, den er noch in Vorbereitung gehabt hatte. „Gut", seufzte er, und strengte sich offensichtlich an, besonders nachgiebig auszusehen, „ich werde dir sagen, was wir tun. Wir überlassen das Ganze dem Mann, der am meisten dazu geeignet ist, eine Entscheidung zu fällen: dem Tedsche." Er wandte sich dem Bürgermeister zu, der an seiner Manilazigarre sog und das Schauspiel, das wir ihm boten, offenbar sehr genoß.
Bimbo, den unsere lauten Stimmen aufgeweckt hatten, tauchte unter der Veranda auf und schielte zu uns herauf. Noch völlig

verschlafen, sah er mit seiner Haut, die in lockeren Falten um ihn herumhing, genau wie ein grotesker Zwerg aus, der in einem Paar zu großer Pyjamas versank. Er schien etwas zu ahnen. Sein kleiner Rüssel bog sich hinauf und schwankte nervös hin und her, seine Ohren zuckten. Fast konnte ich die unausgesprochene Frage in seinen Augen lesen.

Ich blickte um mich auf die drei Männer. Wie seltsam war es doch, daß wir hier in diesem fernen Land saßen und unser ganzes Sein darauf konzentriert hatten, über das Schicksal eines winzig kleinen Elefanten zu entscheiden.

Der Tedsche ließ sich Zeit. Als er schließlich zu sprechen begann, verschwand sein Lächeln, und seine Worte kamen zögernd. „Der Sahib hat recht“, sagte er und wandte sich dabei mehr an Bimbo als an uns. „Kinderelefanten nicht sehr stark. Leben nicht lang, wenn fortgehen. Besser hier bleiben.“

Er zögerte, blickte durch den Rauch der Manilazigarre forschend in mein Gesicht und fuhr dann fort: „Aber man könnte versuchen. Leben in Zoo vielleicht sehr gut...“

Was sollte ich tun? Es kam mir dumm vor, sich wegen eines Tieres so aufzuregen. Aber ein Babyelefant kann so völlig von dir Besitz ergreifen, daß ein Teil von dir mitgeht, wenn man versucht, ihn dir aus dem Herzen zu reißen. Ich hatte Barnum so weit, daß er praktisch zustimmte. Was wollte ich noch mehr? Es hing nur noch von mir ab.

„Was wird aus ihm werden, wenn ich ihn hier lasse?“ fragte ich ängstlich.

Der Bürgermeister lächelte tröstend. Er breitete seine Arme weit aus, als ob er irgend etwas Großes umschließen wolle. „Bimbo wird groß und stark, wird eines Tages in Holzschlägerei arbeiten. Das sehr gut, viel essen, viel spielen. Elefant für Birmanen wie Mensch.“

Plötzlich stieg eine erstickende Hitze in mir auf und die Umrisse der Männer verschwammen vor meinen Augen. Verzweifelt versuchte ich Bimbo aus meinen Gedanken zu verbannen und an etwas anderes zu denken. Dann überkam mich eine überwältigende Müdigkeit, und ich wollte allein sein.

Als ich wieder klar denken konnte, fand ich mich auf meinem

Feldbett wieder, wo ich meine Wange gegen ein warmes, feuchtes Kissen preßte. Das trockene, bittere Ding in meinem Hals war immer noch da, und ich konnte Stimmen hören, die von weit her zu kommen schienen.

Ich lauschte. Der Tedsche sagte etwas über Amerikaner, die immer dem Glück nachrennen, danach jagen und mit aller Macht versuchen wollen, es zu halten, weil sie denken, Glück liege im Besitzen. Aber weil sie so stark danach verlangen, finden sie das Glück nicht.

Ich hörte ihn über sein Volk sprechen; daß für sie das Glück in der Freude an den Dingen, die sie haben, bestünde, ihren Bäumen, ihren Blumen, ihren Bergen und Lotos-Teichen. An ihrer Frau, die singend ihre tägliche Hausarbeit verrichtet. An der freundlichen Stimme eines Nachbarn. An den häuslichen Geräuschen und dem Lallen der Babys. All diese Dinge gereichten seinem Volke zur Freude, und sie genössen die tiefe, ruhige Zufriedenheit im Herzen eines Mannes und das Vergnügen, mit anderen zu teilen, was sie hätten.

Hier, dachte ich, gehört mein kleiner Freund wirklich hin, hier in dieses fröhliche Land, zu diesen lieben Menschen, die niemals alt zu werden scheinen. Hier, wo Mensch und Tier jeden Morgen in eine strahlende, frische und neue Welt erwachen. Hier, wo die Flüsse singen, die Bäume Seelen haben und jede knospende Blume ihre Blütenblätter zu einem Thron für irgend eine Feenkönigin entfaltet. Der Tedsche hatte recht. Bimbo sollte bleiben. Und irgendwie war die drückende Schwere von meinem Herzen gewichen, und ich fühlte mich ganz glücklich.

Ich habe es nie bereut, ihn zurückgelassen zu haben, obwohl jedes Jahr, wenn der Frühling wiederkehrt und ich die Frangapani- und die Tschampa-Blüten fast riechen kann, mein Herz zurückfliegt nach Burma und zu Bimbo. Ich bilde mir ein, das Klingeln seiner kleinen Messingglocke zu hören, und ich überlege mir, was wohl aus meinem Baby geworden ist.

Jetzt war er sicher schon ein großer Bursche, vielleicht sogar der Anführer der Elefanten — ein bedeutend besseres Schicksal, als wenn er in einem Zirkus auftreten oder seine Tage in einem Zoo verschlafen müßte.

Vor uns lag Mandalay. Welch herrliche Visionen ich von dieser romantischen Stadt Kiplings hatte! Wir würden ein bis zwei Wochen ein luxuriöses Leben in den feinsten Hotels führen und nichts zu tun haben, als uns zu entspannen und zu amüsieren. Es würde bedeuten, daß wir bis Mittag schlafen würden, dann eine Kombination von Frühstück und Mittagessen im Bett, ein Wagen, um die Stadt zu besichtigen, ein Dinner mit allem, was dazu gehörte, Karten in der ersten Reihe Mitte für das beste Theater und nach dem Theater eine Gesellschaft im Britischen Klub. Und weil ich so glücklich war, sollten Mari und Dos zwei Wochen Urlaub bekommen.

Größenwahnsinnige Halluzinationen! Das, und sonst nichts waren diese Träume — Träume, die in der brennenden Sonne unter einem Tropenhelm ausgebrütet wurden. Illusionen, in langen Tagen im Sattel und in Nächten auf dem Feldbett geboren, Fata Morganas im Dschungel. Es gab keinen besseren Platz, um sie zu begraben, als im Staub von Mandalay. Und ich begrub sie, sobald wir die Stadt betreten hatten.

Selbst das, was mir an romantischen Illusionen noch übrigblieb, hatte nicht das geringste mit den Tatsachen zu tun. Das einzige Hotel der Stadt war voll mit Ratten, Schaben und Gerümpel. Wir begaben uns schleunigst woanders hin.

Das „Woanders“ entpuppte sich als ein sauberer Dak-Bungalow außerhalb der Stadtgrenze in einem Hain von kühlen Nim-Bäumen, mit einem wundervollen Brunnen, einem Privatbad und einem Stab gut trainierter Dienstboten. Ein herrlicher Ferienort, dachte ich, ganz zu schweigen von seinen Möglichkeiten für Flitterwochen.

Nichts führt einem die Vorteile und Bequemlichkeiten der Zivilisation so vor Augen, wie ein paar Monate im Dschungel. Schon daß man sich wirklich wo niederließ, war wohltuend. Diese letzten Wochen auf Safari waren aufreibend gewesen. Wir hatten ein Wettrennen mit der Regenzeit veranstaltet und zur gleichen Zeit nach Knochen geforscht.

Das glitzernde Spiegelgrab König Mindon Mins in Mandalay wurde zu einem nationalen Schrein. Er war ein fähiger Staatsmann und ein weiser Herrscher, den sein Volk liebte.

Lebensmittelmarkt in Mandalay, lebhaft und bunt.

Das „vielversprechende“ Flußufer. Hier fand Barnum zwei fossile Elefantenkiefer.

Trotzdem war unser Jagderfolg gar nicht so schlecht gewesen. Allein für den Anthracotherus, ein seltenes schweineähnliches Exemplar, das Barnum entdeckt hatte, hätte sich die Reise ausgezahlt. Er fand allerdings nur den Schädel, aber der war sehr schön, wunderbar erhalten und gehörte einer Gattung an, die bisher unbekannt gewesen war. Auch die Kiefer und Zähne eines alten, rhinozerosähnlichen Titanotherus waren nicht zu verachten, noch auch der Haufen alter Schildkrötenknochen, die ich in den Wänden einer Schlucht gefunden hatte, noch die vielen Alligatoren-Rückenwirbel, deren Entdeckung auf unser beider Konto ging.

Jeder Quadratzentimeter des Wagens war mit irgend etwas Versteinertem angefüllt, und in einem Ort mußten wir einen Teil unserer Vorräte über Bord werfen, um noch weitere versteinerte Knochen hineinzustopfen.

Selbst unsere Taschen quollen fast über. Wie ich damals zu Barnum bemerkte: „Wenn du von mir erwartest, daß ich noch mehr an mir unterbringe, muß ich mir einen Beutel in den Bauch schneiden. Was bin ich — eine Frau oder ein Känguruh?“ Sogar meine Satteltaschen mußten ihren Teil an prähistorischen Kleinigkeiten fassen: da eine Rippe, hier ein Beckenknochen, Zähne, Zehen, Teile eines Schwanzes.

Kein Wunder, daß die Eingeborenen in Angst und Schrecken vor uns flohen, als wir in Monyma einritten. Wir sahen äußerst dämonisch aus. Sie glaubten wahrscheinlich, daß wir sämtliche Gräber von Burma ausgeraubt hätten und nun die Skelette dazu verwenden wollten, um irgend eine Wundermedizin des weißen Mannes daraus zu fabrizieren. Aber ein paar Rupien beruhigten sie soweit, daß einige von ihnen sich bereit erklärten, uns bei der Verladung unserer Schätze auf der Bahnstation zu helfen, von wo aus sie in das amerikanische Museum befördert wurden.

Froh, die Dinger endlich los zu sein, gab mein Gemahl einen abschließenden Seufzer von sich: „So, das wäre erledigt!“ Dem konnte ich nur hinzufügen, daß ich mir schon selber fast wie ein Fossil vorkam und nichts dagegen hätte, in einen Sarg mit der Aufschrift „Lilianus Brownus“ eingenagelt und irgendwohin westlich von Suez verschifft zu werden.

Aber da kam der Wissenschaftler in Barnum zum Vorschein: „Was, und dabei meine schönen Exemplare zerdrücken?“ lachte er.

Zwei Tage lang boten wir ein vollkommenes Bild von „Liebe in der kleinsten Hütte“. Meistens saßen wir allerdings an der Schreibmaschine, wo Barnum in diktatorischer Laune endlos lange Worte buchstabierte, die ich meinem ständig anwachsenden Wortschatz hinzufügte.

Ich war jetzt schon mehr als zwei Jahre seinem wissenschaftlichen „Zwie-Reden“ ausgesetzt, und ein wenig davon begann ich tatsächlich langsam zu verstehen. Zum Beispiel lernte ich während obenerwähnter Sitzungen, daß die Regenbogenfelsen, denen wir durch den Dschungel gefolgt waren, zirka vierzig Millionen Jahre alt waren und daß wir dort keine Überreste eines Dinosaurus gefunden hatten, weil sie dazu nicht alt genug seien. Das Mindestalter für Dinosaurus-Gräber beträgt sechzig Millionen Jahre.

Aber abgesehen von den interessanten geologischen Details, die man aufschnappt, ist es kein reines Honiglecken, als Sekretärin eines Knochenjägers zu fungieren. Nachdem man sich mit Worten wie „paläozoisch“, „mesozoisch“ und „cenozoisch“ abgequält hat und mit Ausdrücken wie „vordere Extremität des ischiatschen Prozesses“, „aszendierender Ramus der linken Kinnlade“ und „Phylogenese des Ungulaten“, ist man nur allzu erpicht darauf, das Thema zu wechseln.

Nachdem alles bis auf den letzten I-Punkt fertig war und der Bericht in die Tischlade verbannt wurde, machte ich mit meinem verführerischsten Lächeln den Vorschlag: „Wie wär’s mit einer Tasse Tee, Liebling? Und nach dem Nachtmahl vielleicht ein Kino? Und morgen eine Tour durch den königlichen Palast und am folgenden Tag ein Ritt auf den Mandalay-Berg hinauf, um die wundervollen Pagoden zu besichtigen, die im Führer beschrieben sind?“

Schweigen.

„Na?“ drängte ich, aber nach seinem etwas einfältigen Gesichtsausdruck wußte ich schon, was kommen würde.

„Leider hat es sich ergeben“, sagte er, „daß ich auf der anderen

Seite des Flusses gerade Spuren irgend welcher Rückenwirbel aufgenommen habe. Es würde sich auszahlen, die Sache zu untersuchen ..."

Das genügte mir. Warum sollte ich ihn daran erinnern, daß er versprochen hatte, sich auszuruhen und sich zur Abwechslung einmal etwas anderes als Knochen anzusehen?

„Nimm vielleicht Mari mit", fügte er etwas lahm hinzu. Ich wußte, daß ich mir Mandalay ohne meine Ehehälfte ansehen müßte.

Mari fühlte sich am nächsten Tag nicht wohl, und so rollte ich ganz allein in dem schäbigen alten Gharri-Wagen davon. Ich kam mir enorm luxuriös vor und sehnte mich nach jemandem, mit dem ich mich teilen könnte. Es war ein wunderschöner Morgen, die flammenden Blüten des Gulmohar, des Pfauen-Baumes, erfüllten die Luft mit ihrem Parfum, und die Tempelglocken läuteten sanft die Welt wach. In den Ausläufen der Stadt waren die kleinen sauberen Straßen von kleinen sauberen Häusern eingesäumt. Bloßfüßige Buben, die mit einer Kombination von Papas Hemd, Mamas Rock und Babys gehäkelter Kappe bekleidet waren, eilten in die Schule. In der Ferne konnte ich den Mandalay-Berg sehen, seine unzähligen Pagoden glitzerten in der Sonne, und am Horizont erstreckten sich die Schan-Berge. Jetzt umgab mich die Menschenmenge und das Gewühl der inneren Stadt; dann näherten wir uns den hohen Steinmauern, dem Burggraben, dem spitzen Dach und den Türmen des Palastes.

Der Palast war keine besonders eindrucksvolle Angelegenheit. Riesig, weitschweifig, mit allem möglichen grotesken architektonischen Krimskrams geschmückt, sah er wie die meisten anderen orientalischen Bauwerke aus, nur daß mehr davon da war. Der Ort war auch nicht gerade dazu geschaffen, einen mit besonderer Fröhlichkeit zu erfüllen, er sah so schrecklich alt aus, und die traurige, verlassene Atmosphäre von Wohnstätten, in denen niemand mehr lebt, hing über dem Ganzen.

Aber nachdem ich meine Phantasie angekurbelt hatte, empfand ich ein aufgeregtes Rieseln im Rücken, als der Wagen vor dem Haupttor anhielt. Schließlich hatte ein einfaches Mädchen nicht jeden Tag die Chance, mit Königen zu plaudern. Natürlich waren

sie nur Geister von Königen, aber das hatte seinen Vorteil, denn es ist viel leichter, eine Audienz bei einem toten König zu erhalten, als bei einem lebenden. Und wer hat schon jemals von einem noch so noblen Geist gehört, der irgend jemanden ins Burgverließ sperrt, nur weil er sich in der Hofetikette nicht ausgekannt hat? Geister sind nette Leute — besonders diejenigen, durch deren Adern einst blaues Blut floß.
Vor hundert Jahren wäre es recht gefährlich gewesen, durch die Kette von Wachen vor dem Schloßeingang hindurchzuschlüpfen. Jetzt fegte ich all diese Geister beiseite, ohne daß sie mir auch nur ein „Halt! Wer da?“ zuriefen. Mein Eindringen wurde von niemandem außer zwei alten Kanonen, deren aktive Tage vorüber waren, bemerkt.
Im Inneren des Palastes herrschte eine dämmerige Beleuchtung. Leere und vollkommenes Schweigen! Nachdem meine Augen sich an die Dunkelheit gewöhnt hatten, merkte ich, daß ich mich in dem Hauptaudienzsaal befand. An dem einen Ende stand, auf einem erhöhten Podium, der Sitz des Mächtigen — der Löwenthron aus Gold und Glas, der nicht mehr ganz so pompös aussah wie zu jenen Zeiten, da die birmanischen Könige ihn mit ihrer glorreichen Person besetzt hielten, während ihre Untertanen in den Staub bissen.
Auf der Plattform des Thrones befanden sich im Hintergrund zwei geschnitzte Türen; über der einen erblickte ich das Bild eines Pfauen, über der anderen das eines Hasen — die Zwillingssymbole königlicher Abstammung. Das bedeutet aber nicht etwa, daß in den Adern der Könige von Burma das Blut von Hasen und Vögeln rann, sondern diese zwei Wesen stellten in Wirklichkeit die Sonnengöttin und den Mondgott in ihrer Verkleidung dar. Es wird behauptet, daß an dem Tage, als die Geburt des ersten Königs erfolgen sollte, Sonne und Mond in himmlischer Vereinigung zusammenkamen und ein Prinz das Licht der Welt erblickte, das heißt er erblickte es nicht, denn durch besagte Vereinigung herrschte gerade eine gewisse Finsternis. Soviel über den göttlichen Ursprung der Könige in diesem jetzt demokratischen Land.
Ich war etwas enttäuscht, als ich nach näherer Untersuchung

kein Geheimnis hinter diesen Doppeltüren fand, nicht einmal einen Geheimgang. Außer einem gewissen dekorativen Wert bestand ihre Hauptaufgabe darin, eine Art Notausgang zu bilden, im Falle Seine Königliche Hoheit um sein Leben laufen mußte, was jede Minute vorkommen konnte.
König in Burma zu sein, brachte so viel Besetzungsschwierigkeiten mit sich, daß es für jeden neuen Monarchen zur Tradition geworden war, sobald er den Thron bestieg, sämtliche Mitglieder des früheren Hofes zu liquidieren, um sich eine ruhige Regierungszeit zu sichern.
Die Könige praktizierten diesen seltsamen Brauch in den verschiedensten Variationen, bis hinunter zu dem alten Thibaw, dem letzten Sproß seines Geschlechtes. Die üblichste Methode war, den armen Opfern „die Axt zu geben“, wie man in vornehmer Gesellschaft eine Enthauptung bezeichnete. Aber Thibaw war eine seltsame Art König, er hatte seine eigenen Ideen. Individuelle Enthauptung war nicht nur eine unappetitliche Angelegenheit, sondern auch eine unverantwortliche Zeitverschwendung. Es mußte eine sauberere und schnellere Methode erfunden werden.
Nach langen Überlegungen entschloß sich Thibaw schließlich dazu, die Oppositionspartei einfach in ein großes Loch zu werfen und mit Erde zu bedecken. Dieses Grabesloch wurde außen neben der Mauer des Palastes gegraben, wo die Seelen der Verschiedenen von nun ab eine Art gespenstische Wache vor dem königlichen Wohnsitz halten würden.
Aber die Verurteilten gingen nicht still und ohne Aufhebens von dieser Welt. Etwas später berichteten die Wachen: „Majestät, der Boden bewegt sich auf und nieder.“ Daraufhin befahl der um eine gute Idee niemals verlegene Thibaw, daß die königlichen Elefanten spazieren geführt werden sollten, und zwar immer hin und her über die auf- und niederschwankende Erde, bis alles still war.
Wenn der König nicht in seiner Löwen-Laune war, so standen ihm eine Auswahl anderer Throne zur Verfügung: der Hirsch-Thron, der Schnecken-Thron, der Elefanten-Thron. Was es mit dem Gänse-Thron für eine Bewandtnis hatte, weiß ich nicht, denn

während ich nach der Gans suchte, fiel ich durch den Fußboden, woraus man schließen kann, in welchem Zustand dieser königliche Kasten war.

Von dem Gänse-Thron ging ein langer Korridor aus, der von leeren grünen Flaschen gesäumt war. Das war der Morgen-Lever-Raum, wo Seine Majestät mit den Mitgliedern seines Kabinetts konferierte. Nach den Flaschen zu urteilen, haben sie es sich dabei nicht schlecht gehen lassen.

An dem einen Ende des Konferenzzimmers öffnete sich — sehr praktisch für Lauscher an der Wand — eine Tür in die Appartements der Haupt-Königin. Diese wurden als Glaspalast bezeichnet und waren prächtige, mit Spiegeln ausstaffierte Örtlichkeiten, wo die erste Dame des Landes sich nach allen Richtungen bespiegeln konnte, während sie die Staatsgeheimnisse ihres Mannes belauschte. Ihre eigenen persönlichen Geschäfte erledigte sie auf dem Bienen-Thron, der sich ebenfalls im Glaspalast befand. Alle anderen privaten Angelegenheiten wurden auf dem Lilien-Thron absolviert, der praktischerweise in ihrem Boudoir stand.

Obwohl am Hofe darüber geklatscht wurde, hielt der geheime Staatsrat in Wirklichkeit keine Geheimsitzungen im Boudoir ab, noch vergoldete er die Lilie auf dem Lilien-Thron. Er beschäftigte sich vielmehr in erster Linie mit dem Elefanten-Thron in der Schatzkammer, die nach Thibaws Abdankung erbärmliche fünftausend Pfund enthielt.

Da jedoch in jenen guten alten Zeiten Reichtümer nicht in Rupien, sondern in Frauen gezahlt wurden, erledigte Seine Majestät wahrscheinlich den größten Teil seiner Buchhaltung im Harem. Zumindest war das bei Mindon Min, Burmas wohlwollendstem Herrscher, der Fall.

Mindon Min war ein fröhlicher alter Bursche, der sehr viel für die Damen übrig hatte. Zu seinem Glück lebte er in einer Zeit, wo er nicht nur in dieser Hinsicht nach seinem Geschmack leben konnte, sondern wo es nachgerade seine Pflicht war, den Frauen zu huldigen.

Zur Zeit, da er lebte, waren große Harems eine politische Notwendigkeit. So wie heute Macht und Stärke einer Regierung etwa nach Umfang und Tonnage ihrer Marine beurteilt werden, so geschah das in Mindons Welt nach Anzahl und Gewicht seiner Weiblichkeiten. Natürlich herrschte zwischen den verschiedenen orientalischen Staatsoberhäuptern eine große Rivalität, wer den größten Harem sein eigen nennen könnte. Und das war nicht nur im Interesse des nationalen Prestiges wichtig, sondern auch als ein deutliches und offenbares Zeichen königlicher Distinktion. Es gab keine Grenzen — und dies war der Punkt, wo König Min versagte.

Schon in seiner frühesten Jugend hatte er seinen Ehrgeiz in eine Super-Zenana — einen überdimensionalen Harem — gesetzt. Sein Ziel waren sage und schreibe vierhundertfünfzig Frauen. Um beim Zählen nicht durcheinanderzukommen, hatte er im Hof für jedes kleine Traummädchen, das er eines Tages zu heiraten hoffte, ein kleines Monument aus Stein errichtet.

Die Jahre vergingen, und die süßen Dinger vermehrten sich. Der stolze König verbrachte nun den Großteil seiner Zeit damit, in die Frauenquartiere zu eilen, um wie Midas seine Schätze zu streicheln und zu zählen. Jedoch der Geist war zwar willig, aber das Fleisch war schwach, und als noch mehr Jahre vergangen waren, zählte er nur noch.

Der alternde Monarch begann sich Sorgen zu machen. Er war noch immer sehr weit von seinem Ziel, denn er hatte es erst auf achtzig Frauen gebracht, und dreihundertsiebzig waren noch ausständig. Das Sorgen half ihm jedoch nichts, und das Spiel stand immer noch auf achtzig, als Min aufgab. Er lebte einfach nicht lange genug, um ein Fünftel seiner ersehnten Quote zu heiraten oder auch nur kennenzulernen. Im Hof stehen die kleinen weißen Steinfiguren immer noch dort, wo er sie hingestellt hat, als Gedenksteine an die Frauen eines Königs, der seine Kücken zählte, bevor sie noch ausgebrütet waren.

Nicht weit davon entfernt befindet sich das glitzernde Spiegelgrab, in dem der alte Bursche schließlich begraben wurde. Es wurde zu einem nationalen Schrein, denn obwohl Mindon Min in Familienangelegenheiten versagte, war er ein sehr fähiger Staatsmann und weiser Herrscher gewesen, den sein Volk liebte.

In den Gärten des königlichen Besitzes, zwischen Grotten, Seen und Springbrunnen, standen noch unzählige andere Gebäude:

Pavillons für die jüngeren Frauen und Prinzessinnen und für den Unterhaltungsstab von Tanzmädchen und Mätressen; Quartiere für die Bedienung; die Kinderzimmer; das königliche Theater aus Glasmosaik; der sogenannte „Turm des Zahnes“, der angeblich eine Reliquie des Buddha enthält; und zu guter Letzt der Stall des göttlichen weißen Elefanten.
Der heilige weiße Elefant war ein wichtiger Bestandteil des königlichen Haushaltes. Geehrt und verwöhnt, war er nicht nur der Stolz und die Freude des Hofes, sondern auch des gemeinen Volkes. Für einen Birmanen hatte ein Elefant auf der Preisliste lebender Wesen einen viel höheren Wert als selbst ein Mensch. Sie sind sehr seltene und zartbesaitete Tiere, und daher wurde jede Vorkehrung getroffen, um den Elefanten glücklich zu machen und gesund zu erhalten. Als er noch ein Baby war, wurde ein spezielles Regiment vollbusiger Frauenzimmer für ihn gehalten, die ihn mit Milch versorgten. Sie bildeten den Reservevorrat. Wenn Baby das Bedürfnis nach Nahrung empfand, wurde ein Hilferuf an die Milchmädchen losgelassen, die in der Nähe darauf warteten, zu jeder Zeit ihren Pflichten nachzukommen. Die erste von ihnen grüßte, vollführte eine elegante Wendung und watschelte hinüber in das Quartier des Babys, das in seiner Ungeduld nahe daran war, aus seinem Kinderzimmer Kleinholz zu machen. Nachdem die erste Nährmutter ihre Pflicht getan hatte, kam die nächste daran, und so ging es immer weiter der Reihe nach, bis der erste Trupp leergetrunken war und der zweite die Bresche ausfüllte.
Vor dem Zubettgehen wurde der kleine Dickhäuter von einer Unmenge Wärter in wohlriechendem Sandelholzwasser gebadet. In seinem Gefolge befand sich unter anderen niemand Geringerer als der Staatssekretär, der auch anwesend war, während der Kleine von einem Chor sanfter Stimmen in den Schlaf gelullt wurde. Kein Wunder, daß der göttliche weiße Elefant starb, als die Engländer ihn nach der Eroberung von Mandalay im Ranguner Zoo unterbrachten.
Das erinnert mich an die Einnahme von Ober-Burma, 1885, als die Briten nach Mandalay hineinspazierten und die Stadt samt Palast und allem Drum und Dran ohne einen einzigen Schuß in

Besitz nahmen. Einige Leute haben das als eine militärische Operation bezeichnet. General Prendergast, Oberst Slayden und ihre Leute taten nichts, als daß sie in der Richtung von Mandalay eines Morgens ein bißchen Manöver spielten, und als sie die Stadt schließlich erreicht hatten, gehörte sie ihnen.
Jedoch der General war ein Gentleman. Schließlich wäre es nicht sehr fair gewesen, den Thron ohne die notwendigen Formalitäten einfach unter dem königlichen Hinterteil wegzuziehen. Und so sandte er von Ava, ein paar Meilen südlich der Stadt, eine höfliche Aufforderung an den König, er möge die Liebenswürdigkeit haben, abzudanken. Das Ganze hatte allerdings die Form eines Ultimatums und entfachte, kaum daß es überreicht war, einen wilden Streit.
Dies war die einzige wirkliche Schlacht jenes Feldzuges, ein Kampf der Geschlechter zwischen König und Königin. Er war dafür, nachzugeben, sie wollte durchhalten. Wie gewöhnlich geschah der Wille des Mannes.
Was konnte der arme König anderes tun? Angesichts des britischen Löwen, der vor den Toren brüllte, waren der Pfau und der Hase von Burma in einer ziemlich unangenehmen Lage. Oberst Slayden schlenderte stockschwingend und mit jenem herrscherlichen Lächeln, das den Engländern so viel eingebracht hat, in den Palast hinein, blieb zum Abendessen und über Nacht — einer Nacht, die dreiundsechzig Jahre währte.

BASAR IN MANDALAY

Ich hatte heimlich gehofft, daß der neuentdeckte Schatz jenseits des Flusses sich als nicht vorhanden erweisen würde. Barnum brauchte dringend Ruhe, und ich wußte, daß er sie nie haben würde, solange irgendwo in der Umgebung ein Knochen war.
Doch all meine Hoffnungen wurden vernichtet, als er an diesem Abend durch die Tür hereinrauschte und das Glitzern in den Augen hatte, das ich jetzt schon so gut kannte.
„Wir haben etwas!“ sprudelte er los. „Man kann nur ein paar

Knochen sehen, aber sie schauen gut aus, Pixie. Unerhört gut. Morgen wird ein Zelt aufgestellt. Ich werde die Stelle gründlich untersuchen."

„Wann starten wir?" fragte ich.

Er wandte sich mit gespielter Gleichgültigkeit um und schnüffelte. „Was gibt es heute zum Nachtmahl?"

„Ich wiederhole, wann starten wir, Mister Knochen?"

Barnum hatte sich stillschweigend in das andere Zimmer hinübermanövriert, und ich hörte ihn geschäftig mit Papieren rascheln.

„Was um alles in der Welt tust du denn so geheimnisvoll?" rief ich hinüber.

Sein Gesicht, das seinen berühmten „traurigen-kleinen-Buben-Ausdruck" trug, schielte hinter der Tür hervor. „Es wäre mir viel lieber, wenn du die Dinge hier in Gang hieltest", gab er schließlich zu. „Der Bericht muß noch getippt und ein Haufen Briefe erledigt werden. Und irgend jemand muß da sein, um die Post in Mandalay abzuholen. Ich erwarte eine Nachricht vom Museum über die Pläne, die sie für unsere Zukunft haben. Ich bleibe nur ein paar Tage fort, Pixie."

„Ich weiß. Nur, daß deine Tage eine Art haben, sich in Wochen oder sogar in Monate zu verwandeln."

„Aber ich werde auf jeden Fall zu den Wochenenden hier sein", fügte er beschwichtigend hinzu.

Am nächsten Morgen waren der Bericht und der Stapel von Briefen absolut nicht nach meinem Geschmack. Der Tag war viel geeigneter zum Einkaufen. Ich rief Dos und wir brachen auf.

Ich drückte ihm meinen Wunsch aus, auf schnellstem Wege zu den Seidengeschäften zu gelangen. Die Mandalay-Webereien waren für ihre herrliche schillernde Seide berühmt, und ich hatte mir in den Kopf gesetzt, eine solche zu kaufen.

Aber wer könnte sich in dem großen Zegyo-Basar mit seiner Unmenge von Läden, in denen es alles zu kaufen gibt, was diese Welt überhaupt aufweist, auf den Kauf einer einzigen Sache beschränken! Gewürzläden. Spielwarengeschäfte. Lackwarengeschäfte. Parfümgeschäfte, die nach Sandelholz, Moschus und Jasmin duften. Geschäfte, in denen Jade und Halbedelsteine zu

Ringen und Ketten verarbeitet und verkauft werden. Buden, in denen Silber- und Goldschmiede den ganzen Tag lang im Schneidersitz hocken und aus wertvollen Metallen Schalen, Tablette, Schmuck für die Damen und andere Raritäten hämmern, schnitzen und formen. Geschäfte mit kostbarem birmanischem Bernstein. Juweliergeschäfte, wo man — nur auf Verabredung — die wundervollen Saphire, Amethyste und Rubine, den Stolz Burmas, zu sehen bekommt.

Ich ging durch gewundene Gassen, die von allen möglichen Arten von Schuhwerk gesäumt waren. Es gab Sandalen aus Plüsch, Leder oder Holz, einige waren mit Perlen geschmückt, einige hatten aufwärtsgebogene Spitzen, andere herabgebogene Haken. Und über dem Ganzen ertönten die schrillen Rufe der Frauen, die ihre Waren ausriefen.

Bevor man den Lebensmittelmarkt erreicht, spürt man ihn schon in der Nase. Hauptsächlich handelt es sich um einen Limburger-Käse-Geruch, bei dessen Verfolgung man bis zu den Bergen von Ngapi-Fischpaste gelangt, die in der Sonne verfaulen. Mit diesem Geruch können sich nur noch die Duftwellen messen, die von dem großen Fleischmarkt aufsteigen, wo die Frauen statt auf dem Ladentisch auf ihren Lämmern, Ziegen und Schweinen hocken und mit Fliegenwedeln aus falschem Haar Insekten verscheuchen. Wenn geschäftlich nicht viel los ist und ihnen die Augen zufallen, greifen sie nach dem nächsten Bein oder irgend einem anderen Körperteil und halten ihre Siesta darauf ab. Nackte Kinder spielen um sie herum. Jede Frau hat mindestens zwei, eines, das auf dem Fleisch herumklettert, ein anderes, das in einem Korb, gut außer Reichweite, über ihrem Kopf hängt.

Die Geschäfte auf dem Basar werden von Frauen getätigt, und sie tätigen sie nicht nur mit dem Kopf, sondern auch mit ihrer Schönheit. Sie sind so frisch und lieblich anzusehen wie die Blumen in ihrem Haar. In den Seidengeschäften sind die Verkäufer sämtlich junge Frauen. Sie sind die beste Propaganda, und das hübsche Mädchen, das mich bedient, bringt ihre Ware auf sich selber am allerbesten zur Geltung. Sie erweckt den Eindruck, als ob ihr das Verkaufen ziemlich gleichgültig wäre, und dabei haut sie einen beim Handeln auf die eleganteste Weise übers Ohr.

Lang ausgestreckt liegt sie in ihrem Laden auf einer Matte; der wunderbar frisierte Kopf ruht auf einem hölzernen Polster, und während sie einem die Reize ihrer Waren beschreibt, raucht sie lässig eine parfümierte Manilazigarre. Und dieser Mangel an Formalität nimmt dem Käufer jede Scheu und bringt ihn in eine kauffreudige Stimmung.
Aber wie sollte ich jemals unter diesen Stapeln und Stapeln herrlicher Seiden, die in allen Regenbogenfarben schimmerten, das Richtige aussuchen? Ohne Dos stünde ich heute noch dort.
Die engen Gassen des Basars wimmeln von seltsamen Leuten aus allen Winkeln und Ecken Burmas: Schans aus dem Dschungel; Karenis aus dem nahegelegenen Gebirge; Chinesen von der Grenze; Padaungs, ehemalige Kopfjäger; freundliche Kachinis. Jeder von ihnen trägt seine eigene und besondere Kleidung.
Die Padaungfrauen konzentrieren sich auf den Hals, der sehr langgestreckt ist, um Platz für hohe Krägen aus Metallringen zu bieten. Sie schauen wie lebendige Karaffen aus, in denen der Wein zu Essig geworden war. Aber man konnte von ihnen auch nicht erwarten, daß sie mit den fast dreißig Kilo an solidem Metall, das ihre Arme, Beine und andere überzählige Teile mit seinem Gewicht beschwerte, besonders lieblich aussahen. Zu alledem war auch noch hinten an ihrem Kragen ein metallener „Griff“ befestigt, den der liebe Ehemann betätigen konnte, wenn er es für notwendig hielt.
Bei den Kachinimädchen liegt der Akzent unterhalb des Gürtels. Sie tragen schöne, gewebte Röcke, und um ihre Mitte sind Dutzende von Bambusreifen geschlungen, die den Stand ihres Vermögens anzeigen. Dazu tragen sie schwarze Samtjacken, die mit silbernen Dollarknöpfen geschmückt sind. Einige tragen bunte, gewebte Strümpfe. Mit irgend welchem Schuhzeug ist keine von ihnen belastet. Und dieses eindrucksvolle Kostüm wird noch durch silberne Armringe und Halsketten vervollständigt.
Ich war von der Ausstattung der Kachinis so begeistert, daß ich mich entschloß, mir selber eine solche anzuschaffen. Ich suchte mir das bestangezogene Mädchen aus einer Gruppe heraus und schlug ihr mit Hilfe von Dos' Dolmetschen vor, ihr die Kleider vom Leib abzukaufen.

Mein Vorschlag rief ein wildes Gelächter hervor, das von vielsagenden Blicken zwischen Dos und den anderen Verkäuferinnen begleitet wurde. Wenn Mari dagewesen wäre, hätte sie ihm tüchtig die Leviten gelesen.
„Was sagt die Dame, Dos?“ fragte ich. „Will sie sich nun von ihren Kleidern trennen oder nicht? Natürlich nicht im Augenblick, sondern wann es ihr paßt.“
„Die Dame sagen nein! Will nicht nackt herumgehen. Sie haben nur einen Rock und brauchen zwei Jahre, einen neuen zu machen.“
Wir gönnten uns noch eine zweite Runde Gelächter, und ich betrachtete die Angelegenheit als erledigt. Wie hätte ich auch ahnen sollen, daß sie kaum ein paar Tage darauf im Bungalow erscheinen und bereit sein würde, sich von ihrem prächtigen Kostüm zu trennen — zu einem beträchtlichen Preis allerdings.

EIN WUNDER WIRD GESUCHT

Barnum wußte es noch nicht, aber unsere Tage in Mandalay waren gezählt. Das hatte ein Telegramm aus dem Museum bewirkt, das unseren neuen Marschbefehl enthielt. Ich platzte fast vor Aufregung, und als er an diesem Wochenende von seiner Graberei zurückkehrte, konnte ich es kaum erwarten, ihm diese große Neuigkeit mitzuteilen.
Jedoch Barnum war selber übervoll von Neuigkeiten — und die seinen konnten natürlich nicht warten. „Ich habe zwei der entzückendsten Elefantenkiefer ausgegraben, die du je gesehen hast“, verkündete er jubelnd. „Außerdem noch ein paar erstklassige Gaumenknochen. Dieses Flußufer ist das vielversprechendste, das ich bisher in Burma gesehen habe. Wenn ich an dieser Stelle fertig bin, werde ich die ganze Gegend flußauf- und -abwärts genau durchforschen. Weißt du, ich glaube...“
Irgend etwas in meinem Benehmen brachte ihn plötzlich zum Schweigen. Er blickte mich forschend an und fragte unvermit-

telt: „Irgend etwas passiert, während ich fort war? Keine Geheimnisse jetzt, heraus damit!"
Langsam und sorgfältig zündete ich mir eine Zigarette an, lehnte meinen Kopf gegen die Rückenlehne und inhalierte langsam und genießerisch, während ich meinen Ehemann durch den bläulichen Rauch beobachtete. Endlich einmal war *ich* es, die die Neuigkeit zuerst erfahren hatte. Es war eine seltene Gelegenheit, und ich wollte jeden flüchtigen Augenblick davon genießen. Schon zu oft hatte ich im Dunkeln getappt, ahnungslos, was als nächstes mit mir geschehen würde. Jetzt war ich einmal dran.
Schließlich ließ ich mich aber doch erweichen. „Würde es dich interessieren zu erfahren", fragte ich schalkhaft und genoß jedes Wort, „daß du in dieser Gegend keine weiteren Ausgrabungen mehr machen wirst?"
„W-was?"
Ich fuhr fort: „Andere Pläne sind anderen Orts für dich gemacht worden. Im übrigen sind wir auf dem Wege nach — China. Sobald wir mit dem Packen fertig sind."
Der Ausdruck des Erstaunens auf seinem Gesicht verwandelte sich in den völliger Verwirrung.
Ich reichte ihm das Telegramm.
Er ergriff es und verschlang laut lesend dessen Inhalt: „Arbeitspläne für euch betreffend Ausdehnung der Expedition nach Yünnan, China. Berichte über ungewöhnliche Funde dort. Sobald wie möglich aufbrechen. Detaillierte Instruktionen nach Bhamo gesandt."
Er blickte auf und seine Augen blitzten vor Aufregung. „Genau wie ich erwartet habe", sagte er und versuchte seine Freude etwas zu unterdrücken. „Ich habe geahnt, daß wir dort hinkommen werden. Wäre gar nicht erstaunt, wenn wir in der Wüste Gobi mit Roy Andrews zusammentreffen würden."
„Gobi, wir kommen!" rief ich, und unser Wochenende gestaltete sich zu einer Orgie der Lustigkeit und des Gelächters, worüber das Hauspersonal baß erstaunt war. Barnum eilte zurück, um seine Arbeit jenseits des Flusses zu beenden, und ich vertiefte mich inzwischen in das Packen und die Vorbereitungen für die lange Reise nach Yün-nan-fu.

Weiter kamen wir nicht. Das Nächste war, daß Mari sich mit Fieber ins Bett legte. Vier Stunden später war sie im Spital. Zwei Tage darauf war sie wieder heraus und niemand wußte wo.
Nach den Berichten des Spitals war sie während der Nacht auf geheimnisvolle Weise verschwunden und in einem der besten Leintücher des Krankenhauses geflohen. Die Schwester schlug Alarm, als sie entdeckte, daß das, was sie noch vor ein paar Stunden für die ruhig schlafende Mari gehalten hatte, nichts als ein geschickt zusammengerolltes Faksimile aus Kissen und Betttüchern war.
Ich dachte, daß Dos der erste sein würde, der über Maris Aufenthalt informiert wäre, und eilte zu ihm, um ihn zu befragen, aber auch er hatte sich in Luft aufgelöst. Seltsam! Das sah ihm gar nicht ähnlich. Als aus dem Nachmittag langsam Abend wurde, machte ich mir mehr und mehr Sorgen. Die Nacht brach herein. Immer noch keine Nachricht.
Kurz nach Einbruch der Dunkelheit wurde ich von meiner Wartezeit erlöst. Auf einmal stand Dos verstört und schweigend in der Tür. Sein Mund bewegte sich und versuchte Worte zu formen, die nicht kamen.
Ich trat ganz nah an ihn heran. „Was ist los, Dos?“ fragte ich und sah ihm auf die Lippen.
Er antwortete in einem kaum hörbaren Flüstern. „Memsahib, schnell kommen. Mari hier.“
Wir eilten in die Dienstbotenquartiere. Dort lag mein Mädchen auf ihrem Feldbett ausgestreckt. Sie war vom Fieber gerötet und wimmerte leise.
Sie hörte uns eintreten, rollte die Augen in meine Richtung und fragte: „Madame böse, daß Mari davonlaufen?“
„Nein, Liebling. Aber du hättest es nicht tun sollen. Warum bist du nicht im Spital geblieben, bis du wieder gesund warst?“
Die kranke Frau richtete sich auf, ein Strahlen ging über ihr Gesicht. „Ich kaufen Begräbnisgewänder“, sagte sie fröhlich und machte Dos ein Zeichen.
„Begräbnis? Wovon sprichst du denn?“
Mari ignorierte meine Frage, nahm das Bündel, das Dos ihr gereicht hatte, und zog einen prächtigen, neuen, roten Sari heraus.

Sie hielt das Gewand an sich und liebkoste die knisternde Seide. Sie lächelte. Madame schön finden?"
„Mari", sagte ich, „du mußt dir diese Gedanken aus dem Kopf schlagen. Ich werde dafür sorgen, daß du morgen wieder in das Spital kommst."
Das Lächeln wich von den fiebernden Lippen und ihre Stimme klang wieder schmerzerfüllt. „Spital nicht gut für mich, Memsahib. Ich nicht gesund werden. Ich sterben."
„Warum sagst du das? Das ist Unsinn!"
„Es ist die Regel, Memsahib. Es ist die Regel."
„Daß junge Leute sterben, ist absolut nicht die Regel. Wir können dich wieder gesund machen", beruhigte ich sie und strich ihr über den Kopf.
Sie drehte sich unruhig auf dem Polster hin und her. „Nein, nein. Ich sterben. Dos mich nach Hause bringen für Beerdigung ... nach Hause ... nach Hause ..." Sie stammelte noch irgend etwas Unverständliches und schlief ein.
Aus dem Schatten tönte das Schluchzen von Dos herüber. Ich ging zu ihm. „Dieses Gerede von Sterben ist nicht gut", sagte ich. „Mari wird nicht sterben. Sie kann sehr schnell gesund werden, sie muß nur zurück ins Spital, wo man sie richtig pflegen wird."
Dos wurde ganz steif. „Nein!" rief er fast wild. „Mari sagen Wahrheit. Sie sterben. Niemand kann helfen. Medizin nichts gut. Sie glücklich. Ganzen Tag auf Markt gewesen, schönstes Begräbnis-Sari in Stadt gekauft. Sie meine Frau. Ich sie nach Hause bringen. Ihr schönes Begräbnis geben. Mari ... sie ..."
Er brach in einen neuen Strom von Tränen aus. Man konnte nicht vernünftig mit ihm reden. Auch er glaubte als Hindu an die Unvermeidlichkeit des Schicksals und daß für seine Frau die Stunde gekommen sei. So sehr ich auch versuchte, ich konnte ihn nicht dazu überreden, anders zu denken.
Der einzige Ausweg war ein Kompromiß. „Gut", erklärte ich, „wenn du glaubst, daß es das Richtige ist, werde ich mit dir und Mari nach Yenangyaung zurückkehren, aber erst, wenn sie sich ein paar Tage ausgeruht hat. In dem Zustand, in dem sie jetzt ist, kann sie nicht reisen. Aber sie kommt nicht ins Spital, Dos, das verspreche ich dir. Ich werde sie hier selber pflegen."

Manchmal versuchte ich mich auch allein in der Kunst, fossile Skelette auszubuddeln.

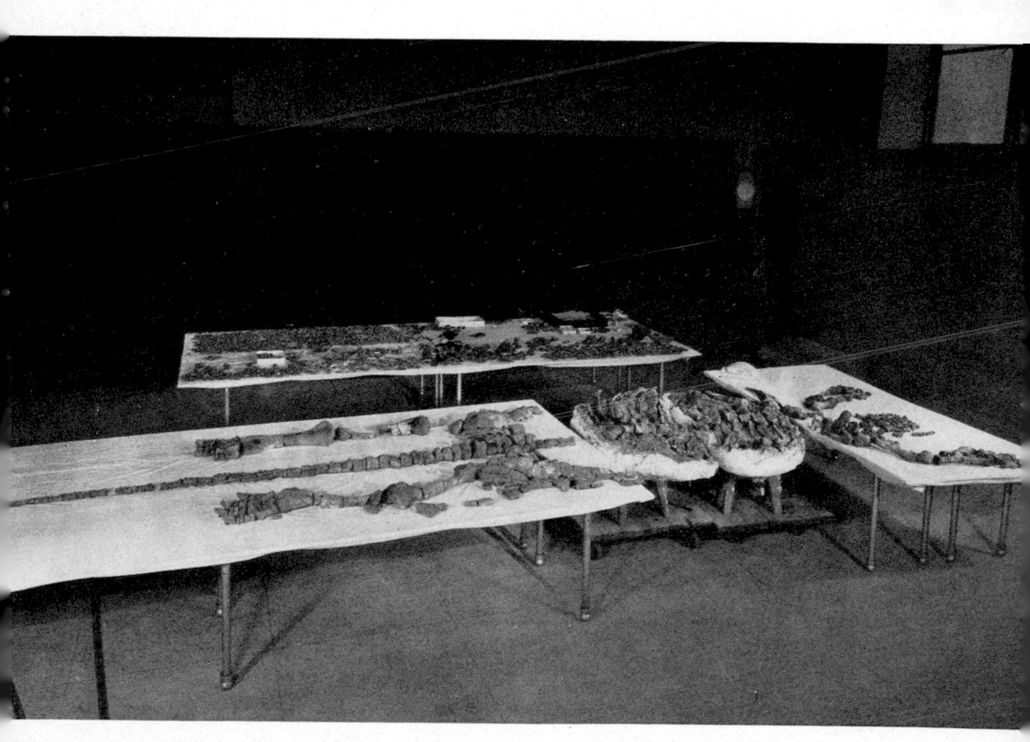

Das Laboratorium eines Knochenjägers. Aus Tausenden von Fragmenten wird das Skelett zusammengefügt.

So werden in mühseliger Kleinarbeit die einzelnen Stücke zusammengeleimt. Eine fossile Schildkröte bekommt Form und Gestalt.

Dos nickte zufrieden. Ich betete, daß ein Wunder geschehen möge.
Aber ob meine Gebete je erhört werden würden, spielte dann plötzlich keine Rolle mehr. Das Wunder, das jetzt so verzweifelt notwendig war, brauchte ich nicht mehr für mein Mädchen, sondern für meinen Mann.

TEMPERATUR 41.2 GRAD

Als Barnum von seinen Ausgrabungen heimkehrte, klagte er über schreckliche Müdigkeit. Sein Gesicht war abwechselnd seltsam bleich und von einer plötzlichen Röte übergossen.
Ziemlich beunruhigt brachte ich ihn zu Bett und ging sofort nach Mandaley, um einen Arzt zu suchen. Um vier Uhr nachmittags fand ich schließlich einen, der gerade mitten bei einem Squash-Match war. Er nahm meinen Bericht über Barnums Zustand äußerst gleichgültig entgegen. „Ein bißchen Malaria, wahrscheinlich“, war sein uninteressiertes Urteil. „Alle bekommen es hier, wissen Sie. Ich werde morgen hinüberfahren, um ihn mir anzuschauen. Jetzt bin ich gerade sehr beschäftigt.“
Ich bestand darauf, daß er sein Spiel im Stich lasse und sofort mit mir komme. Nach einem langen Hin und Her, das mich fast zur Raserei brachte, erklärte er sich schließlich gütigst bereit.
Er stand hinter dem Bett meines Mannes, als er das Thermometer zwischen den brennenden Lippen Barnums hervorzog. Als er sah, was es anzeigte, wurde sein selbstzufriedenes, wohlrasiertes Gesicht aschgrau.
Das Thermometer zeigte 41.2 Grad!
„Er muß das schon seit Tagen in sich herumgetragen haben“, sagte der Arzt, tief besorgt. „Es ist zu spät, um ...“
„Zu spät!“ keuchte ich.
„Ich meine“, fügte er hinzu, „er ist schon zu krank, um jetzt noch ins Spital gebracht zu werden. Wir müssen alles, was wir können, hier für ihn tun.“

„Ist es wirklich Malaria?“ fragte ich und versuchte mir einzureden, daß es das nicht sein könne.
Die Antwort dröhnte in meinen Ohren: „Mrs. Brown“, er sah mir ernsthaft in die Augen, „es ist besser, Sie erfahren die Wahrheit, damit Sie wissen, was Ihnen bevorsteht. Ihr Mann hat *schwarze* Malaria — die ärgste Art, die es gibt.“
Er nahm eine Flasche aus seiner Arzttasche. „Flüssiges Chinin — dreimal am Tag — je 60 Gran.“
Ich erschrak. Ein Viertel dieser Dosis wäre mir schon enorm vorgekommen.
Die Stimme des Arztes dröhnte weiter. „Es ist Tod oder Genesung, hören Sie. Folgen Sie den Instruktionen ... Vielleicht bringt ihn das durch ... Werde tun, was ich kann ... Keine Schwester zu haben ... Sie müssen es ganz allein tun.“ Er gab ein unnatürliches, hohles Lachen von sich. „Werden Sie es schaffen, Mrs. Brown?“
Jeden Morgen, nach dem langen, harten Kampf der Nacht, schleppte ich mich aus dem Haus, mietete ein Gharri und fuhr in die Stadt, in die einzige dort vorhandene Sodafabrik. Dort versorgte ich mich mit genügend Eis, um bis zum nächsten Morgen auszukommen, und bewahrte es in Sägespänen und Sackleinwand auf, bis das Fieber um sechs Uhr abends zu steigen begann. Dann packte ich meinen Patienten in das Eis und ließ ihn darin bis zwei Uhr morgens, wenn das Fieber seinen Höhepunkt erreicht hatte und das Thermometer wieder zu sinken begann.
Während dieser qualvollen Tage lebte ich hauptsächlich von starkem, heißem Tee, und nur die weißgestrichenen Wände des Zimmers und die langausgestreckte Gestalt meines Mannes drangen wirklich bis an mein Bewußtsein heran. Alles andere schien sich in einer fremden Welt zu bewegen, aus der hie und da kleine Geräusche kamen, wie das Klopfen eines Palmwedels gegen das Fenster, das Tropfen des Regens, oder der traurige Gesang des Hauspersonals draußen vor dem Bungalow.
Das Grauen dieser Tage nahm ungefähr folgenden Verlauf: sechs Uhr, das Fieber stieg ... 39.4 ... 40 ... Eispackungen ... Gebete ... dann die lange Wache die Nacht hindurch ... Delirium ... Fieber ... 40.5 ... 41.1 ... 41.2 ... Das Leben hing nur

noch von einem halben Grad ab. Gebete. Dann kam ein entsetzlicher Schweißausbruch, wenn das Fieber zurückging, und dann — der lange Schlaf, der so nah am Tode war, daß ich oft dachte, mein Geliebter hätte mich schon verlassen, und nur eine leise Spur von Feuchtigkeit auf dem Spiegel, den ich ihm vor die Lippen hielt, bewies mir, daß er noch lebte.

Und irgendwann während dieser endlosen Tage verließen mich Mari und Dos, um nach Hause zu gehen, wo Mari sterben sollte.

Auf das Hauspersonal war kein Verlaß, und so mußte ich den ganzen Kampf allein austragen. Draußen vor meiner Tür hörte ich Tag für Tag ihre trauervollen Gesänge. Der Sahib war verurteilt zu sterben, sagten sie mit typisch orientalischer Resignation. Wenn er sterben mußte, so mußte er eben sterben; keine medizinische Behandlung der Welt konnte den Lauf des Schicksals ändern. Nicht einer von ihnen bewegte auch nur einen Finger, um mir bei seiner Rettung beizustehen; sie machten vielmehr schon Pläne, was mit seinem Leichnam geschehen würde, und erwarteten auch noch gute Ratschläge von mir.

Ihr einmütiger Beschluß war, daß es das beste sein würde, ihn zu verbrennen. „Aber“, warnten sie mich, „wenn Sahib in den Großen Frieden hineinschläft, du ihn nicht in geschlossenen Sarg legen, wie sie mit General Z-Sahib gemacht haben. Du mußt Sahib auf offenem Scheiterhaufen aus speziellem Sandelholz verbrennen, wie es sich gehört.“

„Aber der Sahib wird nicht sterben“, sagte ich ihnen immer wieder und knirschte mit den Zähnen.

Sie lächelten nur, nickten mit den Köpfen und wiederholten: „Sahib sterben ... Sahib sterben ... Sahib sterben“, und die Worte gingen langsam in eine Totenklage über.

In seinem Delirium schien Barnum seine Vergangenheit wieder zu durchleben. Ich strengte mich an, ihn zu verstehen, in der Hoffnung zu erfahren, was ihm wehtat. Aber meistens war das, was er sagte, nur ein zerrissenes Gemurmel, nur hie und da wurde es regelmäßig und deutlich, und ich konnte mir den Inhalt seiner Worte zusammenreimen.

Meist sprach er von seiner Jugend. Manchmal war er wieder ein kleiner Knabe, der über die Kohlenhalden auf seines Vaters

Farm in Kansas wanderte und seine ersten wertvollen Exemplare sammelte. Bald füllten all diese versteinerten Seemuscheln und Pflanzen, die er, wenn Besuch kam, voll Stolz in der Halle ausstellte, jeden freien Raum im Haus und mußten in die Scheune verbannt werden.

Er war wieder Student an der Universität von Kansas und studierte Geologie bei seinem sehr verehrten Professor Williston. Dann waren er und sein Klassenkamerad, Elmer Riggs, wieder draußen auf dem Feld und gruben mit dem berühmten Henry Fairfield Osborn in Wyoming nach Fossilien.

In Como hatte der erstaunliche Barnum offenbar das erste Dinosaurierskelett des Amerikanischen Museums ausgegraben.

Manchmal kamen dann, nach den Erlebnissen aus frühester Jugend, Einzelheiten vom Schiffsuntergang nahe der Patagonischen Küste, wo er sich, um sein Leben kämpfend, an ein zerbrochenes Lukenfenster angeklammert hatte, das ihn an Land trug.

Am Schluß wurden seine Worte zu einem inhaltslosen Geflüster, das in Schweigen überging oder plötzlich durcheinander geriet und sich in wilden Rasereien verlor.

In solchen Augenblicken wurde ich von einer Welle des Grauens und der Furcht überschwemmt. Plötzlich überkam es mich mit ganzer Macht, daß ich hier saß und meine Feuerprobe in völliger Einsamkeit bestehen mußte. Niemand war da, an den ich mich um Rat oder Trost wenden konnte, außer mein kühl-professioneller Arzt. Die Eingeborenen waren mehr als nutzlos, sie waren viel ärger, denn für sie war Barnum bereits tot. Sobald ich einmal für ein paar Minuten einschlief, wurde ich von den furchtbarsten Alpträumen heimgesucht.

Der Kampf um sein Leben dauerte fünf Tage und fünf Nächte, während denen der Tod am Fußende stand — und wartete. Fünf Tage und Nächte, gemessen in Pulsschlägen und dem Fallen und Steigen der dünnen Quecksilbersäule in einem zerbrechlichen kleinen Thermometer!

In der fünften Nacht war die Krise vorüber. Und der Arzt sagte: „Jetzt können wir ihn ins Spital bringen."

Barnum öffnete die Augen. Seine Lippen bewegten sich. Ich beugte mich hinab, um sein schwaches Flüstern zu verstehen.

„Nur müde, Pixie, nur müde — das ist alles. Ein Tag Ruhe — und ich bin wieder in Ordnung“, schloß er mühsam und schien keine Ahnung zu haben, wie nahe er dem Tode gewesen war. Nachdem er sein Delirium überstanden hatte, bemerkten wir, daß er überhaupt nichts hören konnte. Die riesigen Dosen Chinin hatten ihn völlig taub gemacht — glücklicherweise aber nur vorübergehend.
Die Krise war überstanden, und kaum hatten wir ihn im Spital einquartiert, als der Arzt mich dabei erwischte, wie ich selber mit 40 Grad Fieber herumschwankte und eine Menge Blödsinn vor mich hinplapperte. Die Anstrengung, die Sorge und der ununterbrochene Kampf verlangten nun ihren Tribut. Aber ich hatte keine Malaria, nur eine ziemlich häufige Form von Dschungelfieber, das gewöhnlich durch Erschöpfung verursacht wird. Eine Zeitlang lagen wir Seite an Seite in dicht nebeneinander stehenden Betten, und keiner von uns wußte, ob der andere lebte. Mein Fieber ging schnell vorüber, und ich war bald wieder auf den Beinen, um Barnum gesund zu pflegen.
Aus seinem „einen Tag Ruhe“ wurden Wochen im Spital. Und diesen Wochen folgten Monate in einer britischen Bezirksstadt, in den kühlen Maymyo Bergen, ungefähr sechzig Kilometer östlich von Mandalay, an der Straße nach Laschio.
Unser Gasthaus, „Lizette Lodge“, war das Haus einer englischen Dame namens Gertrud Routleff, deren dem westlichen Geschmack angepaßte ostindische Küche ihr unter den Gourmets einen großen Ruf verschafft hatte. Während wir dort waren, schloß sie ihr Hotel für alle anderen Gäste, damit Barnum völlige Ruhe haben sollte.
Er war nur noch ein Schatten seiner selbst und wog kaum mehr als fünfundvierzig Kilo. Er war noch lange Zeit gezwungen, im Bett zu bleiben. Aber tagsüber rollten wir es auf die von Weinlaub beschattete Veranda hinaus, wo ich ihm vorlas. Er war zu schwach, um mehr zu tun, als sich umzudrehen. Seine Diät beschränkte sich zu jener Zeit auf starke Bouillon und Haferschleimsuppe, in die hie und da zwecks Abwechslung ein Eigelb gerührt wurde. Er durfte noch nichts Festes essen.
Nach ein paar Wochen von Mrs. Routleffs ausgezeichneter Pflege

hatte er sich so weit erholt, um in seinem Pyjama draußen sitzen zu können; noch ein paar Wochen, und er konnte, auf meine Schulter gestützt, neben dem Bett stehen. Dann — die ersten Schritte, Mrs. Routleff stützte ihn auf der einen Seite, ich auf der anderen. Schließlich brauchte er dann nur noch einen Stock.

Von da an beurteilten wir die Fortschritte in seiner Genesung an den Entfernungen, die er von der Veranda aus gehen konnte, ohne müde zu werden. Die Grenze war das Ende des Gartens. An einem Tag gelangte er bis zum Rosenbusch, am nächsten bis zu den Rhododendren. Danach ging er, allerdings sehr langsam, um das ganze Haus herum. Aber seine Schritte wurden fester, seine Augen bekamen wieder Ganz, und er lachte wieder.

Es ging schneller als wir dachten — und der Tag kam, an dem Barnum seinen neuen Palmbeach-Anzug anzog und ausgehen wollte. Maymyo hatte verschiedene Anziehungspunkte — ein Polofeld, einen Golfplatz, und Fahrten durch die kühlen, bewaldeten Hügel. Im Britischen Klub waren Squash- und Badminton-Spielplätze und ein großes Schwimmbassin, in dem er viele erholsame Stunden verbrachte.

An einem epochemachenden Tag, als Barnum schon wieder fast völlig bei Kräften war, sagten wir Gertrud Routleff Lebewohl — eine beiderseitig tränenreiche Angelegenheit — und bestiegen den Zug nach Rangun.

Lebe wohl, Burma — lebe wohl, Jugend!

DRITTER TEIL

Amerika

Nach brausender See — des Hafens Stille,
Nach glühendem Sand — die kühlende Welle,
Nach dürrem Gestein — der Blumen Fülle,
Nach stürmischer Nacht — des Morgens Helle.

Edwin Markham

DIE BROWN-BURG

Es hat etwas Überwältigendes an sich, aus der großen Leere des Atlantik in den Hafen von New York einzufahren. Es überfällt einen mit einem plötzlichen Wirbel von Geräuschen und Gefühlen — eine riesige gemauerte Stadt, die sich aus dem Meer erhebt. Man weiß nicht, ob man lachen oder weinen soll. Barnum und ich taten in dieser Nacht beides, indes die „Mauretania" langsam den Hudson bis zu ihrem Ankerplatz mitten in Manhattan hinauffuhr.

Es war die Silvesternacht — genau Mitternacht. Die Luft war klar und frisch, und hinter den Türmen an der Küste folgte uns ein Wintermond. Eine ganze Flut von Geräuschen tönte vom Land herüber und mischte sich mit dem Lärmen des Flußverkehrs. Wir hörten das Läuten der Glocken, das ferne Hupen der Autos, das heisere Knarren der Frachtdampfer, das Heulen der Sirenen, die von den Feuerschiffen und den Schnellbooten der Hafenpolizei benützt wurden. Das ganze, alte New York schien auf der Straße zu sein, um uns zu begrüßen, und wie eine Antwort ertönte jetzt das tiefe Tuten der „Mauretania".

Daheim! Was für ein wundervolles Wort, dachte ich, während meine Augen die alte, wohlbekannte Silhouette der Stadt abtasteten. New York war für uns beide Zuhause. Wir waren vier lange Jahre fortgewesen! Das war ich selbst dort drüben — meine Stadt — mein Geburtsort. Ich war ein Teil davon. Nie wieder würde ich es verlassen.

Barnum nahm mich in die Arme und drückte mich an sich, bis es wehtat, und wir lachten und plapperten und riefen jedermann ein gutes Neues Jahr zu. Dann schlossen wir uns der Menge unten an, und inmitten eines Wirbels von farbigen Papierschlangen, Luftballons und Konfetti stimmten wir in das Lied „Auld Lang Syne" zu Ehren des Neuen Jahres ein. Blechtrompeten und Kinderpfeifchen quietschten wild durcheinander. Was für eine

Willkommfeier! Und sie nahm auch kein Ende, als wir an Land gegangen waren, und dauerte noch den nächsten Tag und den übernächsten.

Es folgten Wochen der Verwöhnung, in denen wir uns an all den Dingen sättigten, nach denen wir uns während unserer Abwesenheit gesehnt hatten. New York war etwas, worin man schwelgen, das man fühlen, riechen und schmecken konnte. Es war Kaffee auf amerikanische Art, Schinken mit Ei, riesige Schnitten Apfelkuchen. Es waren Menschen, die man liebte. Es waren Freunde, alte und neue. Es war ein Spaziergang die Fifth Avenue hinauf, wo wir die Läden abgrasten, uns unter die Menge mischten und wußten, daß wir dazugehörten. Theater, Kinos, Cocktails im Kolonialklub, Beefsteaks bei Cavanaugh, ein italienisches Spaghetti-Lokal in Greenwich Village. Es war das Gefühl von weichen Teppichen unter den Füßen, sanfter Beleuchtung, Tanzen im Plaza, im Ambassador. Es war das Paradies! Bald schienen uns die Jahre im Orient wie ein ferner Traum.

Fast ohne es zu merken (so leicht war es damals), saßen wir plötzlich in einer eigenen Wohnung, einem luxuriösen, umfangreichen Appartement westlich vom Broadway und nicht allzu weit vom Museum. Die Wohnung sah mit unseren vielen überall verstreuten Schätzen — kleinen Erinnerungsstücken aus fernen Ländern — entzückend aus, und unsere Freunde tauften sie die „Brown-Burg“. Auf einem Tisch im Vorzimmer stand die Kaschmirlampe; das kleine Steinbildnis des Buddha aus einem birmanischen Tempel teilte den Platz oben auf dem Büchergestell mit einem bronzenen Ebenbild des Hindugottes Vischnu; da gab es Teppiche aus Belutschistan; silberne Zigarrenschalen, randvoll mit Rosen; lackierte Zigarettendosen aus Mandalay; indischen Jade als Aschenbecher; Mosaikarbeiten aus Türkis aus dem Lande des Lalla Rookh; ein Fries von ausgewählten Photographien rund herum an den Wänden des Studierzimmers.

Wir gaben Cocktail-Parties, die durch ein neues Getränk namens „Brown-Spezial“ ihre besondere Note erhielten, und die Cocktail-Stäbchen, die dazu gereicht wurden, trugen eingraviert: „Aus dem Brown(braunen)-Haus gestohlen“. Manchmal folgte noch ein Nachtmahl mit gebratenem Huhn, Reis-Pilaw à l'Indienne

oder eine orientalische Curry-Schöpfung, bei deren Zustandekommen alles um den Herd herumstand, und die gewöhnlich als ein internationales Potpourri aus allem, was es in der Küche nur gab, endete. Während dieser wundervollen, seligen Zeit zeigte es sich, daß mein Mann auch eine hausfrauliche Seite hatte. Zu meinem restlosen Erstaunen konnte er nicht nur kochen und backen, sondern auch Marmelade und saure Gurken einwecken und den köstlichsten Salat zubereiten, den ich je gekostet habe. Er liebte häusliche Arbeit. An Samstagen mußte ich um mein Recht auf den Staubsauger kämpfen.
Unter seinen engsten Freunden hatte offenbar ein ziemliches Märchengespinst, was mich selber betraf, die Runde gemacht. Die Nachricht von seiner Heirat in Indien hatte das Gerücht in Umlauf gesetzt, daß er seine Ehefrau in Wirklichkeit aus dem Harem eines Maharadschas entführt hätte. Vielleicht hätte ich diese romantischen Ideen mehr unterstützen sollen, denn zweifellos wäre eine Haremsdame viel interessanter gewesen als eine ganz gewöhnliche Klosterschülerin mit einer kleinen schriftstellerischen Begabung. Es gab Zeiten, wo Mitarbeiter meines Mannes mir versicherten, daß sie mich mindestens für die Ex-Maharani von Patiala oder die Tochter des Sultans hielten.

STEGY, BRONTO UND STINKY

Seit jenem denkwürdigen Tage, da Barnum seine Nase aus den Geröllhalden der Farm seines Vaters gezogen und sie in die Knochen der Kansas-Universität vergraben hatte, war das Museum immer der Hauptinhalt seines Lebens gewesen. Jetzt verbrachte er dort regelmäßige Bureaustunden — von neun bis fünf —, und ich tat nichts lieber, als zuzusehen, wie eines unserer Ungeheuer in dem Laboratorium bearbeitet wurde. Für jedes alte Gerippe, das die Last seiner hundert oder mehr Millionen Jahre spürte, waren ein paar Monate in der amerikanischen Museumsklinik gerade das Richtige, um es wieder auf die Beine zu bringen.
Das Laboratorium sah wie die Werkstatt eines verrückten Genies

aus, das gerade unter furchtbaren schöpferischen Qualen eine nette, gruselige menschliche Maschine à la Frankenstein herzustellen versuchte. Töpfe, Flaschen, Pfannen, Krüge und Gummischalen quollen über auf den langen Arbeitsbänken; dazwischen stachen Spatel, Messer, Meißel, Ahlen und feine zahnärztliche Werkzeuge hervor. Der Geruch von Chemikalien erfüllte die Luft — es roch nach reifen Bananen und stank nach Dextrin, das, mit Gips gemischt, als Allheilkleister diente.
Die verschiedensten Dinosaurier-Kadaver kugelten in den Ecken herum — zum Teil immer noch in der Vermummung weißer Gipsverbände, ein jeder numeriert und mit einer ausführlichen Lebensbeschreibung um den Hals. Auf den Stellagen, an den Wänden, malerisch über die Tische verstreut oder von der hohen Zimmerdecke herunterhängend, fanden sich hier die verschiedensten Exemplare aus allen Teilen des Globus: ein kleiner Dinosaurier aus der Mongolei; eine bayrische Kalksteinplatte, die die zierlichen Knochen eines fliegenden Reptils — eines Pterodactylus — enthielt; die Überreste eines ausgestorbenen patagonischen Säugetieres; eine Amphibienart aus Texas.
Bald fühlte ich mich in der Gesellschaft von Barnums Menagerie schon so zu Hause, daß ich sie bei ihren Vornamen rief. Stegosaurus hieß „Stegy“; Brontosaurus — „Bronto“; und Paleoscincus ganz einfach „Stinky“.
Hier sah ich auch die fossilen Tatbestände für eine Anzahl von Barnums unzusammenhängenden Fieberphantasien in Burma — vor allem seine Dinosaurier-Kollektion. Seine frühe Leidenschaft für diese gigantischen Kreaturen war später zu einer so starken Liebe herangereift, daß er einige seiner besten Jahre damit verbrachte, Dinosaurierskelette in abgelegenen Winkeln im Westen der Vereinigten Staaten und Kanadas auszugraben. Als Mitglied des Stabes des Amerikanischen Museums hatte er bald genügend Exemplare gesammelt, um eine riesige Ausstellungshalle mit aufgestellten Gerippen und einige Vorratsräume mit einzelnen Teilen zu füllen. Auf Grund seiner Ausgrabungserfolge wurde Barnum dann zum Kurator für fossile Reptilien bestellt, oder auf deutsch zum Oberwärter für Dinosaurierknochen.
Es war also nur natürlich, daß er mich bei meinem ersten Be-

such im Museum direkt zur Dinosaurier-Halle führte, wo die Trophäen prähistorischen Großwildes herumlagen.
Wenn man diese Halle betritt, hat man das Gefühl, in eine riesige Katakombe einzudringen. In einer dem Leben nachgebildeten Haltung stehen hier die nackten Toten herum, riesige Knochenberge, die mit ihrem grauenerregenden Anblick das Bild einer vergessenen Welt wieder aufleben lassen. Eine abwehrend kühle Atmosphäre umgibt sie, als ob sie einem anderen Planeten angehörten. Als Barnum jedoch anfing zu erklären und von ihnen wie von alten Freunden sprach, schienen sie sich zu verändern und wieder zum Leben zu erwachen.
„Mein Lieblingskind", sagte er und stellte mich den mächtigen Formen eines Tyrannosaurus rex vor. „Ich habe ihn in den Hell Creek Badlands von Montana gefunden. Ich habe zwei Sommer damit verbracht, den Burschen auszugraben und seine Überreste im Wagen zweihundert Kilometer weit bis zur nächsten Bahnstation zu transportieren. Er ist die schrecklichste Art einer Kampfmaschine, die sich die Natur jemals ausgedacht hat. Aufrecht stehend ist er fast sechs Meter hoch."
Direkt daneben stand ein fast acht Meter langes Reptil namens Brontosaurus, die „Donner-Eidechse". „Als sie noch lebte, hat sie die Waage bis zu vierzig Tonnen hinuntergedrückt", stellte Barnum fest. „Aber sie war eine überzeugte Vegetarierin und so harmlos wie ein Kätzchen."
„Wenn sie sich nicht auf dich draufsetzt", warf ich ein.
Er fuhr fort: „So wie Tyrannosaurus dort drüben der größte Fleischesser seiner Zeit war, so vertrat Bronto den ausgeprägtesten Typus der Pflanzenfresser. Sie kam aus Wyoming, wo es vor fünfzig Jahren noch so viele Dinosaurierknochen gegeben hat, daß sich ein alter Einsiedler eine Hütte daraus bauen konnte. Nachdem Bronto ausgegraben war, verbrachten wir sechs Jahre damit, das Skelett zu räparieren und aufzustellen."
Wir schlenderten weiter die Halle hinunter, und keiner von uns sprach ein Wort. Ein zeitloses Schweigen schien diese unwahrscheinliche Versammlung einzuhüllen. Einst waren sie Fleisch und Blut, jetzt waren sie nur noch steinerne Erinnerungen an die großartigen Experimente, die die Natur einst mit Knochen

und Muskeln gemacht hatte. Und plötzlich ahnte ich wie nie zuvor, warum mein Mann von seiner Arbeit so besessen war. Es war eine große Arbeit. *Er* hatte dies getan. Die Sammlung dieser prähistorischen Wunder war hauptsächlich sein Werk, und es war keine Kleinigkeit gewesen.
Plötzlich fiel mein Blick auf einen wohlbekannten Namen — Colossochelys atlas. Hinter dem Schild sah ich die schon vollständig aufgestellte Riesenschildkröte, die wir in den Siwalik-Bergen gefunden hatten.
„Das ist ja unsere Schildkröte!" schrie ich.
Barnum grinste. „Ich war schon neugierig, wann du sie bemerken würdest. Sie ist gestern erst hier aufgestellt worden."
Erinnerungsschwere Düfte von Fischleim versetzten mich wieder zurück in das Dorf von Siswan und meine wilde Jagd nach Schellack. Dies war *unser* Exemplar — ein Kind von Brown und Frau. Mir wurde ganz froh zumute, denn jetzt hatte auch ich einen Anteil an dem Museum. Von dem Augenblick an wurde es für mich zu einem persönlichen und mir zugehörigen Wesen.

WANN STARTEN WIR?

Etwas von Barnums Begeisterung für die Vergangenheit färbte auch auf mich ab, wenn er jeden Morgen davoneilte, um sich in prähistorischen Knochen zu vergraben.
Aber wenn er am Abend nach einem arbeitsreichen Tag zurückkehrte, in seiner Hausjacke herumsaß oder gemütlich Bridge spielte, lebten die Browns, nun nicht mehr als Globetrotter, das Leben ganz normaler, gewöhnlicher Menschen — und genossen es.
„Keine Zelte, die aufgestellt werden müssen!" pflegte Barnum zu bemerken und lächelte in Gedanken an alte Zeiten. „Keine Kamele, die abgeladen werden müssen! Keine Affen, die in deinem Haar herumzupfen."
Ich pflegte dann an ganz etwas anderes zu denken. Trotz vieler tapferer Versuche und einem zumindest fast gelungenen — dem

Traumboot auf den Kaschmirseen —, hatten wir bisher noch keine wirklich echten Flitterwochen gehabt. Immer war uns ein Telegramm aus dem Museum oder die Entdeckung irgend welcher lästiger alter Knochen dazwischengekommen. Aber hier konnte so etwas nicht passieren. Was sollte uns daran hindern, unsere verspäteten Flitterwochen, mit allem Drum und Dran, jetzt nachzuholen?

Mein Mann stimmte zu. Wir erwogen verschiedene konventionelle Reisen auf dem Lande, dem Meer oder in der Luft. Zu einer Diskussion kam es gar nicht. Alles, was ich vorschlug, war Barnum recht. Wir dachten unter anderem daran, hier im lieben alten New York unsere Flitterwochen zu verbringen.

Unsere Pläne hatten noch keine festen Formen angenommen bis zu dem Tag, an dem er sehr früh nach Hause kam und jenes besondere Glitzern in den Augen hatte, das ich seit unserer Abreise aus dem Fernen Osten nicht mehr bemerkt hatte.

Eine Zeitlang wanderte er von einem Zimmer ins andere, gab sinnlose Laute von sich und war offensichtlich bemüht, irgend eine tiefe Erregung zu unterdrücken. Schließlich stellte ich mich ihm in den Weg.

„Was ist los?“ verlangte ich zu wissen.

Plötzlich riß er mich in seine Arme und platzte los: „Pixie, was würdest du dazu sagen, wenn wir nach Wyoming gingen, um einen Dinosaurier auszugraben?“ Er zögerte. „Natürlich würde das bedeuten, daß wir unsere Flitterwochen verschieben müßten — aber —“

Dieses Aber überhörte ich als eines prähistorischen Toten unwürdig, und fragte froh erregt:

„Wann starten wir?“

INHALT

Erster Teil: INDIEN

Zweiter Teil: BURMA

Bild nach Seite 144: Herbert Tichy, Wien. Bild nach Seite 220 unten, vor Seite 221 oben und unten: American Museum of Natural History, New York. Alle übrigen Bilder: Lilian Brown